LIBRARIES N
WITHDRAWN FROM

D0245822

# Dagmara ANDRYKA

# TYSIĄC

Prószyński i S-ka

Copyright © Dagmara Andryka, 2015

Projekt okładki
Luiza Kosmólska

Zdjęcie na okładce
© Kerry Norgard/Arcangel

Redaktor prowadzący
Anna Derengowska

Redakcja
Aneta Kanabrocka

Korekta
Maciej Korbasiński

Łamanie
Ewa Wójcik

ISBN 978-83-8069-145-2

Warszawa 2015

Wydawca
z o.o.
02-697 Warszawa, ul. Rac... owskiego 28
...pl

Druk i oprawa
Drukarnia POZK... ...łka z o.o.
...100-... ...ielna 10-12

| LIBRARIES NI | |
| --- | --- |
| C901388569 | |
| BOOKS ASIA | 15/02/2016 |
| BFBA068649 | £17.13 |
| BAS | |

*Dla Kinka*
*Bez Ciebie ta książka by nie powstała.*

Wszelkie podobieństwo do istniejących osób lub zdarzeń rzeczywistych jest przypadkowe.

# ROZDZIAŁ 1

„Zawróć. Jeśli możesz, to zawróć!". Lektorka z GPS-u wyraźnie traciła cierpliwość. Rzeczywiście, na mapie widniała pusta przestrzeń, a auto z trudem poruszało się po rzekomo nieistniejącej drodze. Marta przeklęła w duchu swoje lenistwo, już dawno miała zaktualizować program. Zrezygnowana, wyłączyła urządzenie.

Po chwili zobaczyła zabudowania. Zastanawiała się, czy nie wjeżdża komuś do gospodarstwa. Była bardzo zmęczona. Samochód od kilku kilometrów niepokojąco terkotał, a kierownica stawiała opór. Pomyślała, że to znak. Do Żarnowca miała jeszcze jakieś sto kilometrów i choć zmrok zapadł nie tak dawno, postanowiła poszukać noclegu.

Wjechała do Mille. Uśmiechnęła się, przypominając sobie łacińskie znaczenie tego słowa. To jak symboliczne przekroczenie progu tysiąclecia, pomyślała. Na znaku ktoś białą farbą zmienił nazwę na Miłe. Dobrze się zapowiada, stwierdziła w duchu.

Zwolniła. Drzewa wyciągały gałęzie w głąb ulicy, a w świetle reflektorów wirowały złoto-czerwone liście. No tak, polska jesień. Odetchnęła, masując obolały kark.

Po kilkunastu metrach skończył się asfalt i wjechała na kocie łby. Dla jej peugeota było to stanowczo za dużo. Silnik zawył, a skrzynia biegów wydała ostatni zgrzyt. Zatrzymała auto na końcu drogi, w pobliżu niskiego drewnianego budynku. Na drzwiach dojrzała odręczny napis: „Przyparafialny klub AA".

– No to sobie, kurwa, pojechałam – przeklęła na głos, rozgryzając ostatnią kukułkę. Przyjemne alkoholowe nadzienie rozpływało jej się w ustach. Wyłączyła silnik i światła. Dopiero teraz zauważyła, że zrobiło się już całkiem ciemno. Zwinnie wyskoczyła z auta i zamknęła pilotem drzwi. Drgnęła, słysząc nadspodziewanie głośne kliknięcie alarmu. Rozejrzała się, by sprawdzić, czy przenikliwy odgłos nikogo nie przestraszył, ale na ulicy nie było żywej duszy.

Puste, wymarłe miasteczko. Żadnego ojca rodziny kroczącego z rozwianymi połami płaszcza, żadnej spieszącej do dzieci matki, osłaniającej się chustą przed wiatrem, żadnego chłopca na rozklekotanym rowerze, z trudem dosięgającego siodełka. Nikogo. Potrząsnęła głową. Te stereotypy… To dlatego nie potrafi napisać dobrego reportażu. Wszyscy jej ciągle powtarzają, że pisze o tym, co każdy już wie, a tymczasem prawda leży pod spodem, tam, gdzie nie dociera płytkie dziennikarskie śledztwo. „Trzeba interesować się człowiekiem i tym, czego nie widać". Banały!

Reportażem z Żarnowca, gdzie kilka miesięcy temu wydarzyła się tragedia, udowodni, że umie dotrzeć do prawdy.

W nagrodę dla najlepszych gimnazjalistów ksiądz zorganizował wycieczkę do Włoch, śladami Jana Pawła II.

Wybrano samych wzorowych uczniów, w sumie czterdziestu. Tylko praktykujących katolików. Wesoła młodzież wsiadła z gitarami do autokaru i nigdy nie wróciła. Śledztwo wykazało, że zawinił kierowca. Nadmierna prędkość w trudnych warunkach zrobiła swoje. Nie wiadomo, kto prowadził. Obydwaj zmiennicy nie żyją. Mówią o nich „mordercy". Pochodzili z Żarnowca, gdzie ciągle są ich rodziny, które teraz miasto chce zlinczować. I to jest początek historii.

Dwóch dziennikarzy wróciło z niczym. Biegajowa nagrała jakieś rozmowy z matkami, a Heniutek miał dogadaną żonę jednego z kierowców, ale po tygodniu wrócił, zrezygnowany. Naczelny miał bzika na punkcie tej historii. Małe miasteczko, śmierć i lincz. Wiedział, że temat jest trudny, ale chciał go podjąć. Miał nadzieję, że to uratuje dogorywający tytuł.

Na zebraniu redakcji, kilka dni po powrocie Heniutka, długo milczał. Nagle prowizoryczna salka konferencyjna wydała się za mała i choć lato już minęło, wszystkich uderzyła fala gorąca. Naczelny świdrował każdego wzrokiem. Był wysokim, dobrze zbudowanym mężczyzną, więc patrzył z góry, a jego twarz, nabrzmiała od rozdrapanych krost, niepokojąco pulsowała.

– Witecka! Ty pojedziesz! – Wskazał palcem Martę.

– U Joli są zaliczki i vouchery. Do roboty! – Machnął dłonią jak packą na muchy.

Wszyscy podnieśli się z miejsc, tylko ona została w salce. Przejrzała kalendarz w komórce. Wszystkie kratki były puste, nie miała zaplanowanego ani jednego spotkania, nawet u dentysty. Spojrzała z politowaniem na wyświetlacz telefonu. Pojedzie. Przecież to żaden problem. A może jej się uda i zostanie numerem jeden. No, raczej dwa, po samym mistrzu Szajnercie, naczelnym.

Przejrzała się w szklanej szybie salki konferencyjnej. Włosy w artystycznym nieładzie, w kolorze wiewiórki w słońcu, lniany przylegający T-shirt i ukochane zielone bojówki z niezliczoną ilością kieszeni. Do tego skórzane wysokie trampki i szara bluza. Nie wyglądała na gwiazdę dziennikarstwa. Pociągła twarz bez makijażu, duże błyszczące oczy – tak wygląda zwyczajna kobieta.

To ostatnia szansa, pomyślała, przymykając oczy. Wydarzenia z Żarnowca nie fascynowały jej tak jak naczelnego, ale wiedziała, że odpowiednio podane mogą być hitem. I właśnie tak postanowiła je opisać.

Teraz jednak utknęła w opustoszałym Mille. Po chwili dojrzała wysoką wieżę z krzyżem. Odetchnęła. Właściwie nie wiadomo dlaczego, bo przecież kościół jest w każdym polskim miasteczku. Rozejrzała się ponownie, nasłuchując jak zając podczas polowania. Nie docierały do niej żadne dźwięki. Nawet psy nie ujadały. Cisza. Potworna i jakaś złowroga.

Zapaliła papierosa. Zarzuciła na plecy wysłużoną torbę i ruszyła przed siebie. Po kilku minutach dotarła do rynku. Domy szczelnie okalały teren, jak zabudowania obronne. Wszystkie niskie i ciemne, otoczone potężnymi drzewami o splątanych gałęziach. Spojrzała na komórkę. Dochodziła dwudziesta trzecia. Dym z papierosa ugrzązł jej w gardle, nie dawał spodziewanego kopa.

Była już bardzo zmęczona. Zdeptała niedopałek, ale nie chciał się zgasić. Kilka razy przygniatała go, aż w końcu przestraszyła się, że spali sobie trampki. Miała już dość. Stała pod domem, w którym właściciel prowadził delikatesy. Wiszący szyld „U Silnego" skrzypiał przy każdym podmuchu wiatru. Wyjęła komórkę i za pomocą aplikacji postanowiła wyszukać nocleg.

Telefon myślał. Z tyłu zabudowań dobiegało stłumione brzęczenie. Zaciekawiona, znalazła ścieżkę między domami. Nasłuchiwała z lekkim niepokojem. Brzęczenie się wzmagało, jakby coś próbowało się uruchomić, ale nie mogło. Podeszła bliżej i zobaczyła niebieską poświatę. Przez sekundę myślała, że to może komisariat, i pierwszy raz w życiu ucieszyła się na myśl, że spotka policjanta. Odważniej weszła na ścieżkę. Po kilku krokach dojrzała niebieski neon „BAR RZYM", z migającą i brzęczącą literką M. Komórka zapiszczała nieprzyjemnie. Brak sygnału GPS.

– Szajs jeden!

Ogniki papierosów wyróżniały się na tle szarego, dużego okna, a przez szpary przy futrynach dobiegał monotonny głos z radia. Marta nabrała powietrza, żeby uciszyć strach. Bar „Rzym" wyglądał jak speluna. Z trudem uchyliła ciężkie drzwi. Niemal natychmiast buchnął specyficzny odór — mieszanka alkoholu, garmażerki i taniego tytoniu.

– Zamknięte, *signora*! – usłyszała lekko brzmiące, śpiewne wołanie.

Podeszła bliżej. Drobna, znudzona barmanka nawet nie drgnęła. Mimo późnej pory zachowała nienaganny makijaż. Mocne kreski i szare cienie podkreślały jej duże, piwne oczy. Kobieta miała czarne włosy, wygładzone i spięte w kucyk. Czerwone usta odcinały się od ciemnej karnacji. Choć była ubrana w dopasowaną, elegancką koszulę w grafitowym kolorze, zapiętą pod samą szyję, z pewnością stanowiła obiekt westchnień tutejszych mieszkańców.

Piękna Włoszka, pomyślała Marta i mimo dość nieprzyjemnego powitania postanowiła zostać.

– Dobry wieczór.

– Już nic nie podam. Jutro zapraszam, od dwunastej. – Barmanka ciężko westchnęła. Zaczęła ścierać z blatu nieistniejące okruchy.

Marta usiadła na wysokim barowym krześle. Rozejrzała się. Knajpa była urządzona jak pizzeria, ale lokalni goście najwyraźniej zmienili ją w pub z piwem. Na plastikowym menu czarnym flamastrem wypisano kilka rodzajów pizzy, ale zaraz pod spodem znalazły się: śledź, setka wódki i dwa gatunki piwa. Za barem, na piecu do pizzy, poustawiane były butelki. W sali stały trzy stoliki, każdy przykryty ceratą z motywami włoskich potraw. Przy ostatnim, pod ścianą z telewizorem, spał dobrze zbudowany mężczyzna. Prawdopodobnie nie był już w stanie więcej wypić. Przed nim stał pełen kieliszek wódki.

– Wypije jeszcze, *signora* zobaczy. – Barmanka przerwała niezręczną ciszę.

Marta uśmiechnęła się przyjaźnie, ale kobieta nie odwzajemniła uśmiechu.

– Szukam noclegu. Nie wie pani…

– Noclegu? Tutaj? Eee, to nie Italia.

– No właśnie… – podchwyciła Marta. – Pani chyba nie jest stąd, prawda?

– Jak to nie?! – Kobieta wstała. – To moje miejsce! Co *signora* sobie wyobraża? Przyjechała w środku nocy i co sobie myśli? – Włoszka zaczęła krzyczeć, a dotychczasowa melodia słów zmieniła się w rwący potok.

– Tak, tak, ja mówię o pani korzeniach, o rodzicach na przykład, na pewno pochodzili z pięknych okolic? – Witecka nie wiedziała, jak wybrnąć z głupiej sytuacji.

Włoszka się uspokoiła.

– O tak, *bellissima* Lucca. – Rozmarzyła się, zamknęła oczy i przyłożyła obie dłonie do piersi.

Po chwili usłyszały szuranie krzesła z końca sali. Zwalisty mężczyzna próbował wstać. Włoszka znowu wesoło zawołała:

– *Madonna santa*, wstaje! Flu, flu! Jeszcze kieliszeczek i do domu. Gościa masz, Andrzejek! Szybko zbliżyła się do klienta, kołysząc szerokimi biodrami. – *Prego!* – Podniosła szkło.

Mężczyzna trzęsącą się dłonią chwycił kieliszek i jednym gestem wlał całą jego zawartość do gardła. Kobieta czule potarmosiła rudą czuprynę klienta.

– Pani na nocleg u nas. Idźcie już, bo rano mam sprawy do załatwienia! – Zebrała puste kieliszki ze stołu i odstawiła do wnęki na naczynia.

Marta siedziała w milczeniu. Nigdzie nie zamierzała wybierać się z tym pijakiem. Dotychczasowa odwaga ją opuściła.

Kobieta jakby czytała w jej myślach.

13

– *Signora* się nie boi. Nocleg jest na plebanii – zapewniała, a po chwili zawołała do mężczyzny z włoskim akcentem: – Andrzejek!

Andrzejek wstał i chwiejnym krokiem zbliżył się do Witeckiej. Przecierał oczy, niezdarnie próbując ułożyć potargane włosy. Był wysoki, postawny i bardzo pijany. Dostrzegła, że miał pod szyją koloratkę.

– Jezus Maria – wyrwało się jej.

– E, Andrzej jestem. Tutejszy proboszcz jedynie.

Podał jej rękę, ciepłą i miłą w dotyku. Pomyślała, że jeszcze niedawno właśnie w kościele chciała szukać noclegu, ale to miała być ostateczność. Ksiądz niedbale zarzucił czarny płaszcz i bez słowa ruszył przed siebie.

Przez całą drogę nie odezwał się ani słowem. Znowu szli przez rynek. W ani jednym oknie nie świeciło się światło. Marta pomyślała, że domy wraz z gęstniejącym mrokiem tracą tożsamość i razem z innymi zabudowaniami stają się miejscami bez właściwości, jakby się oczyszczały.

Gdy po kilku minutach dotarli na plebanię, ciężko usiadła na najbliższym stołku. Ksiądz mieszkał w skromnym, parterowym budynku. Drewniany domek składał się z trzech pokoi i przestronnej kuchni. Na stole spał wielki, czarny kot, który nawet nie drgnął, gdy weszli do środka.

– Pan wrócił, Godot! Gościa mamy. – Ksiądz Andrzej przywitał się z kotem i zwrócił się do Marty: – Te pierwsze drzwi to pani pokój na dziś. Dobranoc państwu! – I niemal natychmiast schował się w ostatnim z pokoi.

– Co ja tu robię, Godocie? – Witecka doczłapała do zwierzaka. Oparła łokcie o stół i patrzyła prosto w zielone oczy kota, a on jeszcze bardziej się wyciągnął.

– Mogę sobie czekać na twoją odpowiedź. – Zaczęła się śmiać. – Co za absurdalna sytuacja!

Utknęła w jakimś dziwnym mieście, do tego prawie w kościele, choć w wieku dziesięciu lat przyrzekła sobie, że nigdy już do takiego przybytku nie wejdzie. I na dodatek rozmawia z kotem.

W końcu otworzyła wskazany pokój. Był skromny, ale funkcjonalny, z wygodną łazienką. Odwiesiła kurtkę parkę na wieszak i zobaczyła się w lustrze. Nie wyglądała dobrze; ogniste włosy zmatowiały, worki pod oczami stawały się już worami, kąciki ust opadały mimo próby uśmiechu. Miała tylko nadzieję, że braki w urodzie są jedynie skutkiem pracy i stylu życia, jaki wybrała.

Ochlapała twarz wodą i usiadła na brzegu wanny. Czuła się obco i niepotrzebnie. Tak, niepotrzebnie – to dobre określenie na stan, w jakim się znalazła. Pomyślała, że musi natychmiast coś zmienić w swoim życiu; że jest już zwyczajnie za stara na takie harcerstwo.

Rankiem usłyszała miauczenie kota. Przez chwilę nie wiedziała, gdzie jest. Spojrzała na komórkę. Sprawdziła wiadomości. Nic nowego. Weszła na Facebooka. Załadowały się zdjęcia dzieci znajomych. Dziecko na koniku, dziecko na plaży, rodzice w czułych objęciach. Wszystko na sprzedaż.

Sprawdziła, czy jest ktoś z Mille. Wyskoczyły tylko dwie osoby, Silny Klaudiusz i Magda Gołczyńska. Popatrzyła na ich profile.

Klaudiusz – trzydzieści pięć lat, wysoki, dobrze zbudowany, łysy. Ubiera się w stylu wojskowym. Lubi filmy akcji. Prowadzi sklep. Ma niewielu znajomych.

Magda – dwadzieścia osiem lat, drobna szatynka z dużymi oczami. Ubrana skromnie, zwykle w białą koszulę czy sweter. Pracuje w szkole podstawowej w Mille. Lubi czytać.

Nuda. Marta wiedziała, że za chwilę pojedzie do Żarnowca i pewnie zapomni o tym miasteczku.

– Śniadanie podano! – usłyszała zza drzwi wesoły głos księdza Andrzeja. Szybko wzięła prysznic i zamarzyła o dobrej kawie. Znowu miała chęć do pracy.

# ROZDZIAŁ 2

Proboszcz, ubrany w dżinsy i czarny T-shirt, krzątał się po kuchni. Na patelni skwierczała jajecznica, ekspres przyjemnie bulgotał, a zapach świeżego chleba docierał chyba do wszystkich zakamarków. Marta lubiła porządne śniadania. Zawsze na ciepło, jedzone spokojnie, bez pośpiechu. To niezły zastrzyk energii na cały dzień.

– Dzień dobry! – przywitała się i usiadła przy stole.

– Pięknie pachnie!

– Prawda? Moja gosposia wspaniale się spisała! – Ksiądz nakładał jajecznicę na talerze.

Dyskretnie rozejrzała się po kuchni.

– Żartowałem! To ja jestem gosposią, kościelnym i wikarym. Słodzi pani?

– Kawy – nie.

Usiedli na wprost siebie. Ksiądz zajął się jedzeniem i zachowywał się tak, jakby jej tam w ogóle nie było.

– Coś mi się stało z samochodem… – zagaiła.

Przestał jeść.

– To niemożliwe.

– Serio, od kilku kilometrów coś stuka. Jest tu jakiś warsztat?

– Jest kowal. Zaraz do niego zadzwonię.

Zaczęła się śmiać.

– Nie przyjechałam konno!

Ale ksiądz nie wyglądał na kogoś, kto żartuje.

– Wiem, białym peugeotem. Stoi tu, pod pomnikiem. Trzeba auto naprawić i jechać dalej, droga pani.

– O nic ksiądz nie spyta? Przenocował ksiądz obcą osobę. Przecież mogę być jakąś morderczynią, a może nawet uciekłam z więzienia…

– My tu nie pytamy. Nie interesujemy się obcymi. I nie chcemy, by nami się zajmowano. – Gdy to mówił, zadrżały mu kąciki ust.

Marta dostrzegła jego zdenerwowanie, mimo że zasłaniał się kubkiem.

– Co to znaczy?

– Nic. Każdy ma swoje życie. My też. I nie życzymy sobie obcych. – Ksiądz wstał, żeby dolać sobie kawy. Ręce mu się trzęsły.

Pomyślała, że pewnie ma kaca, ale nie wypada mu się przyznać.

– Psik, Godot! Uciekaj! – Przegonił kota, który usadowił się na dużym, czarnym aparacie telefonicznym. Marta myślała, że to ozdoba pięknego kredensu, ale gospodarz zaczął wykręcać numer, a chwilę potem w żołnierskim stylu zameldował do słuchawki: – Awaria jest. Pilna sprawa. Pod kościołem. – I koniec rozmowy. Usiadł z powrotem na krześle. Po chwili spojrzał na zegarek i jakby od niechcenia dodał: – Jeszcze siedem minut, trzydzieści sekund.

– Słucham?

– Za chwilę będzie równo siedem minut. Za tyle będzie tu kowal.

Marta w milczeniu dopijała kawę, która była wyjątkowo smaczna, z dodatkiem syropu klonowego. Dobra kawa to rzadkość. Ludzie zwykle zalewają instant wodą, do tego jakaś tłusta śmietanka, i częstują z uśmiechem.

– Nie ma u nas kultury picia kawy – westchnęła.

Ksiądz Andrzej spojrzał na nią chyba nieco łagodniej. Nie wyglądała jak telewizyjna dziennikarka w eleganckim kostiumie i pantoflach na obcasie. Miała na sobie powyciągany szary sweter, pomięte bojówki i wełniane grube skarpety. Za długie rękawy swetra zawinęła na dłoniach jak rękawiczki. Włosy spięte w kucyk. Właściwie tylko błyszczyk na ustach podkreślał jej delikatną kobiecość.

Proboszcz wstał. Gdy podszedł do drzwi wejściowych, rozległo się pukanie.

– Szczęść Boże! – usłyszała ciepły, przyjemny głos.

– Daj Boże! No, znowu zgodnie z planem, drogi panie Janie!

– Jan jestem, żaden pan. Wieczorami to ksiądz chyba więcej pamięta!

– Siedzi w kuchni. – Gospodarz wprowadził gościa.

– Marta Witecka, miło mi – przywitała się, choć trochę wkurzył ją protekcjonalny ton księdza, jakby stanowiła jakiś ciężar albo tabu, którego lepiej nie nazywać. Co to znaczy: „siedzi tam"? Kto siedzi? Postanowiła jednak zapanować nad wkurzeniem, co nie było łatwe, bo złość wzbierała w niej jak morska fala.

– Jan. – Mężczyzna podał Marcie dłoń. Była duża, ale delikatna wewnątrz i ciepła. Przedłużał przywitanie. Przyglądał jej się i kiwał głową. Był niższy od niej, sporo drobniejszy. Ubrany w kurtkę pilotkę, sprawiał wrażenie wyluzowanego gościa. Na głowie miał czerwoną, plastikową opaskę przytrzymującą długie, kruczoczarne włosy. Daleko mu było do widoku umorusanego mechanika w śmierdzącym drelichu.

Po chwili sztywnej rozmowy poszli obejrzeć samochód. Gospodarz im nie towarzyszył.

– Dziwny jakiś ten ksiądz – zagadnęła Marta.

– E tam, normalny. – Jan wzruszył ramionami. – Prawe światło ma pani zbite! – Wskazał ręką.

– To tutejsza robota, jak parkowałam, obydwa były całe.

– Jasne. Kluczyki poproszę.

– Jest pan mechanikiem? – zaciekawiła się.

– Nie, kowalem. – Mężczyzna uśmiechnął się, pokazując równe białe zęby. Był zadbany. I pachniał ciekawymi perfumami.

– Bardzo śmieszne!

Zapaliła papierosa. Kowal wsiadł do samochodu, a potem otworzył maskę, przytrzymując ją wyciągniętą z kieszeni irchową szmatką. Chodził wokół, kręcił głową.

– Awaria jest poważna. Proszę wezwać autopomoc i odholować auto do domu. Nic tu po mnie! – Wytarł ręce w szmatkę.

– Ale ja potrzebuję samochodu, żeby jechać do Żarnowca. Niech to szlag! – wściekła się.

Jan podniósł kołnierz kurtki.

– Przykro mi. Nie pomogę. Miło było poznać. – Machnął ręką i zostawił osłupiałą Martę samą.

Co to za sytuacja? Co to za jakieś popieprzone miejsce?!

Sięgnęła po dokumenty, znalazła polisę ubezpieczeniową. Kolejna porażka, pomyślała. Nawet nie umiem dojechać do Żarnowca, nie wspominając już o napisaniu reportażu. Była zła i przybita. Nie chciała, by w redakcji uznano, że znowu jej nie wyszło, a bez samochodu była kompletnie bezradna. Nie zna się na pekaesach, pociągach. Nie lubi tych wszystkich dworców, spieszących się ludzi, nudzących się dzieci, które na wszystkim zostawiają ślady swoich lepkich rączek. Odkąd pamięta, wszędzie jeździła samochodem. Czuła się niezależna, zawsze mogła po prostu odjechać. Ale nie dziś. Bo dziś utknęła w jakimś dziwnym miasteczku, z niezbyt pomocnymi ludźmi.

Po kilku rozmowach okazało się, że jej polisa nie obejmuje kosztów holowania auta. I niech tu sobie wzywa lawetę! Była bezradna. Usiadła na krawężniku i popatrzyła w okna drewnianego domu księdza. Poczuła się dokładnie jak wtedy, gdy miała sześć lat.

Mieszkały wówczas z mamą na trzecim piętrze w kamienicy na warszawskim Żoliborzu. Na plac zabaw wychodziły okna z kuchni i sypialni mamy. Było już późno i zimno. W oknie kuchennym zrobiło się nagle ciemno. Marta siedziała na metalowej karuzeli i czekała na niebieską poświatę z drugiego pokoju. Zaraz miało się zacząć kino nocne. Jak mama spała, ona lubiła czasem oglądać ukradkiem telewizję. Siadała na progu, żeby zdążyć się

21

ukryć w razie nagłej pobudki rodzicielki. Ale dziś miała karę. Nie mogła wejść do domu, mimo że płakała pod drzwiami i przepraszała. Mama była naprawdę zła.

Na śmierć zapomniała o tej starej kanapce za łóżkiem. To było zaraz po urodzinach, na których najadła się tortu z bitą śmietaną. Na kolację nie mogła jej już w siebie wmusić, a mama ciągle gadała, że nie wolno marnować jedzenia, że ona od ust sobie odejmuje i że jak Marta nie je, to jakby jej wbijała nóż w serce. No to schowała za łóżko, żeby mama była zadowolona. Mijał czas, zapomniała o tej kanapce i o całej sprawie. Do czasu sobotnich porządków, gdy matka w jakimś charakterystycznym dla siebie obłędzie pucowała dom i postanowiła wreszcie odkurzyć za dziecięcym łóżkiem.

Gdy dziewczynka wróciła z podwórka, znalazła starą, zeschniętą kanapkę na wycieraczce. Zjadła ją, ale mama nie wybaczyła, nie otworzyła drzwi przez kilka następnych godzin. Zwymiotowała od kręcenia się na karuzeli. Już nie pamięta, w jaki sposób znalazła się w domu.

Teraz siedziała na krawężniku, ale czuła się jak na tamtej karuzeli i też chciało jej się wymiotować. Zaczęła przeglądać listę numerów w komórce. Nigdy nie lubiła prosić o pomoc, ale teraz nie miała wyjścia. Okazało się, że ma blisko czterysta kontaktów, ale nie ma nikogo, kto mógłby jej pomóc. Wśród nich dwie bliskie osoby — Anka i Robert. Przyjaciółka i eks.

Anka była w podróży poślubnej w Toskanii i teraz pewnie wylegiwała się na plaży. A Robert? Rozstali się pół roku temu. On chciał, by zajęła się domem, żeby mieli dzieci i wspaniałą, czystą, białą kuchnię. Ciągle lśniącą. Ona wolała jechać w świat, znaleźć supertemat. Chciała pisać reportaże, które choć na chwilę zatrzymywałyby pędzący czas. Przez kilka miesięcy mieszkała u niego, ale gdy zaczął układać jej ubranie w łazience, prostować w równe stosiki gazety i chować wszelkie notatki, nie wytrzymała. Fajny facet, ale nie dla niej. Jak zwykle. Nie dla niej.

Wróciła do swojego mieszkanka na Żoliborzu z gazetami na stole, książkami na łóżku, laptopem i notatkami w kuchni. Teraz nie było sensu do niego dzwonić, Robert był antytalentem technicznym. Nie jeździł samochodem, nie umiał naprawić kranu ani skręcić regału. Na pewno by jej nie pomógł.

Postanowiła jednak poszukać pomocy w miasteczku. Umocniła gumkę na włosach, otrzepała spodnie z ulicznego kurzu i westchnęła, jakby żegnała się ze sobą w smutnym, bezradnym wydaniu. Teraz była dobrą dziennikarką, potrafiącą wszystko załatwić.

Rozejrzała się. W oddali dojrzała ruiny zamku na wzgórzu. Miasteczko za dnia, w mocnych promieniach słońca, wyglądało znacznie przyjaźniej. Bez jasno wytyczonych szlaków komunikacyjnych dawało przewagę przechodniom, ponieważ to im podporządkowywały się leniwie i z rzadka jadące auta. Ze sporym zdziwieniem zaobserwowała scenę, gdy niemal wprost pod koła samochodu wtargnęła staruszka, na co kierowca auta, ledwo wyhamowawszy, wysiadł i żarliwie ją przepraszał. W dużych miastach jest odwrotnie. Znacznie niebezpieczniej.

W pełnym słońcu, które odbijało się od czerwonych dachówek, zobaczyła małą postać kroczącą od strony cmentarza. Kobieta kołysała szerokimi biodrami. Ubrana na czarno, w ręku trzymała uschnięte kwiaty. Im była bliżej, tym jej obcasy głośniej stukały o kocie łby. Za nią dreptała grupka kobiet, jakby trzymały się w bezpiecznej odległości.

– O, *signora*! – Marta usłyszała wesołe powitanie. Bardzo ucieszył ją widok Włoszki.

– Dzień dobry. Znowu się widzimy.

– Samochód nie pojedzie? – Barmanka przystanęła. – Jak *signora* się wydostanie?

– No właśnie nie wiem. Chyba się nie wydostanę… Kobieta zmarszczyła brwi i westchnęła.

– Zła wiadomość. A co mówi kowal?

– Że nie da się naprawić.

– A tam, nie da się. Wszystko się da. Idziemy, *signora*! – Włoszka machnęła ręką, jakby na przywołanie. Jej energia i zdecydowanie dawały Marcie jakąś nadzieję. To zresztą dość znamienne – pomyślała – zawsze gdy znajdował się przy niej ktoś silny, natychmiast zyskiwała chwilowe poczucie bezpieczeństwa.

– Kowal mieszka nad rzeką. To kilka minut stąd. Włoszka szła szybkim krokiem. Witecka musiała pod-biegać, by za nią nadążyć. Weszły na rynek. Był kwadratowy i przypominał planszę do gry „Monopoly" w pierwszych fazach rozgrywki, kiedy nie ma jeszcze hoteli, a stoją je-dynie drewniane, równo poustawiane domki. Na wprost zauważyła widziany wczoraj sklep „U Silnego". Na rynku życie toczyło się powoli. Ludzie się nie spieszyli, rozmawiali przed sklepami, na gankach domów. Leniwe, spokojne miasteczko, skąpane w jesiennych promieniach słońca. Wydawało się przyjazne i gościnne.

Kobiety minęły kwiaciarnię z zachwycającą wystawą. Marta aż zaniemówiła. Nie spodzicwała się takiego gustu i smaku w doborze kolorów i materiałów. W banku obok nie było nikogo, jedynie znudzony ochroniarz bezwstydnie przyglądał się Włoszce. Marcie przez chwilę zdawało się, że się oblizał, ale pomyślała, że to tylko przywidzenie. Przy zakładzie fryzjerskim „Lusia" stała młoda dziewczyna w różowym fartuchu, z natapirowanym blond czubem, i paliła papierosa. Ewidentnie pracownica. Ostry makijaż i różowy manicure skutecznie odstraszył Martę od wizyty w tym miejscu. Na widok Włoszki blond czupiradło splunęło na chodnik. Jeszcze tylko minęły publiczny budynek z łopoczącą flagą, w którym mieściły się poczta i urząd miasta. Gdy przechodziły obok drzwi, słychać było charakterystyczne stukanie stempli. Po chwili, na rozwidleniu, Witecka dostrzegła drewniany drogowskaz z napisem „PLAŻA". Barmanka skręciła we wskazywanym przez niego kierunku.

Przez całą drogę obie kobiety milczały. Włoszka prawie biegła, nie zwracając uwagi na mijanych przechodniów. Nikogo nie pozdrowiła, przy nikim nie zatrzymała się ani na chwilę, by porozmawiać o pogodzie. Zwolniła, dopiero gdy skręciły w stronę plaży. Marta, nieco zziajana, wreszcie była w stanie dorównać jej kroku. Skończyły się kocie łby i szły teraz po przybrudzonym piasku. Odciśnięte na nim ślady opon prowadziły w głąb gospodarstwa. Dotarły do kutego płotu i eleganckiej furtki. Dyndała na niej tabliczka: „KOWALSTWO ARTYSTYCZNE".

– Giovanni, my do ciebie – zawołała Włoszka.

Brama zadźwięczała i powoli się uchyliła. Weszły do środka. Witecka zobaczyła zadbane, niewielkie podwórze. Równo poukładana kostka, ładnie zagospodarowane trawniki, bujana ławeczka. Z lewej strony betonowego domu, pod przykryciem, leżało porąbane drewno. Na środku studnia, z żurawiem i wiadrem na łańcuchu. Relikt przeszłości, pomyślała. Zauważyła jeszcze jeden budynek, mniejszy. Kierowały do niego pasy z brązowej kostki brukowej. Nie było ujadającego psa. Tylko cisza i podmuchy chłodnego wiatru od strony rzeki. Do domu prowadziły schody z ozdobnymi, metalowymi poręczami. W oknie poruszyła się firanka.

– Zostań tu, ja z nim pogadam. – Włoszka lekko wbiegła po schodach. Śmiało otworzyła drzwi i zniknęła.

– To jakiś żart – powiedziała do siebie Marta, niedowierzając.

Stała bez ruchu. W oknie znowu drgnęła firanka. Poczuła się jak mała dziewczynka, bezbronna i niezaradna. Ale przecież wcale taka nie była. Całe życie sama załatwiała wszystkie swoje sprawy, a tu nagle pozwala decydować o sobie jakiejś obcej kobiecie.

Po kilku minutach Włoszka z Janem wyszli na podwórze.

– Dobra. Ale musimy tutaj przewieźć grata. – Mężczyzna wskazał ręką budynek za domem. – Trzeba go postawić na kanał.

– Oddaj kluczyki. Niech się tym zajmie – rozkazała Marcie barmanka i już właściwie była za posesją.

– Dziękuję. – Witecka uśmiechnęła się do Jana, podając kluczyki.

– Nie ma za co. Przecież nie możesz tu zostać na wieki.

– Niby tak – zgodziła się z nim, ale było widać, że wcale jej nie słuchał. Dobiegł ją trzask zamykanych drzwi.

– Idziemy stąd! – komenderowała Włoszka. Gdy przeszły kawałek piaskową drogą, znów znalazły się na rynku i kocich łbach. Po prawej market „U Silnego", zaraz za nim bar „Rzym". W sklepie była spora kolejka. Wszyscy bacznie przyglądali się biegnącej za Włoszką Marcie. Czuła na sobie każde spojrzenie.

– Nie patrz na nich. Oni już wiedzą – syknęła kobieta.

– Jezus, nic nie rozumiem. Co wiedzą? – Dziennikarka zaczynała się wkurzać, a jednocześnie obawiać, czy jej przewodniczka nie ma jakichś problemów psychicznych.

– Potem. Za mną! – Barmanka truchtała ścieżką między zabudowaniami, a dotarłszy do „Rzymu", sprawnie pokonywała kłódki na kratach i kilka mocnych zamków.

– Co tu jest grane? – Marta stanęła przy barze, odcinając swojej opiekunce drogę na salę.

– Nic.

– Gadaj, o co ci chodziło przy sklepie.

– Dobrze. – Włoszka westchnęła. Przepasała się białym fartuchem. Włączyła czajnik. – Nie możesz tu zostać. A oni już wiedzą, że masz zepsuty samochód i bez niego prawdopodobnie nie wyjedziesz.

– Prawda – przytaknęła, przygryzając wargę.

Kobieta wyglądała jak dyrygent chóru, a ona czekała na swoją kolej, by zaśpiewać altem.

– Właśnie. Teraz przewożą twój samochód do warsztatu Jana. Będą go chcieli naprawić.

– Ale ten facet widział mojego grata. To podobno poważna awaria.

– Wiem. I nie możesz go odholować. – Barmanka wyjmowała szklanki na kawę.

– Skąd wiesz? Kim ty jesteś? – Marta znowu naparła na bar.

– Jestem Sophia, choć mówią tu na mnie Włoszka. – Kobieta lekko się odwróciła i podała dziennikarce delikatną, szczupłą dłoń. – Mieszkam tu od sześciu lat i trzech miesięcy. I żałuję, żeśmy tu przyjechali. Ale nie było wyjścia. A o holowaniu wiem od Jędrusia. Podsłuchiwał cię w AA, a potem wszystko opowiedział babom na cmentarzu.

– Słuchaj, Sophia. Ja nic z tego nie rozumiem. – Marta, zrezygnowana, oparła się o słup. – Chcę naprawić samochód i jechać na reportaż. Jestem w czarnej dupie i nie interesują mnie wasze sprawy. Nie zamierzam tu zostawać.

– *Si*, *si*. – Włoszka przygryzła wargi.

– A nawet jeśli, to przecież nie możecie mi chyba tego zabronić? – Usiadła przy barze i ukryła twarz w dłoniach.

– Nie rób tego – szepnęła barmanka.

– No proszę, jaka polska gościnność! Przecież zapłacę za noclegi.

– Ale tu nie ma miejsca dla przybyszy. Tu się nie zostaje. – Włoszka wydęła usta, zamykając dyskusję.

A właśnie że się zostaje! Dlaczego nie? Co za dziwne miejsce. Ciekawe, może mogę mu się przyjrzeć, rozmyślała, podczas gdy barmanka szykowała kufle. Chcą się mnie pozbyć. Może ukrywają jakieś nielegalne sprawy na tym zadupiu? Ucieszyła się ze swojego odkrycia. Wiedziała, że musi to sprytnie rozegrać, by cudzoziemka jej w tym pomogła. Pogładziła swój dziennikarski nos. Wreszcie jej nie zawiedzie.

Usiadła przy barowej szybie i przymknęła oczy, by przypomnieć sobie, co dotychczas zobaczyła. Miasto jest oddalone od głównej drogi, więc nikt przypadkowy się tu nie przyplącze. Nie zauważyła żadnych reklam ani szyldów zapraszających na kwatery, zatem z pewnością nie ma tu turystów. No a jeśli chodzi o zabytki i inne ważne miejsca ciekawe dla poszukiwaczy historii, to czy oprócz zniszczonych murów jest tu coś jeszcze?

# ROZDZIAŁ 3

Krople deszczu z coraz większą siłą uderzały w szybę wystawową baru. Zrobiło się wietrznie. Sophia podała Marcie pyszną pizzę z rukolą, wypiły dobrą kawę, a potem rozmawiały. Dobrze się czuły w swoim towarzystwie. Marta bawiła gospodynię dziennikarskimi anegdotami, opowiadała o swoich marzeniach na temat superreportażu i o tym przeklętym Żarnowcu. Sophia momentami poważniała, marszczyła brwi i zamyślała się, tak że rozbawiona Marta musiała przyciągać jej uwagę, nawołując jak sowa.

Późnym popołudniem ruch uliczny zmalał. Przechodnie z parasolami, w ortalionowych płaszczach i kurtkach spieszyli do domów.

– Zaraz się zacznie – powiedziała Sophia, zbierając naczynia.

Drzwi, wepchnięte przez wiatr, z dużą mocą uderzyły o wewnętrzną ścianę baru. Wtoczył się starszy mężczyzna, okutany płaszczem. Miał przemoczone pantofle.

– Zośka, polewaj! – krzyknął i chwiejnym krokiem dotarł do stolika na końcu sali. Zawiesił palto na krześle, zdjął buty i skarpetki.

Duże, bose stopy rozśmieszyły Martę. Przyjrzała mu się. Był pewnie około siedemdziesiątki. Szczupły, żylasty, z długą szyją. Twarz miał w bruzdach, mocno zaczerwienioną, pokrytą kilkudniowym, siwym zarostem. Można by go wziąć za Skandynawa. Spod kapelusza wystawały jasne kosmyki włosów. Na lewej skroni Marta dojrzała dwie duże blizny.

– Kto to jest? – spytała szeptem.

– Markuszewski. Straszny pijak. Kiedyś dowodził na komisariacie, ale to nie za moich czasów. Milicjant na niego wołają.

– Szkoda go…

– E tam. A czego szkoda?

Marta uśmiechnęła się do Sophii. Dla niej to zwykły klient, nawet lepszy niż zwykły, bo stały. Nic umiała wytłumaczyć barmance, jak długo trwa wychodzenie z uzależnienia, jak alkoholik rujnuje świat sobie i bliskim i jak trudna jest jego terapia. Jeśli się tego nie doświadczy, takie opowieści są tylko męczącym i ckliwym gadaniem.

Włoszka zniknęła na zapleczu. W tym czasie do baru przyszli kolejni goście. Otrzepywali płaszcze, parasole, tupali przemoczonymi butami. Ksiądz Andrzej usiadł tam, gdzie wczoraj, dwójka młodych chłopców zajęła miejsca przy samej szybie; niebieski neon odbijał się na ich twarzach. Byli krzykliwi, głośni, kolorowi. Dopasowane bluzki, spodnie rurki, modne tenisówki. Jeden z nich miał na sobie sporo biżuterii. Wszyscy co rusz łypali na Martę.

– E, milicjant – zawołał jeden z chłopaków, ten obwieszony biżuterią – wiadomo, jak tam sprawa peugeota?

Milicjant milczał, patrzył szklanym wzrokiem przed siebie.

– Rozumiem, że mówisz o moim samochodzie? – Marta podeszła do chłopaka.

– No a jak! Co kowal wymodzi?

– Mam nadzieję, że naprawi, ale przecież nie ma pośpiechu… – Postarała się o jak najszerszy uśmiech.

Chłopak zbladł. Nerwowo ściskał łańcuszek.

– Jak to? Przecież… – odezwał się drugi z tej pary.

– Uspokoić się! – huknęła Włoszka zza baru. – Kowal dzwonił. Jakaś maglownica jest zepsuta. Musi sprowadzić tę część. Zaraz się naradzimy, co dalej.

– Pani wczoraj była u mnie – wtrącił się do rozmowy ksiądz.

– Wiemy – przytaknęli nerwowo chłopcy.

– Marta, na zapleczu mam pokoik. Dziś tutaj przenocujesz, dobrze? – Włoszka spojrzała na dziennikarkę.

Witecka zacisnęła usta, ponieważ nie mogła opanować nerwowego drżenia prawego policzka. Po kilku oddechach uspokoiła się.

– Jasne. Może jutro znajdę coś na dłużej, tam przeczekam.

W barze ucichło. Wszyscy goście znieruchomieli. Ciszę przerwał trzask z hukiem otwieranych drzwi. Stała w nich fryzjerka, którą mijały, idąc do Jana. Chwilę walczyła z napierającym wiatrem. Gdy skończyła, mocno zziajana, z miną bohaterki podeszła do księdza. Usiadła przy stoliku, zaczęli szeptać.

– Co oni robią? – spytała cicho Marta.

– A nic, spowiada ją. – Sophia wzruszyła ramionami, niosąc tacę pełną kieliszków i butelek.

– Niebywałe – ucieszyła się Witecka. Znalazła się w jakimś odrealnionym miejscu, którego chyba nikt nie zna. A jeśli nawet ktoś zna, to z pewnością nikt go jeszcze nie opisał.

Wbrew początkowym obawom Marty wieczór upłynął dość ciekawie. Poznała trochę ludzi z miasteczka. Włoszka z coraz większą swobodą plotkowała o millewianach.

– Ci dwaj młodzi chłopcy spod szyby to Jędruś i Dyzio. Prowadzą razem kawiarenkę internetową. Dostali jakieś połączenie radiowe czy coś od ojca Dyzia, inżyniera Pająka. Poczciwy chłopina, wynalazca. Bardzo dumny z syna. Czasem z tej kawiarenki korzysta znajdujący się po sąsiedzku komisariat, bo tu z Internetem kiepsko. Nadajniki jakieś liche przywieźli i ciągle się zawiesza.

Marta ze smutkiem przyznała Sophii rację. Od porannego sprawdzenia Facebooka nie udało jej się połączyć z siecią. Ale miało to też dobre strony. Do tej pory nie dostała żadnego mejla z redakcji.

Sophia sporo opowiadała o Janie. Dziennikarka dowiedziała się, że prawdziwy bohater z niego, uratował całe miasto. Niestety nie udało się jej nic więcej wyciągnąć, bo Włoszka nieoczekiwanie zamilkła, po czym zmieniła temat.

Po północy bar opustoszał. Marta pomogła Sophii zebrać i pozmywać naczynia, umyć podłogę. Deszcz nie przestawał padać.

– Chodź, pokażę ci pokój. – Barmanka zostawiła ścierki i zniknęła na zapleczu.

Witecka nie była jeszcze zmęczona, ale zabrała torbę i dogoniła gospodynię.

W pokoiku stała polówka z rozrzuconym śpiworem, taboret i biurko ze stertą segregatorów. Nie było okna. Z sufitu dyndała brzęcząca żarówka. I tyle.

– Tu Halina, moja księgowa, co miesiąc porządkuje papiery. Polówka jest dla mnie. Jak jest ciężki dzień, to lubię się zdrzemnąć.

– Przytulnie tu…

– Umyj się w kuchni, tam jest czysty ręcznik. Będę jutro. Nikomu nie otwieraj, nawet jak pijaki będą się dobijać po flaszkę. Kraty mocne, zamknę cię.

Kobieta wyszła. Marta w kuchni znalazła miskę. Odświeżyła się. W szafce z miską znalazła kosmetyki dla dzieci. Użyła kremu do rąk, włożyła ciepły dres, który zawsze zabierała na wyjazdy, i usiadła przy biurku. Laptop miał naładowaną baterię. Zaczęła robić notatki, które – miała nadzieję – przydadzą się do reportażu.

*Mam przymusową randkę z Mille, miasteczkiem, które przypadkowo pojawiło się na mojej drodze. Na pierwszy rzut oka nie dzieje się tu nic ciekawego. Jest tu kwadratowy rynek, wokół niego drewniane domy, kościół, bar. I zwykli ludzie, goniący za swoimi sprawami. Ale choć jestem tu dopiero drugi dzień, to już wiem, że raczej niechętni do zwierzeń mieszkańcy ukrywają jakąś mroczną tajemnicę. Znalezienie w tym miejscu noclegu jest nie lada wyzwaniem. Nie ma tu żadnego pokoju do wynajęcia. Na razie zaopiekowała się mną miejscowa barmanka. Mam nadzieję, że zgodzi się być moją przewodniczką*

*w odkrywaniu tego miasteczka. Nie będzie to łatwe, bo*
*ludzie nie lubią tu wścibskich przyjezdnych…*

Ze skupienia wyrwało ją nawoływanie i walenie w kraty. Usłyszała kilku dobijających się mężczyzn, ale zgodnie z radą Sophii nie zareagowała. Zapaliła papierosa. Nagle uświadomiła sobie, że nawet nie wzięła do niej telefonu, a gdyby nagle coś się stało? Na przykład wybuchł pożar? Poważnie się zaniepokoiła. Była na siebie zła. Gdy głosy się uciszyły, poszła na salę sprawdzić, czy jest jakieś wyjście ewakuacyjne. Nie było. Zgasiła papierosa. Aby się upewnić, że nie ma ryzyka zaprószenia ognia, sprawdziła wszystkie popielniczki. Potem zaczęła się śmiać. Nie ma nic gorszego niż takie nakręcanie się, ten bar z pewnością stoi tu od zawsze i nic jej tu nie grozi.

Przyglądała się sali i z łatwością odtworzyła w myślach rozmieszczenie gości, gwar i rozmowy. Już nieco spokojniejsza, postanowiła iść spać. Gdy zagrzebywała się w śpiworze, ze zdziwieniem znalazła pod nim kilka dziecięcych zabawek.

Nad ranem obudził ją dygot. Miała sen, że jest zakładniczką miasta. Bar zamienił się w celę, miła Włoszka w suczą strażniczkę, a milicjant Markuszewski w seryjnego gwałciciela, któremu trzeba dostarczać nowe ofiary. Po wykorzystaniu jej mieszkańcy podpalają tę budę, by zatrzeć ślady zbrodni. Czuła zapach osmalonego drewna, który potęgował rosnący niepokój. Dlatego wstała, by jeszcze raz zobaczyć, czy nic złego się nie dzieje, ale na sali panował błogi spokój. Narzuciła kaptur na głowę i stanęła przy oknie. Na zewnątrz nikogo nie było widać ani słychać. Poczuła, jak włos jej się jeży na karku. A może to miasteczko jest martwe, a to, co widzę, to jakieś pozorne skrawki życia?, myślała, wpatrując się w migoczącą neonową literkę „M". „M" jak Marta.

Nagle wstała. Niewygodna obręcz na jej klatce piersiowej zaczęła się zaciskać, oddech stawał się krótszy.

— To jakieś bzdury, a ja się nie boję — powiedziała na głos i uderzając udami w ranty stolików, dotarła na zaplecze.

Uspokoiła oddech i postanowiła pomyśleć o czymś miłym, co nie było łatwe, ale wreszcie się udało. Wyobraziła sobie, jak odbiera pismo informujące o tym, że zdobyła nagrodę za reportaż roku.

Sprawdziła sygnał w telefonie komórkowym, wbiła 112, by tylko jeden klik wystarczył do wezwania pomocy. Tak uzbrojona, wtulona w dziecięcego misia, ponownie usnęła.

# ROZDZIAŁ 4

Kałuże przed barem wyglądały jak stawy w dolinie Tatr. Siąpiący deszcz tworzył w nich regularne, równomiernie rozchodzące się zmarszczki.

Marta, pijąc kawę, przyglądała się temu zjawisku. Cieszyły ją krople dudniące o parapet. Śnił jej się wielki pożar i znowu była zła na Sophię, że ją zamknęła. Czekała na nią. Nie podobała jej się ta gościna. Przypominała więzienie: kraty, zamki — nic dziwnego, że miała taki głupi sen. Oczami wyobraźni widziała, jak tu umiera, zapomniana przez wszystkich. Przecież tak naprawdę nikt nie wiedział, gdzie ona jest. Nikt nie będzie jej szukał.

Sięgnęła po telefon, zadzwoniła do redakcji. Nikt nie odebrał. Była dopiero siódma. Napisała SMS-a do Roberta: „Jestem w Mille. Jakby mnie zamordowali, to tu mnie szukaj. M". Za sekundę przyszła odpowiedź: „Zwariowałaś?".

Jasne. Nie będzie mu nic wyjaśniać, ale była już spokojniejsza. Zostawiła ślad. Internet znowu nie działał, dlatego wróciła do obserwowania kałuż i obmyślania reportażu.

Regularne zmarszczki na wodzie zburzył zgrabny, czarny kalosz, a spod żółtej folii przeciwdeszczowej wyłoniła się Sophia.

– Tak nie może być! Powiedz mi, czy był tu kiedyś pożar?

– Marta naskoczyła na Włoszkę, kiedy ta otwierała kraty.

– Skąd wiesz? – Barmanka strzepywała z płaszcza krople wody.

– No pięknie. Przecież ja tu mogłam spłonąć. Jak bym stąd uciekła, skoro te cholerne kraty były zamknięte od zewnątrz? – Witecka szarpała kłódki.

– Uspokój się. Dlaczego znowu ma być pożar?

– Nie wiem, a może ktoś zechce mnie podpalić? Tacy jesteście gościnni, kurwa. – Marta opadła na krzesło. Nerwowo wpychała dresy do torby.

– Nikogo nie zabijamy. – Sophia była wyraźnie rozbawiona.

– A kiedy był ten pożar? – Marta chciała zmienić temat.

– Och, dawno. Mille w całej swojej historii płonęło kilka razy.

– Ale tu, w barze, kiedy dokładnie?

– Podobno przed moją przeprowadzką. Od kiedy tutaj jestem, nic się nie stało.

– Żadnego podpalenia, zaprószenia?

Sophia machnęła ręką.

– Przyniosłam ci świeże bułki, mam cukierniopiekarnię pod domem. Wypiekają, że aż ślinka cieknie. A ja raniutko wstaję, więc jestem tam pierwszą klientką.

Marta się uspokoiła, nawet rozbawił ją ten irracjonalny strach. Deszcz ustał, wyszło słońce, zrobiło się przyjemniej.

– Może pokażesz mi miasto?

– Nie węsz za bardzo, ludzie tego nie lubią. Idź trochę sama. Potem będę na cmentarzu.

Marta wzięła aparat, dokręciła obiektyw i wytarła irchą filtr – od ostatniej chałtury w Sopocie nie mogła pozbyć się ziarenek piasku. Narzuciła parkę, gruby sweter i wyszła na miasto.

Gdy tylko znalazła się na rynku, poczuła specyficzny zapach kojarzący się z wonią mokrej sierści dużego, włochatego psa. Przez chwilę rozglądała się niepewnie, ale dość szybko zrozumiała, że właśnie tak pachnie Mille po deszczu. Pomyślała, że można się do tego przyzwyczaić.

W sklepie „U Silnego" nie było kolejki. Na szybie przeczytała: „Market wielobranżowy. Właśc. K. Markuszewski. Mille. Ul. Rynek 7. Czynne 7.00–21.00. Niedziela zamknięte". Zajrzała do środka trochę z ciekawości. Miała też nadzieję, że będą tam jej ulubione fajki, mentolowe vogi, koniecznie z zieloną kropką.

– Dzień dobry! – powiedziała, choć nikt tego nie usłyszał, ponieważ rozległ się donośny świst.

Sklep był mały, ale miał spory asortyment. Owoce, warzywa, nabiał, słodycze, alkohol, papierosy, chemia. Dopiero po chwili w drzwiach, w których powiewały kolorowe plastikowe paski, pojawił się sprzedawca. Skojarzyła go ze zdjęcia na Facebooku. Wyglądał jak kulturysta: zielona koszulka, spodnie moro i nieśmiertelniki na szyi. Uśmiechał się do Marty. Łypał okiem na fartuch, niedbale zwisający z krzesła.

– Ja nie z sanepidu! – zażartowała.

Facet wyglądał przyjaźnie.

– Wiem, wiem, dziennikarka. Ale wiadomo, co pani chce tu opisać? – Wzruszył ramionami.

– Panie Klaudiuszu, a czego wy się tu możecie obawiać?

– Co podać? – Mężczyzna zbył jej pytanie, czym wprawił ją w osłupienie. Kolejny raz czuła się jak ktoś niepotrzebny albo niewidzialny. Palce same zacisnęły jej się w pięść, jak u boksera na widok worka treningowego. Ale starała się nie okazać, jak bardzo takie zachowanie wyprowadza ją z równowagi.

Kupiła papierosy i wyszła na rynek. Mille już się obudziło. Słyszała trzaski otwieranych okiennic, rozmowy, gdzieś w oddali zatrąbił samochód. Zapowiadał się spokojny dzień. Przypomniała sobie swoje poranne obawy, że miasteczko jest wymarłe. To z pewnością skutek niemiłych snów i zamknięcia w barze. Popatrzyła znowu na rynek, ale spokój nie wrócił. A może to miasteczko ciągle nie rozumie, że jest trupem i walczy o siebie tak, jak potrafi? Tylko czy akurat ja to muszę oceniać? Nie mogła przestać rozmyślać o miejscu, w którym się znalazła.

Chwilę później zadzwoniła Jolka z redakcji. Witecka opowiedziała jej pokrótce o swojej sytuacji, nieco ubarwiając fakty. Wiedziała, że sekretarka dołoży jeszcze coś od siebie. Naczelny nie będzie miał wątpliwości, że dobrze zdecydowała, zostając w małym, sennym miasteczku strzegącym jakichś sekretów. Początkowo Jolka niezbyt wierzyła w tę opowieść — mamy w końcu dwudziesty pierwszy wiek i wszystkie tajemnice dawno już poznano — ale Marta wzbiła się na wyżyny sztuki aktorskiej, by przemówić koleżance do wyobraźni. Pod koniec rozmowy, aby wywrzeć większe wrażenie, mówiła do słuchawki szeptem.

Skręciła w lewo. Nie była jeszcze po tej stronie. Obok sklepu Silnego był ośrodek zdrowia, kilka domów mieszkalnych, stolarnia, za nią las, cukiernia. Poczuła zapach pączków. Pewnie gdzieś tutaj mieszka Sophia. Rozglądała się, ale żaden z domów jakoś nie pasował do Włoszki. Niedaleko cukierni mieściła się kawiarenka internetowa. Pomyślała, że z niej skorzysta. Wreszcie skontaktuje się ze światem, odczyta mejle, napisze kilka słów do Szajnerta. Niestety kawiarenka była zamknięta. Na szybie znalazła przylepioną kartkę: „Śpimy do południa. Dyzio i Jędruś". Spojrzała w górę. Najwyraźniej chłopcy mieszkali nad kawiarenką. Okna szczelnie zasłaniały rolety.

Tuż obok kawiarenki był komisariat. Zakratowane okna, napis na czerwonej, urzędowej tabliczce. Drewniane drzwi lekko kołysał wiatr.

— Wieje nudą — powiedziała trochę za głośno.

Po tej samej stronie ulicy stała jeszcze szkoła. Budynek jak pozostałe — drewniany, z luźno zwisającymi okiennicami i oderwanymi i zeskładowanymi w dość duży stos dachówkami, które napawały trudnym do opisania smutkiem. Nad prostymi, drewnianymi drzwiami wisiało godło, flaga i napis: „Szkoła Podstawowa nr 1 w Wykach. Filia w Mille".

Witecka przystanęła. Budynek szkoły, jak kolejny domek na planszy „Monopoly", był tylko nieco większy od komisariatu. Zrobiła kilka zdjęć. Przydadzą się do reportażu. Pomówi też z nauczycielką. Znając życie, są tam pewnie ze trzy klasy.

Słońce wschodziło coraz wyżej. Dziennikarka zobaczyła w jego blasku piękne ruiny zamku. Jesień jest najpiękniejsza w pełnym słońcu, które wydobywa całą intensywność ciepłych barw. Droga prowadziła za kościół, obok cmentarza. Marta pstryknęła jeszcze kilka fotek, by spokojnie przejrzeć je wieczorem.

Dotarła pod kościół. Na prowizorycznym parkingu znalazła kawałki swojego halogenu. Przypomniało jej to o wizycie u kowala, ale postanowiła odłożyć ją na później.

Cmentarz położony był bardzo blisko. Prowadziła do niego droga wyłożona kocimi łbami. Ogradzała go zwykła siatka. Marta wyłączyła flesz w aparacie. Nie chciała rozpraszać błyskami lampy skupionych na modlitwie ludzi.

Weszła w alejkę. Już przy następnej zauważyła grupę młodych ludzi. Byli weseli, roześmiani. Gdy przechodziła obok nich, zaczęli szeptać. Zdążyła przeczytać napis na nagrobku: „Aldonka Krokos. 22 lata. Świeć Panie nad jej duszą". Przystanęła. Udając, że ustawia kadr, zrobiła kilka zdjęć. Zaciekawił ją ten grób.

Podeszła do rozbawionej młodzieży.

– To wasza koleżanka?

– Już nie – odpyskował największy z nich, rudy grubasek.

– A co was tak bawi?

– Nie gadajcie z nią. – Grubasek wydał pozostałym rozkaz i grupa umilkła.

– To jest miejsce spokoju, nie wolno się tu śmiać i bawić. Powinniście się pomodlić – fuknęła i natychmiast pożałowała swojej tyrady. Sama nie modliła się od blisko dwudziestu lat. Nie cierpiała, gdy ktoś ją do tego zmuszał. Zachowywała się jak jej własna matka.

Popatrzyła na porcelanowe zdjęcie Aldonki. Dziewczyna była drobna i bardzo szczupła. Długie czarne włosy miała grzecznie spięte w kok, do fotografii ubrała się w białą, prostą sukienkę. Wyglądała na znacznie młodszą, niż wskazywał napis na nagrobku.

Speszona poszła dalej. Uchylona furtka na końcu alejki prowadziła do zamku. Gdy otwierała szerzej bramkę, ta nieprzyjemnie skrzypnęła. Śmiechy młodzieży ustały. Spoglądali na nią, a rudy grubasek kręcił głową. Z pewnością tak jej się tylko zdawało, ale chłopiec dawał wyraźny znak, by nie szła w stronę zamku. Wzruszyła ramionami i zerkając na niego, wyszła za bramę. Chłopak otworzył usta, jakby chciał coś powiedzieć, ale odwróciła wzrok.

Kilka metrów dalej, już za cmentarzem, natrafiła na grób. Usypany z ziemi, bez pomnika i zdjęcia. Było na nim dużo świeżych kwiatów, paliło się kilka zniczy. Żadnej tabliczki ani danych. Pomyślała, że pewnie leży tam jakiś samobójca, którego nie wolno chować w poświęconej cmentarnej ziemi. Zabobony.

Wyjęła aparat, zrobiła kilka zdjęć, choć tak naprawdę źle się z tym czuła. Poza tym miała wrażenie, że jest obserwowana. I nie myliła się, bo przy furtce stał Jan.

Poznała go z daleka po kurtce. Podeszła do niego. Miał ciemne okulary, więc nie umiała ocenić, w którą stronę patrzy. Długie, kruczoczarne włosy spiął w kucyk. Tutejszy macho, pomyślała.

– Podobno uciszałaś tych smarkaczy. – Wskazał ręką grupę młodzieży powolnie opuszczającą cmentarz.

– Trochę przegięłam…

– To zależy. Dla mnie to ważne, by godnie zachowywali się przy grobie Aldonki. Dziś mija dokładnie rok, od kiedy jej nie ma. Chodźmy, zapalę jej świeczkę.

Uchylił furtkę, która znowu niemiłosiernie zaskrzypiała. Marta podążała za nim. Spodobał się jej. Miał w sobie spokój. W sumie ciekawy typ. Starała się stąpać po śladach, które pozostawiał na błotnistej ścieżce. Zastanawiała się, czy nazywanie go kowalem nie jest jakimś nadużyciem. Kim jest ten cały Janek?

Zatrzymali się przy grobie.

– Narzeczona? – spytała, ale od razu pożałowała tego pytania.

– Nie, siostra. – Zapalił świeczki, włożył świeże kwiaty do wazonu.

– Przykro mi.

– Niepotrzebnie. Było, minęło. Jest na zero.

Przeżegnał się, a ona stała bez ruchu. Nie modli się. Przecież nie wierzy.

– Chodź na dobrą kawę. Pogadamy o gracie – zaproponował i już po chwili nic nie zostało z melancholijnego nastroju.

Janek uśmiechał się do Marty. Czyżby z nią flirtował? Przyglądała mu się uważnie. Szedł beztrosko z rękami w kieszeniach. Przyspieszyła i po chwili zrównała się z Jankiem.

– Podobno mają tu dobre ciastka, może tam pójdziemy?

– A gdzie indziej? – Zaśmiał się. – Myślisz, że chcę cię poderwać?

– A nie chcesz?

– Chcę – odpowiedział szczerze.

Rozbawił ją ten dialog. Przypomniała sobie słowa Anki: „Między kobietą a mężczyzną jest ciągła walka. Tym większa, im bardziej próbują to ukryć". Znowu się uśmiechnęła. Janek nie pasował do tego opisu, a poza tym jakie to miało znaczenie?

W szybkim tempie dotarli do cukierni, po czym zajęli stolik przy oknie. Dostali świeżo zaparzoną kawę i specjalność zakładu, szwedzkie bułeczki cynamonowe. Kowal opowiadał trochę o tym lokalu. Od wielu pokoleń cukiernię prowadziła rodzina Osterów. Dziś należała do najmłodszego z nich, Grzegorza. Był samotnikiem, bez rodziny i dzieci. Miał prawie pięćdziesiąt lat i nigdy z nikim się nie związał.

– Ludzie gadają, że jakiś chory jest. Wiesz, męskie sprawy... – Jan puścił oko.

– Znaczy się impotent?

Syknął na nią. Ściszając głos, dokończył historię tego miejsca. Cukiernia podobno powstała na początku dziewiętnastego wieku i nigdy nie spłonęła. To ewenement, bo niejeden raz paliło się całe miasto.

– Ja, jako jedyny, mam dom murowany. To podobno przynosi nieszczęście. Ale kiedy go budowałem, miałem to gdzieś. – Jan się zamyślił.

Marta sporo dowiedziała się od niego nie tylko o cukierni, ale i o historii miasteczka; o tym, jakie dosięgły je plagi, co się w nim zmieniało, a co zostało nienaruszone. Była to jedna z najprzyjemniejszych rozmów, jakie ostatnio odbyła. Zasłuchała się w jego opowieść, a gdy wspominał o różnych tragediach, nabrała przekonania, że nudę podobnych miejsc przerywa czasem zło, które ma za zadanie jedynie scalić społeczność. Nie umiała jeszcze dobrze nazwać tego zjawiska, ale czuła przez skórę, że Mille właśnie takie jest; że pożary, które co rusz trawiły miasto, zamykały wszystkich we wspólnej tajemnicy. Czuła, że tutaj wszyscy wiedzą o sobie nawzajem więcej, niżby chcieli, a swoich sekretów za nic nie zdradzają obcym. Westchnęła, bo nie wróżyło to dobrze jej reportażowi.

– A, maglownicę zamówiłem. Trochę droga, ale nie ma wyjścia. – Janek zmienił temat.

– Super, jasne, zapłacę. – Witecka przypomniała sobie o aucie.

– Nie ma pośpiechu. Przy najgorszych wiatrach trzeba będzie czekać do dwóch tygodni, a potem jeszcze po nią pojechać. Tu jest zamówienie. – Wskazał wydrukowaną stronę.

– O, masz Internet?

– U chłopaków drukowałem. U mnie sukinsyn się zawiesza.

– Możesz mi polecić jakiś nocleg? – Marta dopijała kawę, chciała wypaść naturalnie.

– Nie bardzo.

– Nie mogę znowu spać w barze. Sophia jest miła, ale chciałabym wziąć prysznic.

– Mamy z tym kłopot. Nie możemy nocować nikogo więcej niż jeden dzień.

– Słucham? A kto wam zabrania? – Witecka poczuła, jak robi jej się gęsia skórka.

– Nie możemy.

– To jakieś żarty. Ja nie chcę za darmo, to raz. Przerzucacie mnie jak worek ziemniaków, to dwa. Chcecie się mnie pozbyć, to trzy. Co tu jest grane?

– No, nie możemy i już. Bo widzisz… – Jan zawiesił głos. – Muszę lecieć.

Niedbale narzucił kurtkę i natychmiast wyszedł z cukierni, pozostawiając ją w osłupieniu. Co się stało, że przyjemny nastrój tak nagle prysł? Nie umiała znaleźć odpowiedzi na to pytanie. Przecież nie zapytała o nic osobistego. Po prostu szukała noclegu. Spojrzała na nietknięte przez niego ciastko, a potem znów na rynek. Janek właściwie biegł. Pomyślała, że ucieka. Tylko przed czym? Przed kim?

– Przepraszam, że się wtrącę… – Usłyszała szuranie krzesła. Usiadł na nim elegancki mężczyzna. Miał siwe, krótko obcięte włosy, rogowe okulary, dobrze skrojony garnitur. Uwagę Marty natychmiast zwrócił mocny zapach perfum. Z pewnością wylał na siebie pół butelki, nim tu przyszedł. Z kieszeni płaszcza wystawały słuchawki stetoskopu.

– Tak?

– Proszę wybaczyć, ale mimowolnie byłem świadkiem państwa rozmowy. Ma pani problem z noclegiem, prawda?

– No tak, ale to chyba pana nie dziwi.

– Oczywiście – odchrząknął. – Pozwoli pani, że się przedstawię. Nazywam się Kazimierz Rogowski, przyjmuję w ośrodku zdrowia. – Wskazał budynek po przekątnej.

– Marta Witecka.

Podali sobie ręce. Marta zwróciła uwagę, że lekarz miał bardzo zadbane dłonie. Na jednym z palców dostrzegła obrączkę.

– Mam teraz przerwę. Mogę zaprosić panią na kawę?

– Wypiłam już dwie, ale chętnie przyjmę zaproszenie na sok. – Uśmiechnęła się do niego. Był w stylu retro – szarmancki i czarujący.

– Dobrze, zaraz szczegółowo ustalimy plan działań. Gdzie pani do tej pory spała? – Lekarz złapał się za podbródek, dając wyraz zatroskaniu.

– U księdza i w barze.

– No tak. – Podrapał się po brodzie. – Po jednej nocy już mamy. Zostaje nam jeszcze izolatka w ośrodku zdrowia…

– Bez urazy, panie doktorze, ale dziękuję za pomieszczenia zamykane na klucz – przerwała mu.

– Och, proszę się nie niepokoić, to stara nazwa. Od dawna nikt tu nie chorował aż tak zaraźliwie.

– A jest coś jeszcze? – Witecka zdobyła się na swój uśmiech numer pięć, czyli „nie możesz mi odmówić".

– Pokój nauczycielski w szkole. – Doktor Rogowski wskazał ręką znany Marcie budynek. – Jest przerobiony z małej sypialni pierwszych właścicieli domu, a większy niepotrzebny, bo mamy tylko jedną nauczycielkę. To wszystko.

– Szlag, męczące są te przenosiny, a powinnam skończyć pracę.

– A nad czym szanowna pani pracuje, jeśli mogę wiedzieć?

– Zbieram materiały do reportażu o Żarnowcu. Tam była taka tragedia... – Z przejęciem opowiedziała o wypadku autokaru, o dzieciach, o linczu na rodzinach kierowców. Zauważyła, że lekarza bardzo to zainteresowało.

– Smutna sprawa – skwitował. – Trzymam kciuki, żeby się pani udało. Ale teraz kończy mi się przerwa, zaraz mam pacjentki. Ma być u mnie nauczycielka, Magda. Spytam ją o nocleg w tym pokoju. Proszę się nie martwić. Poza tym chyba nie będzie pani tu czekać dwa tygodnie... Coś wymyślą, będzie pani mogła odjechać i spokojnie o nas zapomnieć. Tymczasem kłaniam się i zapraszam ponownie na noc do naszej izolatki.

Lekarz wyszedł. Następny – pomyślała – niby szarmancki, ale zdystansowany. Przemawiał tonem pocieszenia, a jednocześnie nie wykazywał przesadnej troski. Był taki „akuratny", jak mówiła jej ciotka.

Po kilku chwilach bezczynnego obserwowania rynku dziennikarka zgarnęła swoje rzeczy i poszła do baru. Włoszka krzątała się jak zwykle. Nawet nie spojrzała na gościa. Jakby się bała, że to pociągnie za sobą jakąś obietnicę trudną do spełnienia.

– Wiem, że nie mogę tu dziś nocować, spoko – zagadnęła Marta, siadając na swoim hokerze, choć tak naprawdę nie czuła się spoko. Ale nie zamierzała się rozczulać nad sobą. Już nie.

– No, nie możesz – przytaknęła Sophia.

Marcie wydało się, że barmanka jest smutna. Miała podkrążone oczy, ręce jej się trzęsły. Kilka razy nalewała kawy do jednej szklanki, aż po którymś razie brązowy płyn rozlał się po blacie.

– Sophia, co jest?

– Nic, *mio amore*. Nic. – Włoszka stała tyłem do Witeckiej i wycierała poplamiony blat. Plecy jej drżały.

– Ale widzę. No powiedz.

– Nie mogę, nie pytaj już. Dziś muszę wcześniej zamknąć bar.

Zniknęła na zapleczu, pozostawiając Martę bez wyjaśnień, jakby wyłączyła film przed ostatnią sceną. W barze jeszcze nikogo nie było, roznosił się tylko zapach świeżo mielonej kawy.

Witecka zajrzała do pokoiku, Włoszka czule chowała pozostawione poprzedniej nocy zabawki.

– Przepraszam, zapomniałam o nich. Zbierajmy się, spieszę się.

Marta wrzuciła swoje ciuchy do worka, odłączyła laptop i schowała aparat do etui. Tak naprawdę chciała jeszcze o coś zapytać, jakoś pocieszyć gospodynię, ale ta stała się zimna i niedostępna, więc w milczeniu wyszła przed bar i postanowiła iść do ośrodka zdrowia.

Zbliżał się wieczór. Póki wszystko pamiętała, chciała jeszcze zrobić jakieś zapiski, przejrzeć zdjęcia. Nie mogła już więcej narzekać na swoją sytuację. Pewnie niejeden dziennikarz doświadczył podobnych problemów.

Mimo zmroku z łatwością dojrzała państwową tabliczkę w kolorze bordo: „Ośrodek Zdrowia w Mille".

Spośród innych drewnianych budynków ten wyróżniał się czerwoną dachówką. Zadbane miejsce, pomyślała. Gdy otworzyła drzwi na ganku, automatycznie zapaliło się światło. Pomyślała, że to bezpieczne rozwiązanie. Weszła do środka. Przed sobą miała małą poczekalnię na trzy krzesełka i dwa gabinety. Przeczytała wydrukowane na komputerze wizytówki, przymocowane do drzwi metalowymi pinezkami: „DR KAZIMIERZ ROGOWSKI – internista, ginekolog”, „DR TOMASZ KAPUŚCIŃSKI – lekarz rodzinny, pediatra”, a także dni i godziny ich dyżurów. Lekarze ani razu nie mieli wspólnych przyjęć, ale to nic dziwnego przy takiej liczbie pacjentów. Marta się uśmiechnęła. W warszawskiej przychodni to nie do pomyślenia.

Usiadła na krześle. Po jakimś czasie z jednego z gabinetów wyszła szczupła szatynka. Od razu zgadła, że to nauczycielka. Skromny, czarny sweter, biała bluzka z wyłożonym kołnierzem, szare spodnie w kant, buty na płaskim obcasie i duża torba konduktorka, pewnie na zeszyty.

– Dzień dobry. – Marta wstała.

Kobieta szybko schowała recepty.

– O, witam. Jutro proszę przyjść do szkoły, ale po lekcjach. Doktor już mi wszystko przekazał.

– Dziękuję.

Kobieta przyspieszyła, najwyraźniej nie zamierzała z nią dłużej rozmawiać. Marta wyjrzała za nią przez okno. Nauczycielka weszła do sklepu, ale właściwie natychmiast stamtąd wybiegła. Za nią wyskoczył sprzedawca. Chwilę rozmawiali, a potem zaczął energicznie chodzić w kółko i zapalił papierosa. Wreszcie złapał kobietę za ramiona i potrząsał nią jak lalką. Nauczycielka bezwładnie poddawała się szarpaninie. Marta zerwała się z krzesła. Wybiegła z ośrodka i zaatakowała zdenerwowanego mężczyznę:

– Zostaw ją!

– Odpieprz się, to nie twoja sprawa!

– Radzę ci ją zostawić, bo tak cię obsmaruję, że natychmiast stracisz koncesję! – krzyknęła.

Silny puścił nauczycielkę. Wkurzony wszedł do sklepu i trzasnął drzwiami. Kobieta płakała. Zawstydzona, roztrzęsiona, nieudolnie poprawiała włosy. Bez słowa podreptała w stronę szkoły.

– Pani Magdo, wszystko okej? – zawołała za nią, ale kobieta nawet się nie odwróciła. Zrezygnowana dziennikarka wróciła do przychodni. Tam w poczekalni spotkała jednego z młodych chłopaków poznanych w barze. Bawił się telefonem.

– Pani na długo wchodzi?

– A dlaczego pytasz?

– Bo ja tylko po receptę. Spieszę się. Jedziemy na melanż.

– Idź, idź.

Wskoczył do gabinetu. Po chwili radośnie, jakby tańcząc, wyszedł z lecznicy. Za nim, w fartuchu, pojawił się lekarz.

– Narkoman? – zagadnęła, patrząc na zamykające się drzwi.

– Jędruś? Gdzie tam. Ale, pani wybaczy, tajemnica lekarska. – Doktor przyłożył dłoń do piersi, jakby przyrzekał.

– Jasne. Tu wszystko jest tajemnicą.

– O co pani chodzi? – Rogowski stanął na baczność.

– Ech, nieważne. Mogę prosić o ten pokój? – Była obcesowa i niemiła. Ciągle miała przed oczami widok płaczącej Magdy. Skurwysyn jeden.

– Już prowadzę, izolatka jest w drugim skrzydle, trochę odseparowana od reszty… – Lekarz puścił oko.

Skręcili w korytarz po lewej stronie. Rogowski powoli otwierał kratę. Martę zmroziło.

– Poproszę też o wszystkie klucze!

– No jasne, ale mogę dać tylko od tego skrzydła. W tamtym są leki… – Mężczyzna przystanął. – Czy pani aby dobrze się czuje?

– Bardzo dobrze, dziękuję. Proszę mnie już zostawić.

Otworzył jeszcze jedne drzwi. Podał Marcie pęk kluczy.

– Mieszkam tuż obok, w przybudówce, ale całkiem przyzwoitej. Mam bardzo blisko do pracy. – Uśmiechnął się. – No i zapraszam na kolację. Będzie jeszcze stary Lajn z żoną. Mamy do pogadania o remoncie. Kłaniam się. – Doktor pochylił głowę.

# ROZDZIAŁ 5

Marta była wściekła, głównie na siebie, bo zachowywała się jak idiotka. Odczytała odręczny napis na kartce umocowanej pinezkami do białych drzwi: „IZOLATKA". Spodziewała się sterylnego pomieszczenia i łóżka z wysokimi, białymi ramami, a to, co zobaczyła, mile ją zaskoczyło. Izolatka wyglądała jak pokój hotelowy. Podwójne, wygodne łóżko, sekretarzyk, biurko. Stolik z dwoma fotelami, telewizor, lampy nad łóżkiem i grube, ciemnozielone kotary w oknach, a także łazienka z prysznicem, mała, przytulna, czysta i z ręcznikami.

Opadła na łóżko. Była niesprawiedliwa wobec tego poczciwiny. Pewnie nie można oficjalnie prowadzić tu działalności agroturystycznej, więc gościnny pokój, dla zachowania pozorów, nazywany jest izolatką. Coś jej przyszło do głowy. Po szybkim prysznicu usiadła do notatek.

*Dziś poznałam kilku nowych mieszkańców. Oczywiście na tyle, na ile na to pozwolili. Są oszczędni w kontaktach. Najwięcej czasu spędziłam z kowalem Janem. Prawdę mówiąc, nie wygląda na kowala, ale chce, aby go tak nazywano. Powiedział, że w miasteczku nie mogą nikogo nocować więcej niż jedną noc. Nie udało mi się dowiedzieć dlaczego, ale rzeczywiście znowu muszę spać gdzie indziej. Tym razem dostałam izolatkę w tutejszej przychodni, jednak nie ma ona nic wspólnego z białymi ścianami i kratami w oknach. To zwykłe pomieszczenie hotelowe, urządzone dla gości. Dlaczego od początku nie chcieli dać mi tego noclegu? Jutro mam spać w szkole. Być może tam też spotka mnie jakaś niespodzianka, może będzie spa?*

*Tutejsza ludność jest zaskakująca. Na cmentarzu młodzież zachowuje się jak w klubie. Dlaczego nikt nie zwraca tym dzieciakom uwagi, że to niestosowne? No i poznałam dziwną chłopięcą parę, niejakiego Dyzia i Jędrusia. Prowadzą kawiarenkę internetową i są lubiani przez wszystkich. Ojciec jednego z nich jest wynalazcą, a może kimś więcej? Jutro pójdę do kawiarenki, może czegoś się dowiem. Jest tu ogromny kłopot z Internetem, a u nich podobno działa. Ciekawe, jak to możliwe…*

W tym momencie przez stuk klawiszy przebił się dźwięk starodawnego telefonu. Marta rozejrzała się niepewnie. Dzwonienie nie ustawało, aż wreszcie znalazła miejsce, skąd się rozlegało. Już drugi raz dała się nabrać na dekorację w postaci aparatu retro.

– Halo…

– Dobry wieczór. Ponawiam zaproszenie na kolację. Zaraz wyjmuję kaczkę.

Spojrzała na zegarek. Dochodziła dwudziesta. Była głodna, ale z drugiej strony chciała zrobić jak najwięcej notatek z dzisiejszego dnia.

– To bardzo miłe…

– Proszę wziąć aparat – ma długi kabel – i podejść do okna. Zasłony są dość ciężkie, ale można je odsunąć.

Wykonała polecenie lekarza. Przesunęła ciężką kotarę. Nieopodal dostrzegła przybudówkę, a w oknie Rogowskiego, który przyjaźnie do niej machał. Uśmiechnęła się. Następnie do drzwi podeszły dwie osoby. Mimo zmroku dojrzała, że to starsi ludzie w eleganckich płaszczach. W słuchawce rozległ się dźwięk dzwonka.

– Och, są Lajnowie. Zapraszamy!

Koniec połączenia. Witecka chwilę obserwowała, jak gospodarz wita gości. Mężczyzna wręczył mu jakiś pakunek, kobieta kwiaty. Wyglądali na starych znajomych.

Wróciła do pisania, ale zza ściany dobiegła przyjemna muzyka. *My Baby Just Cares For Me* Niny Simone. Swingująca aranżacja wprawiła ją w dobry nastrój. Zatrzasnęła laptop, związała włosy, pociągnęła błyszczykiem usta. To w sumie najlepsza okazja, by na spokojnie porozmawiać z mieszkańcami. W ciągu kilku chwil znalazła się pod drzwiami lekarza.


Otworzył natychmiast. Gdy tylko przestąpiła próg, od razu znalazła się w przepięknie urządzonej kuchni. Nie było żadnych wiatrołapów, korytarzy i innych dziwnych bezosobowych pomieszczeń. Poczuła panoszący się zapach przygotowywanej kaczki. Aromat pieczonej skórki, słodkawy zapach pomarańczy i intensywna woń tymianku doprowadzały zmysły do obłędu. Pan domu wprawnymi ruchami porcjował danie nożycami do drobiu. Złociste jabłka puszczały sok. Na talerzach czekały już parujące buraczki i drożdżowe placki, gotowe wchłonąć cały sos.

– Proszę siadać i poznawać się wzajemnie. – Lekarz wskazał głową na starszych ludzi siedzących przy stole. Już kończył nakładanie.

– Dobry wieczór. – Marta dygnęła i natychmiast chciała uciąć sobie tę nogę. Jakie to szczeniackie. Powinni traktować ją jak równą sobie, inaczej nic jej nie powiedzą.

– Czesław Lajn, a to moja żona Marianna. – Siwy mężczyzna w staromodnie skrojonym garniturze pocałował Martę w dłoń.

Jego żona, też siwa niczym gołąbek, z mocną szminką na ustach i drobnymi perłami na szyi, podała jej rękę. Marta przez chwilę dość nieswojo czuła się w swoim wygodnym T-shircie i dżinsach z wypchanymi kolanami.

Na początku kolacji wszyscy skupili się na jedzeniu i chwalili talent kulinarny gospodarza. Nudnawo. Ale dobre wino i przyjemna muzyka pozwoliły trochę odpłynąć od tego ciągłego przymilania się.

Marta pozbierała naczynia i dyskretnie rozejrzała się po domu. Był urządzony starannie, widać tu było kobiecą rękę, szczególnie w doborze bibelotów. Na ścianach dominowały podkowy, małe i duże, żeliwne, plastikowe... Może potrzebują szczęścia, pomyślała, gładząc największą z nich. Biło z niej ciepło i przez chwilę przestraszyła się, że narusza jakąś intymną sferę. Wróciła do jadalni.

Zatrzymała się przy jednym ze zdjęć, stojącym przy kominku. Doktor Rogowski, uchwycony na nartach podczas jakichś wygłupów. Próbowała wyobrazić sobie tamten moment, ale nie umiała na tyle puścić wodzy fantazji. Trudno powiedzieć, czy pozował wtedy fotografowi, czy naprawdę był w wesołkowatym nastroju.

– To co, dziś śpi pani w izolatce? – Czesław Lajn zaskoczył Martę pytaniem zadanym tubalnym głosem. Nie słyszała, jak zbliżył się do kominka. Miała wrażenie, że stanął zbyt blisko. – Ładny pokoik, prawda? To moja robota – kontynuował.

– Jak to?

– Ho, ho, mebelki prima sort. Prowadzę warsztat stolarski. Mieszkamy tuż przy cukierni. – Lajn wskazał brodą bliżej nieokreślony kierunek.

– Ładne, rzeczywiście. Ciekawe tylko, dlaczego to wciąż izolatka, a nie pokój hotelowy?

– Bo my tu izolujemy. – Pan Czesław zaczął się śmiać, aż w końcu złapał go kaszel.

Marta poklepała staruszka po plecach. Mimo grubej wełny garnituru wyczuła, że jest bardzo wychudzony.

– No to mnie pan trochę wystraszył – próbowała żartować, ale rzeczywiście się przelękła. Od razu stanęli jej przed oczami uroczy sąsiedzi Mii Farrow z *Dziecka Rosemary*.

– Żartowałem. To wymysł gminy. Na inną działalność nie dają tu pieniędzy. Czasem, w trakcie kontroli, Kazik skutecznie zniechęca ich do zajrzenia za te białe drzwi. A jak pani widzi, pokoik się przydaje.

– A kiedy ostatnio?

– Prawdę mówiąc, nie pamiętam. Chyba trzy lata temu było ryzyko, że kontroler z sanepidu zechce dłużej nocować, ale po nocy na plebanii pojechał dalej. Na szczęście.

– Lajn trochę nieudolnie próbował puścić oko.

– To ciekawe. Ja też spałam na plebanii, potem w barze…

– Tak, tak, dziś w izolatce, jutro w szkole...

– A to wszyscy przechodzą taką drogę krzyżową?

– No tak, ale już nie pamiętam, kto tyle zwiedził. Wie pani, my nie lubimy obcych.

– Zauważyłam. A dlaczego tak jest?

– Bo dla nas to jak śmiertelna diagnoza. – Staruszek się zamyślił. – Choć i z najgorszych raków potrafią wyleczyć, prawda? Chodźmy do Marysi. Już pewnie umiera z nudów.

Gdy Rogowski podał makowiec i nalewkę własnej roboty, zrozumiała, że to koniec przyjęcia. Patrzyła na trójkę starszych ludzi jak na aktorów na scenie. Zachowywali się, jakby odgrywali po raz któryś te same role. Nie przerywali sobie, pozwalali kończyć wypowiedzi, nie było żadnych spontanicznych wybuchów śmiechu ani głośniejszych wtrąceń. Marta nawet przez chwilę wyobraziła sobie, jak zza kominka wychodzi reżyser i mówi: „Stop. Na dzisiaj koniec".

Gdy wreszcie wróciła do izolatki, spojrzała na migający kursor. Był jak wyrzut sumienia, zmusiła się do zanotowania kilku słów.

*Byłam na miłej kolacji. W niczym nie przypominała małomiasteczkowych ziemniaków z kotletem schabowym. Poznałam nowych mieszkańców i przeznaczenie tajemniczej izolatki. Zastanowiły mnie słowa pana Czesława. Dla nich turyści są jak „diagnoza śmiertelnej choroby". To znaczy, że z jakiegoś powodu obawiają się obcych. W dawnych czasach wszelkie epidemie były chlebem codziennym. A może oni się boją, że ja zostawię im jakieś zarazki, i dlatego tak mnie*

*przerzucają z miejsca na miejsce? Jutro pogadam z Janem.*
*Mam nadzieję, że coś mi powie.*

Mechaniczny, spłaszczony dźwięk *Entertainment* wbijał się w mózg. Co za kretyńska melodia, kto to sobie teraz ustawia? Wściekła, włożyła głowę pod poduszkę. Już wczoraj zauważyła, że w pomieszczeniu jest doskonała akustyka. Ale dźwięk nie ustawał.

– *Fuck*, to do mnie! – Zerwała się przestraszona. Zapomniała, że kiedyś, dawno temu, przypisała ten dzwonek naczelnemu. Ale do tej pory Szajnert dzwonił do niej może ze dwa razy.

– Co się z tobą dzieje? – Poirytowany głos szefa działał lepiej niż poranne espresso.

– Dzień dobry…

– Witecka, gdzie ty jesteś. Jolka mi powiedziała, że nie dojechałaś do Żarnowca.

– Nie dojechałam. Mam awarię samochodu.

– W dupie z tą awarią, czy ty jesteś w średniowieczu?

– Trochę tak.

– Co ty pieprzysz?

– Jestem w Mille. To mała miejscowość po drodze do Żarnowca. Dzieje się tu coś meganiezwykłego.

Pokrótce opowiedziała o surrealistycznych zachowaniach ludzi, o tajemniczej izolatce, wreszcie o podejrzeniach, że to wszystko wiąże się z jakąś skrywaną przed obcymi tajemnicą. Zapewniła, że już tak to napisze, że szum będzie na całą Polskę.

Naczelny połknął haczyk, ale kazał się odzywać. Nie zdążyła mu tylko powiedzieć, że w miasteczku nie ma

Internetu. Mimo że nie potrzebowała jego przyzwolenia, poczuła się z nim lepiej, bezpieczniej. Potem sama się opieprzyła, dlaczego jakiś facet ma jej zapewniać poczucie bezpieczeństwa. Przecież jest niezależna, ma trochę oszczędności i mieszkanie po ciotce, które się ciągle dobrze wynajmuje.

Były na siebie z ciotką skazane. Po śmierci matki jej siostra objęła dziewczynkę opieką, a ponieważ nie miała, jak to się wtedy mówiło, „pedagogicznego podejścia", doglądała Marty raz w tygodniu i pilnowała, by dziecko miało pełną lodówkę jedzenia. Wszystkie wydane na nią pieniądze, w tym na czynsz i opłaty, zapisywała w zeszycie, a potem robiła podsumowanie każdego miesiąca. Jeśli zostawały jakieś państwowe pieniądze, dawała je Marcie jako kieszonkowe. Czysty układ.

Po kilku latach role się odwróciły, to siostrzenica opiekowała się chorą ciotką i podobnie jak ona wcześniej z jej świadczeniami, postępowała teraz z jej rentą. Obydwie nie wchodziły sobie w drogę, ale dbały o zaspokajanie swoich podstawowych potrzeb. Marta, jako jedyna spadkobierczyni, odziedziczyła po ciotce mieszkanie, które dziś zapewniało jej stałe dochody przy niestałych zleceniach.

Szajnert nie był typem sprawiedliwego szefa, dlatego marzyła o chwili, kiedy będzie mogła odmówić mu przyjęcia zlecenia. Miała wrażenie, że to powoli zaczyna się spełniać, przecież gdyby teraz kazał jej zostawić ten temat, z pewnością by się postawiła. Wsiąkała w to miasteczko i bardzo chciała dowiedzieć się, co ci wszyscy ludzie ukrywają.

Za drzwiami usłyszała głosy pierwszych pacjentów, skrzypienie krzeseł, szuranie. Pospiesznie pozbierała rzeczy, jak zawsze w terenie do wewnętrznej kieszeni kurtki schowała dyktafon i na śniadanie wybrała się do cukierni. To przyjemne miejsce, z dobrym widokiem na cały rynek. Miała też nadzieję spotkać Sophię i poznać powody wczorajszego niepokoju Włoszki.

Grzegorz Oster. Od razu się zorientowała, że smutny facet w białym kitlu i ogromnej, opadającej na oczy czapie to właściciel. Osobiście wszystkiego doglądał, choć mało się odzywał. Biedak. Marta jakoś pożałowała piekarza i przypomniała sobie plotkę o jego impotencji. Swoją drogą to pewnie tajemnica poliszynela i facet ma tu przechlapane. Na końcu kolejki dojrzała Sophię. Miała pełne siatki świeżego jedzenia, serki, jogurty, soki.

– Cześć, Sophia. Chodź na kawę, stawiam.

– Nie powinnam, muszę wracać do domu, ale już nie mam siły… – Wielkie, ciemne oczy kobiety zaszły łzami, gdy dosiadła się do stolika.

– Mogę ci jakoś pomóc? Coś się stało w barze?

– Nie, nie możesz mi pomóc.

– To mój telefon. – Witecka podała jej wizytówkę. – Możesz do mnie dzwonić o każdej porze.

Włoszka się uśmiechnęła. Spojrzała na kartonik.

– O, widzę, że bywasz w świecie.

– Ja? Nie tam…

– No, taka gazeta, pewnie wszystkich znasz, co?

– Trochę znam, ale bez przesady.

– Może to znak? – Kobieta schowała wizytówkę i spojrzała na rynek. – Idzie Janek. Pewnie do ciebie.

– Uśmiechnęła się. – Muszę już lecieć. Do zobaczenia. Zadzwonię.

Wyszła, nie wypijając nawet łyka kawy. Była jak zwykle ubrana na czarno, co wyróżniało ją na tle szarych płaszczy. Janek rzeczywiście wstąpił do cukierni. Po krótkiej wymianie uprzejmości Marcie udało się namówić go na krótki spacer po okolicy. Bardzo chciała dotrzeć do ruin zamku, a bez miejscowego przewodnika byłyby to tylko nic nieznaczące kawałki muru.

Ruszył przed siebie. Włożył ręce w kieszenie kurtki i nie odwracając się, zmierzał w kierunku cmentarza. Marta szła pół kroku za nim, ani razu nie dał się wyprzedzić. Doskonale wiedziała, że to jest zamierzone, i nawet ją to rozbawiło. Przez chwilę poczuła się jak gejsza drepcząca za swoim panem. Jestem dziwką czy artystką?, zadawała sobie to pytanie bez zamiaru znalezienia odpowiedzi.

Gdy znalazła się na wysokości kwiaciarni, przystanęła. Wystawa, tym razem złożona z jesiennych kwiatów, wyglądała jak dzieło sztuki. Fioletowe astry, złote chryzantemy i krwistoczerwone dalie, poustawiane w pięknych wazonach, skropione drobnymi kroplami wody, w niczym nie przypominały zwykłych kwiaciarnianych ekspozycji.

Janek zatrzymał się i obserwował zauroczoną Martę. Gdy wreszcie zbliżyła się do niego, rzucił od niechcenia:

– Prowadzi to nasza malarka spod lasu. Szkoda, że nikt nie potrafi tego docenić.

– Malarka? – Witecka była zaskoczona.

– Tak na nią mówimy, bo kiedyś malowała, zresztą cała ta rodzina jest dość specyficzna, ale co się dziwić, mają jakieś niejasne koligacje z zielarką. – Kowal wzruszył ramionami.

Wreszcie dotarli do cmentarza. Przystanął przy grobie Aldonki. Chwilę się pomodlił. Marta przyglądała się zdjęciu dziewczyny ubranej w białą sukienkę jak do komunii. Nie cierpiała tego stroju.

Uwagę ośmioletniej Marty przykuwała szara plama na białej sukience. Kształtem przypominała samochód z obrazka gumy turbo, choć jeszcze pięć minut wcześniej dziewczynka mogła przysiąc, że widzi w niej umęczoną twarz Pana Jezusa. Jak odbicie na całunie turyńskim.

Sukienka komunijna po białym tygodniu prosiła się o pranie. Majowe deszcze zalały chodniki i choć naprawdę się starała, nie potrafiła omijać wszystkich kałuż. Próbowała „dbać o lakierki, żeby były na niedzielę", ale nie udało jej się zachować ich nieskazitelnej bieli. Były szare i brudne.

Minął ponad kwadrans, odkąd razem z matką wróciły z kościoła. Miała nadzieję, że skończyły już modlitwy i podziękowania Bogu za jego dobroć, sprawiedliwość i łaskę komunii świętej, tymczasem gdy tylko przekroczyły próg mieszkania, Witecka w milczeniu zdarła z córki sukienkę, by za chwilę z namaszczeniem powiesić ubranie na drzwiach szafy.

Dziewczynka zmrużyła oczy, nie chciała dłużej patrzeć na plamę ani na Pana Jezusa. Matka uklękła na wprost sukienki, ciągnąc za sobą dziewczynkę w samych tylko majtkach i białych podkolanówkach. Marta zaciskała usta. Kobieta gładziła koraliki różańca, mamrocząc pod nosem modlitwy. Gdy kończyła jeden paciorek, milkła i patrzyła na córkę. Dziewczynka widziała, jak jej źrenice zwężają się i rozszerzają. Stała nieruchomo. Po trzecim paciorku matka nabrała powietrza i wypuściła je z długim westchnieniem, wskazując miejsce obok siebie. Na to dziewczynka jeszcze bardziej się wyprostowała, ściągnęła łopatki, brodę wysunęła do przodu. Jak bokser na ringu, przygotowujący się do kolejnej rundy. Miała tylko nadzieję, że monstrancja z sukienki jakoś ją uratuje. Gdy wreszcie usłyszała „amen", odetchnęła. Uśmiechnęła się do matki, która wstała i masowała obolałe kolana. Po chwili oczy kobiety pociemniały. Marta dojrzała w powietrzu drewniane koraliki różańca, a w światłach żyrandola błysnął krzyżyk. Uderzenie zostało wymierzone z całej siły. Nawet nie bolało. Zaszczypało tylko rozcięcie na lewym policzku. Od krzyżyka.

Upadła. Czując, że się dusi, przełknęła ślinę i krzyknęła nienaturalnym głosem: „Błogosławiona jesteś, któraś uwierzyła". Choć jej ciało przechodził dreszcz, nie przestawała patrzeć matce prosto w oczy. „Pan Jezus nakazuje pokutę. Jeśli chcemy być zbawione, musimy zasłużyć na jego dobroć. Mówi mi, że przez godzinę trzeba milczeć". Podniosła wysoko głowę, rozdrapała ranę na policzku. Krople krwi kapały na stopy w białych nylonowych podkolanówkach. Znieruchomiała matka nabrała powietrza, ale dziewczynka położyła palec na ustach. „Cii". I poszła do swojego pokoju.

– Twoja siostra była wierząca? – spytała Marta, gdy Jan się przeżegnał.

– Nie bardzo.

– No to ciekawe, czy cieszy ją twoja modlitwa. – Witecka mocniej zacisnęła szalik w nerwowym odruchu. Nie powinna teraz wysypać się z dyktafonem, choć potem i tak przyzna się Jankowi do nagrywania. Może da mu nawet przeczytać swój reportaż.

– Taką dostałem pokutę. Chodź, pokażę ci grób Szalonej Kaśki.

Zapalił jeszcze znicze, poprawił kwiaty. Wolnym krokiem opuścili cmentarz. Za skrzypiącą furtką podeszli do usypanego grobu, tego bez tabliczki. Janek postawił małą lampkę.

– A dlaczego ona leży tutaj, za cmentarzem? Samobójczyni?

– Nie. – Pokiwał głową. – To czarownica. Spłonęła na stosie. No, prawie spłonęła, ulewa pozwoliła ocalić jej zwęglone ciało. Syn ją tu pochował.

– Jezu, jakie średniowiecze.

– Nie do końca, to był początek dziewiętnastego wieku.

– Serio? To nie jesteście zbyt przyjemną społecznością…

– Niestety. Nie jesteśmy. Widzisz, historia Szalonej Kaśki ma dla nas ogromne znaczenie. Nie zapominaj, że to była prawdziwa czarownica.

– No co ty, Janek. – Zaśmiała się głośno. – Wierzysz w takie zabobony?

– A jak tu nie wierzyć?

Pochuchał w ręce, poprawił kołnierz i nabrał powietrza. Marta dyskretnie włączyła przycisk nagrywania w dyktafonie. Stary olympus w takich sytuacjach był niezawodny. Dobrze zawczasu przypięty mikrofon, ukryty w szaliku, pozwalał na swobodną rozmowę.

– To wszystko zaczęło się w pierwszych latach roku tysiąc osiemsetnego. Kaśka Piecowa – zaczął nieśmiało kowal – była czarownicą. Rzuciła na miasto klątwę. Zapalimy? – Trzęsącą się ręką wyjął pomiętą paczkę marlboro. Nie patrzył na Martę, głęboko zaciągając się i powoli wypuszczając dym. – I żeby była jasność, wszystko odbywało się zgodnie z prawem. Był sąd, wyrok i wykonanie. – Janek kopnął kępę trawy. Znowu kilka razy się zaciągnął.

– Przecież ja was o nic nie oskarżam… – Postanowiła go ośmielić. Wiedziała, że jest to najważniejsza rozmowa, od kiedy przyjechała do Mille, klucz do rozwiązania zagadki. – Takie były czasy – dodała.

– No właśnie… – Janek wzruszył ramionami. – Nic przecież się nie dało zrobić.

Marta w ostatniej chwili powstrzymała podchodzący do gardła krzyk. Wkurzała ją taka postawa. „Nic się nie dało zrobić". Gdyby wszyscy ludzie do dziś tak postępowali, niewiele ocalałoby z człowieczeństwa. Oddychała przez nos i nie patrzyła na kowala. Z drugiej strony, czy ma prawo oceniać go tu i teraz?

– Czy ona była stąd? – zapytała już spokojniej.

– A skąd! – Janek trochę się ożywił. – Przyjechała za swoim kochasiem. Miała prawie czterdzieści lat, a on pewnie z osiemnaście. Przywiozła jego dziecko; może kiedyś się kochali, ale tu, w Mille, ją odtrącił. Nie mogła sobie poradzić i rzuciła na niego czar. Od tego wszystko się zaczęło.

– Co się zaczęło?

– Gehenna naszego miasteczka. Pożary wybuchały co kilka dni, ludzie tracili domy. Potem choroby… Jak jakieś plagi egipskie. Została jedna trzecia z prawie trzy-tysięcznego miasteczka. Ludzie mówili, że miała wielką moc. A na koniec życia przeklęła całe Mille. Do dziś się mści. Pani Katarzyna Piecowa. Szalona Kaśka.

– Janek, przestań się wygłupiać. – Martę rozbawił poważny ton kowala.

– W dniu spalenia wszyscy ludzie ściągnęli na to wzgórze, jak na największe widowisko. – Kowal zrobił ruch ręką. – Wszyscy, co do jednego. Każdy wierzył, że gdy na własne oczy zobaczy śmierć czarownicy, skończą się jego nieszczęścia. Chorzy, zdrowi, bogaci, biedni, młodzi, starzy. Wszyscy chcieli uwolnić miasto ze złego wpływu tej kobiety. Ale Kaśka zdążyła jeszcze raz ich i nas ukarać. Rzuciła klątwę…

– Janek, rozumiem, że znasz to z jakichś podań?

– Najwięcej mówią stare zielarki. To one nie pozwalają o tym zapomnieć. – Kowal zmrużył oczy i spojrzał na znicz. Płomień walczył z wiatrem i choć czasem wydawało się, że całkiem zgasł, to pojawiał się na nowo.

Marta przestępowała z nogi na nogę. Wiedziała, że to kluczowa opowieść, i nie chciała spłoszyć rozmówcy. Przez chwilę zastanawiała się, jak delikatnie zadać kolejne pytanie, aż w końcu postanowiła zapytać wprost.

– Jaka to klątwa? – Mówiąc to, poczuła dreszcz na plecach. To pewnie od wiatru, pomyślała i spojrzała na drzewa. Ich konary walczyły z kolejnymi podmuchami.

– Że zawsze będzie nas tylko tylu, ilu widzów oglądało jej śmierć. Nigdy więcej. A wówczas zebrało się tysiąc osób.

– I tak jest? Jest was tysiąc? – Witecka oniemiała z wrażenia. Coraz więcej elementów składało jej się w całość, jak puzzle.

– Tak, tak jest. Z tobą tysiąc jeden…

– I co to znaczy?

– Że jak zostaniesz, to ktoś umrze. Nie powinienem ci tego mówić, ale ty jesteś taka uparta, że jak nie poznasz prawdy, to nie wyjedziesz. Zwykle po jednej nocy zabłąkani turyści wyjeżdżają. Nie dajemy stałego noclegu, by komuś się tu nie spodobało, bo wiesz… Jak ktoś nie ma swojego – tu Janek pokazał palcami cudzysłów – tymczasowego miejsca, to się źle czuje.

– Nie rozumiem.

– Gdy wyjeżdżasz na wakacje, lubisz mieć swój pokój, prawda? Albo na weekend do znajomych? Masz wtedy swój kąt, gdzie zrzucasz graty i odpoczywasz, gdy masz dość innych. Daje ci to jakieś poczucie… bezpieczeństwa.

– No, coś w tym jest… – Po chwili zastanowienia przyznała Jankowi rację. Nawet w knajpach lubiła ten sam stolik.

– Stosujemy się do rad starej Borowiczowej. Jej mądrość pozwoliła nam uniknąć wiele zła.

– Kto to jest?

– Był. Nasza zielarka. Niestety nie żyje. Najwięcej wiedziała o Szalonej Kaśce. Znała szczegóły tamtych wydarzeń. I przez całe życie bała się burzy. Klątwa padła w największych piorunach i garbata Borowiczowa truchlała, jak zbierały się chmury. Domyślasz się, jak zginęła?

– Nie mów, że od pioruna…

– Właśnie tak. – Zgasił papierosa, przydeptując go w żwirze.

– Ale to wszystko brzmi nieprawdopodobnie. Jak wy, w tych czasach, możecie wierzyć w klątwy? – nie mogła wyjść ze zdumienia.

– Czasy nie mają tu znaczenia. Jest nas tysiąc. Może przypadkiem?

– Nie wiem. – Witecka nadal nie dowierzała w to, co słyszy. Może kowal zwariował albo chce ją nastraszyć? – A jak to w rzeczywistości wygląda, daj mi jakiś przykład – ciągnęła dalej.

– Już i tak za dużo ci powiedziałem. Mogę mieć kłopoty.

– Jakie kłopoty, Janek? Ktoś was tu pilnuje?

– Nie musi, sami się pilnujemy. Wszyscy chcą żyć. A chęć przetrwania to najlepszy strażnik.

– Dlaczego nie powiedzieliście mi tego na początku?

– Są trzy powody. Pierwszy to zakaz nawiązywania relacji z przyjezdnymi, drugi to taki, że pewnie i tak byś nie uwierzyła, a trzeci, że postanowiłabyś to sprawdzić, a wtedy…?

– Jezus, musielibyście mnie zabić? – Odruchowo odsunęła się od niego. Cała ta historia była tak złowieszcza, że przestawała ją bawić.

– He, he. Nie. – Zaczął się śmiać. – Tak nie wolno. To by się odbiło rykoszetem. W pierwszych latach klątwy przekonało się o tym kilka osób. Szybko wymyśliły, że to najlepszy sposób na wyrównanie liczby ludności, ale zabójcy od razu ginęli. Klątwa dosięgała ich tak czy inaczej.

– No to mi trochę ulżyło. – Zaśmiała się, ale kowal nie był w nastroju do żartów. Zamyślony, wyjął kolejnego papierosa. – A więc jeśli w miasteczku na dłużej pojawia się ktoś nowy, to wtedy umiera jakiś mieszkaniec?

Przytaknął. Marta czuła podskórnie, że powinna kuć żelazo, póki gorące, ale uznała, że warto zmienić otoczenie, zanim uderzy ponownie.

– Możesz pokazać mi zamek? – zaproponowała.

Cisnęły jej się na usta tysiące pytań. Nie rozumiała prawideł klątwy, chciała poznać konkretne przykłady, sytuacje. Dowiedzieć się, jak to się przckłada na bicżącc funkcjonowanie miasteczka. I jak to wszystko w ogóle jest możliwe. Jej rozmówca zamknął się jednak w sobie. Z doświadczenia wiedziała, że gdyby docisnęła go w takim momencie, mógłby już nigdy nie wrócić do tej rozmowy. Jej zadaniem było utrzymać przyjemny nastrój.

– Mogę. – Janck wzruszył ramionami i rozpuścił włosy. Ciemne oczy miał jakby zamglone.

Martę coś ścisnęło w środku. Był dziecięco szczery, a jednocześnie bardzo męski.

Gdy dotarli do ruin, zwiedzili lewą basztę i to, co pozostało po celi Szalonej Kaśki. Na cegłach, na poziomie kolan, widoczne były podłużne wgłębienia. Marta delikatnie je pogładziła. Wyczuła pod palcami rząd kresek, przekreślonych po cztery. W sumie dziewięć przekreśleń. A na końcu rzędu zamazany rysunek. Podeszła bliżej. Nic jej nie mówił.

– Co to jest? Jak myślisz?

Janek stał na zewnątrz i nerwowo się rozglądał, ale podszedł do muru, miał dziwną słabość do tej namolnej dziennikarki.

– Nie wiem, jakieś bazgroły. – Wzruszył ramionami. Marta w tym czasie, tuż przy ziemi, znalazła podobny zestaw wyżłobień.

– Tu są takie same, zobacz.

– No, rzeczywiście. – Kowal się schylił. – Ten bazgroł na końcu wygląda jak trupia czaszka.

– O cholera, rzeczywiście! – Witecka fotografowała telefonem fragmenty murów.

– Daj już spokój, chodźmy. – Janek chciał jak najszybciej opuścić ruiny.

– Co ty, trzeba to sprawdzić. Powiedz, tu się zbierają jakieś dzieciaki albo wandale? – Pstrykała, a światło lampy przypominało rozbłyski błyskawic.

– Żartujesz. Tu się nie przychodzi. Po co kusić los?

– Janek, no co ty? – Odwróciła się do niego i uśmiechnęła. To miejsce rzeczywiście nie było zbyt przyjemne, ale co może zrobić kawałek muru?

– A myślisz, że dlaczego ona ma tak zadbany grób? Zawsze świeże kwiaty, zapalone znicze? – Kowal oparł się o kilka cegieł.

– Bo?

– Bo inaczej się mści.

– Na Boga, czy wy nie przesadzacie?

– Nie, i daj już spokój z tym śledztwem. Twój świadek ma dość! – Kopnął leżące kamienie. Postawił kołnierz i wyprostował się, odrywając od muru. Na kurtce został pomarańczowy ceglany pył.

– Dobra, nie wściekaj się, ja ci wierzę.

– Taa, z pewnością. Wracamy. Tylko żebyś nie mówiła potem, że nie uprzedzałem. – Janek znów ruszył przed siebie, zostawiając Martę w tyle.

W sumie niezły gość, pomyślała, krocząc za nim. Niezależny, bez tych wszystkich „misiów-pysiów", konkretny, ze swoim zdaniem. Ciekawy typ.

Mleczna mgła ciężko wisiała nad ziemią. Mimo wczesnego wieczoru rynek opustoszał. Cichły stukania obcasów o bruk, metaliczne piski bram kończyły się zatrzaśnięciem zamka, gdzieniegdzie jeszcze słychać było stłumione otrzepywanie butów z błota. Wreszcie trzaski drzwi i drewnianych okiennic.

Mgła zaskoczyła ich w drodze do szkoły, gdzie Marta miała spędzić noc. Wstrząsnął nią dreszcz.

– Cholernie kapryśną macie tutaj pogodę – zagadnęła, stojąc już na szkolnym podwórzu.

– To naturalne po kilkudniowych opadach. – Uśmiechnął się i chwycił ją za rękę. Nie wyrwała jej. – Jutro moja kolej – dokończył łagodnym tonem.

– To znaczy? – Popatrzyli na siebie w bladym blasku rzucanym przez światło w szkolnym oknie, aż Martę rozbawiła ta scena. Co to za jakieś tkliwości!

– Śpisz u mnie, jeśli ciągle zechcesz tu zostać. A teraz dobrej nocy! – Kowal ukłonił się szarmancko i wyszedł za bramę. Nie odwrócił się, tylko spokojnym krokiem oddalał się w stronę rynku. Właściwie natychmiast straciła go z oczu. Światło ze szkolnego pokoju przegrywało z gęstą mgłą.

– Janek! – Dogoniła go jeszcze. – A dlaczego zwyczajnie mnie stąd nie wypędzicie? Albo po prostu nie odmówicie mi noclegu? – Złapała go za rękę jak nerwowa nauczycielka.

– Nie możemy być okrutni, jak kiedyś. Musimy być ludzcy, żeby Kaśka się nie mściła.

– Głodnych nakarmić, spragnionych napoić, bla bla bla… – Skrzywiła się.

– Dokładnie tak. Śpij dobrze. – Wysunął łokieć i ruszył przed siebie.

Słyszała jego oddalające się kroki.

Główne wejście do budynku było zamknięte, co Martę trochę zaniepokoiło. Co prawda nie umawiała się z nauczycielką, ale była głodna i nieco poruszona opowieściami Janka. Postanowiła odwiedzić bar „Rzym" i pogadać z Włoszką. Schowała dyktafon do torby; nie chciała, by ktokolwiek się teraz do niej zraził. Zamglone uliczki rynku przemierzała niczym zwierzę podczas polowania; nasłuchiwała i rozglądała się dookoła. Dostrzegła, że Klaudiusz Silny jeszcze nie zamknął sklepu. Zajrzała przez szparę między reklamowymi naklejkami. Na ladzie siedziała nauczycielka. Machała nogami, śmiała się. Mężczyzna coś jej opowiadał.

Ruszyła do baru. Po chwili od strony sklepu usłyszała trzask metalowych drzwi i kroki. Drobne, energiczne, zbliżające się do niej. Do „Rzymu" było zaledwie kilka metrów i choć bardzo chciała się odwrócić, nie zrobiła tego. Ktoś szedł w jej rytmie i dlatego przestała słyszeć odgłosy butów na kamieniach, ale doskonale wyczuwała czyjąś obecność. Na szczęście wiedziała, że dystans między nimi jest bezpieczny.

Gdy stanęła przed szarą szybą, w blasku niebieskiego neonu, przypomniała sobie swoją pierwszą wizytę w tym

74

miejscu. Minęło kilka dni, od kiedy przypadkiem się tu znalazła. Poprawiła torbę na ramieniu, opuściła kaptur. Chciała wejść jak swój. Teraz nie przeszkadzał jej nawet specyficzny zapach, który pierwszego dnia tak bardzo ją odstręczał.

W barze jakby nic się nie zmieniło. Ksiądz jak zwykle siedział w kącie, przy szybie Jędruś i Dyzio, na brzegu stary Markuszewski w swoim kapeluszu. Włoszka rozmawiała szeptem na zapleczu.

– No, nareszcie jesteś, co zjesz? Dziś wyjątkowo mamy pizzę – powitała Martę melodyjnym głosem.

– Jak dobrze cię widzieć w lepszym nastroju. – Witecką ucieszyła serdeczna postawa Włoszki. – Ślicznie wyglądasz – dodała, siadając na swoim hokerze.

Ciemne oczy barmanki wyraźnie błyszczały, uśmiech nie schodził z jej twarzy. Marta przypomniała sobie słowa Janka o ludzkich przyzwyczajeniach. Miał sporo racji. Wróciła do swojego hokera.

Sophia podała pizzę, piwo i dosiadła się po drugiej stronie. Sobie też nałożyła, jakby czekała na wspólną kolację.

– Chciałabym z tobą pogadać. – Marta próbowała zachować spokój. Dyskretnie włączyła dyktafon.

– No…

– Ale czy tutaj możemy swobodnie? – Dziennikarka rozejrzała się niepewnie.

– Tak, chłopcy są zajęci sobą, jak zwykle, Andrzejek zaraz ma gościa, więc sam będzie szeptał, a milicjant śpi.

– Byłam dziś w ruinach i na grobie Szalonej Kaśki. Poznałam jej historię. – Mimo zapewnień o intymności Marta szeptała.

Włoszka zamarła z pełnymi ustami. W tym momencie z hukiem otworzyły się drzwi baru. Witecka, choć się nie odwróciła, poznała po drobnych krokach nauczycielkę Magdę.

– Belferka? – spytała.

Sophia przytaknęła.

– Skąd wiesz? Jak możesz widzieć, nie patrząc? – spytała z wciąż pełnymi ustami.

– Spokojnie, wiedziałam, że tu idzie, więc się jej spodziewałam. Przecież nie jestem jakąś czarownicą. – Zaśmiała się.

Barmanka odłożyła sztućce.

– Nie żartuj tak nawet. Drugie piwo?

# ROZDZIAŁ 6

**W** niedużej świetlicy unosił się delikatny swąd spalenizny. Marta dyskretnie oglądała ściany i meble. Nigdzie żadnego śladu osmalenia. Pewnie mam już jakiegoś pierdolca, zganiła się w myślach.

Stoliki podsunięte pod ściany, na szafce zebrane kolorowanki i kredki, wolna przestrzeń pośrodku na rozkładaną polówkę. Witecka patrzyła na krzątającą się nauczycielkę. Magda Gołczyńska w skromnym stroju wyglądała jak szara myszka, ale jej zacięte, wąskie usta i stalowozimne oczy zdradzały silny charakter. Energia, z jaką aranżowała nocleg i powlekała pościel, skutecznie zacierała pierwsze wrażenie.

– Jestem bardzo zmęczona, pozwoli pani, że się położę. Niektóre dzieci przychodzą na siódmą trzydzieści, więc do tego czasu proszę się stąd zbierać. Dobranoc. – Gołczyńska grzecznie, ale stanowczo zakończyła monolog.

Na Martę te słowa zadziałały jak odważnik ciągnący w dół. Nauczycielka wyszła, truchtając, i trzasnęła drzwiami. Zbyt mocno, żeby można to nazwać przypadkiem.

Dziennikarka spojrzała na pękniętą szybkę swojego wysłużonego olympusa. Włączyła kilka plików. Wszystko się nagrało. Przy uczniowskim biurku spisała rozmowę z Jankiem.

*To, czego się dziś dowiedziałam od tutejszego kowala, pozwala mi sądzić, że mieszkańcy mentalnie cofnęli się do średniowiecza. Tak bardzo wierzą w zabobony, że są pewni działania klątwy. Tysiąc – taka jest ich dopuszczalna liczba na tym terenie, a ja w tej chwili jestem tysiąc pierwsza. Jan wydaje się całkiem normalnym facetem. Muszę dowiedzieć się więcej, dotrzeć do źródeł, może trzeba pogrzebać w jakichś księgach? Przerzucanie gościa z miejsca na miejsce to ich system obronny. Ma mnie to zmusić do wyjazdu. Jutro posiedzę w kawiarence.*

O świcie obudził ją tupot małych stóp i głosy dzieci, co kilka minut uciszane zdecydowanym nerwowym syknięciem.

– Psze pani, a kiedy ta pani pluskwa wyjedzie?

– Kapuściński, co ty gadasz? – Nauczycielka tłumiła zdenerwowanie. – Jaka pluskwa?

– No ta pani, co tam śpi. – Dziecko przeciągało ostatnią sylabę.

– Zaraz was tam wpuszczę, a ty się odzywaj inaczej. Skaranie boskie.

– A Kapuściński to mówi jeszcze, że ona nas zabije… – Marta usłyszała piskliwy dziewczęcy głos.

– Natychmiast się uspokójcie! – Nauczycielka już nie próbowała być cicho. – Bzdury gadacie!

Marta w pędzie opuściła skromny i nieprzyjazny budynek szkoły. Poczuła się jak jakaś złodziejka albo morderczyni. Gdy szła przez rynek, z pospiesznie pakowanej torby wypadały jej rzeczy. Już miała tego dość. Codziennie dźwiganie torby, zero intymności, żadnej przestrzeni do przemyśleń. Była zmęczona. Naprawdę zmęczona.

Dzień był chłodny i szary. Pewnie się wypogodzi, jest przecież bardzo wcześnie. Za wcześnie jak dla pracującej wieczorami dziennikarki. Otuliła się szalikiem, zapięła parkę i wkurzona, obserwowała spieszących się ludzi. Wśród nich wyróżniało się blond czupiradło, nieudolnie kroczące w różowych szpilkach. Zmierzało do cukierni. Poszła za nią. Miała nadzieję, że mocna kawa ją obudzi i uspokoi. Gdy otworzyła drzwi, cała kolejka odwróciła się w jej stronę. Fryzjerka, żując gumę, wyseplenila:

– Pamiętaj, że jesteś tu obca. A Janek jest mój i nie radzę ci ze mną zadzierać. Dziś wpadnę, przypilnuję. – Pogroziła palcem.

Marta wzruszyła ramionami.

– To wasz pomysł, nie mój.

Ludzie w kolejce zamilkli. Właściciel w białym kitlu tubalnym głosem przerwał milczenie:

– Bierzcie, ludzie, bo dopiekam. Dziś słodkie bułki z budyniem.

Kobiety zaczęły się przepychać. Sophia zdradziła Marcie, że to taki zwyczaj. Każdego ranka sprzedawane są inne bułki w specjalnej cenie. Jeśli ludziom zasmakują, potem bez gadania będą je kupować drożej. O skuteczności tej strategii przekonała się dziś na własne oczy.

Z ciepłą, pachnącą budyniową bułką i kubkiem kawy składała myśli i fakty. Przejrzała notatki, w tym zapis rozmowy z Jankiem. Temat klątwy to niezwykle wrażliwa kwestia, szczególnie w miasteczkach zdominowanych przez Kościół katolicki. Swoją drogą, jaki jest w tym wszystkim udział księdza Andrzeja? Przecież nie powinien poddawać się tej psychozie. To on powinien uzdrowić ich myślenie.

Ranek spowodował, że zaczęła konstruktywniej myśleć. Przecież tylko od ludzi zależy, co ujrzy światło dzienne. Niektóre skrywane od pokoleń tajemnice wyjdą na jaw prędzej czy później, a wtedy miasto straci to swoje nieprzeniknione oblicze.

Z odrętwienia wyrwał ją płacz dziecka. Pod oknem cukierni przeszedł chłopczyk. Za nim podbiegła elegancko ubrana matka i zaczęła szarpać malca. W pewnej chwili mocno uderzyła go w twarz. Chłopczyk stanął i wściekle spojrzał przed siebie, jakby szukał ratunku w szybie cukierni. Marta była pewna, że patrzył właśnie na nią.


– Kłamiesz, dziecko! Kłamiesz, a za to należy się kara! – Duchowny w fioletowych szatach trząsł się nad klęczącą Martą. Miała złożone ręce, przymknięte oczy. Bała się, ale wiedziała, że nie może okazać strachu.

– Twoja matka pokazała mi twoje objawienia. Spisuje wszystko. Skąd je bierzesz? – Ksiądz, wymachując kartkami, zbliżył się do dziewczynki, aż poczuła smród jego zepsutych zębów. Z trudem wytrzymywała ściekające po swojej twarzy kropelki wypluwanej przez niego śliny.

– Pani Mario, ja nie wiem, co mam o tym myśleć. Te modlitwy nie są mi znane, ale to dziecko nie jest w stanie czegoś takiego wymyślić... Jak ja mam to rozumieć?

– Proszę księdza... – Stanowcza jak zwykle matka potrząsała małą torebką. Marta obserwowała tylko, czy powypadają jej stamtąd rzeczy, czy nie. – Proszę księdza, a może ona jest święta?

– Jak wyglądają te objawienia? – Ksiądz złapał się za głowę. – Pani Mario, przecież pani wie, jakie mamy teraz czasy. Doradzałbym spokój i zaufanie Bogu. Jeszcze jest czas na ostateczne decyzje. – Co rusz wstawał i siadał, jednocześnie obserwując drzwi. – Poczekajmy... A może to jest jakieś nerwowe u tego dzieciaka?

Marta zamarła. Jeśli matka zdradzi mu szczegóły, to wszystko się wyda. Ksiądz natychmiast przejrzy jej grę. Wpadła na to, gdy dostała różańcem w twarz. Objawienia pojawiały się w najgorszych momentach, kiedy matka biła ją pasem, bo dostała tylko czwórkę, jak tłumok i debil najgorszy. Jeśli dziewczynka nie mogła tego wytrzymać, krzyczała:

– Mamo, czekaj. Widzę Matkę Boską. Ona znowu do nas mówi. Jeśli chcemy, by Pan Bóg wpuścił nas do Królestwa Niebieskiego, powinnyśmy umiłować ją modlitwą. Czeka na nas w parafii Bożej Królowej Matki.

– Ale teraz? Dziecko, co ty gadasz? Jutro rano masz klasówkę.

– Mamo, święty Paweł naucza, że „wiara się bierze z tego, co się słyszy". Ja słucham Matki Boskiej.

I jechały do parafii Bożej Królowej Matki, modliły się przed obrazem. Gdy wracały do domu, matka zapisywała słowa z objawienia. Już nie wspominała o ocenach.

Ksiądz czekał w napięciu na relację z objawień, oparł się o stół i pochylił do przodu, przymykając oczy. Zachowywał się trochę jak w konfesjonale.

– Jeszcze będziecie się prosić! Przyjdą inne czasy! – Matka złapała córkę za rękę i wyprowadziła na korytarz, gdzie wyszeptała: – Napiszę do samego Watykanu, tutaj to boją się nawet własnego cienia. Chodź, pomodlimy się za mądrość, by zmądrzeli.

Marta drobnymi krokami pokonała korytarz zakrystii. Przypływ ulgi sprawił, że aż zachwiała się na nogach.

Do cukierni wszedł jeden z właścicieli kawiarenki internetowej. Jeszcze nie umiała ich rozpoznać. Chłopiec cienkim głosem wybierał pieczywo:

– No, sam nie wiem, ojejciu… Te z budyniem to są takie kaloryczne. Jędruś lubi sobie rano podjeść, bo musi mieć siłkę na cały dzień… No, sam nie wiem. – Dyzio wygiął rękę, jakby miał torebkę.

Sprzedawczyni miała anielską cierpliwość.

– Weźcie z dynią. Zdrowe! – podpowiedziała znad swojego stolika Marta.

– O, dziękuję pani.

– Nie ma za co. Kiedy otwieracie kawiarenkę?

– Już czynne. Mamy pilną robótkę do wysłania. Jędruś właśnie pracuje, głodomorek. – Dyzio wskazał ręką sąsiedni dom.

Mała tęczowa flaga, przyklejona na drzwiach wejściowych, nie rzucała się w oczy, ale dla wtajemniczonych była czytelnym znakiem. Ciekawe, ile osób w miasteczku potrafiło go rozszyfrować. Pewnie niewiele, skoro chłopcy nie mają wrogów, kłopotów, nie są prześladowani. Geje w małych miasteczkach zazwyczaj przeżywają gehennę. Często szykanowani, uciekają z rodzinnych miejscowości. Marta znała ten temat, napisała reportaż o chłopcu, który został wyrzucony z domu i popełnił samobójstwo. Miał osiemnaście lat i kochał kolegę z klasy. Nie doczekał matury, choć był niezwykle uzdolniony. Z łatwością zdobyty na olimpiadzie indeks na politechnikę spłonął razem z innymi rzeczami, gdy po pogrzebie rodzina postanowiła wyczyścić pokój. Marta dobrze zapamiętała stojącego nad grobem zrozpaczonego kolegę z klasy. Nawet w ostatniej rozmowie tak się określał: „Ja tu mieszkam. Byliśmy kolegami, zrozumiano?".

Uchyliła drzwi. Do małego korytarza docierał niebieski blask monitorów i ciche brzęczenie komputerów.

– Dzień dobry!

– Proszę wchodzić. – Do przedpokoju wjechał na krześle Jędruś. Modne okulary zjechały mu na czubek nosa, w powyciąganym dresie wyglądał jak chłopczyk, a nie poważny programista.

W pokoju stały cztery komputery. Na jednym pracował Jędruś, pozostałe były włączone na stronach startowych.

– Hasło to „Mille". Tamten przy lampce jest najszybszy. I jak chce pani z muzyką, to słuchawki podam. Mam robotę na dziś, nie skończyłem wczoraj. – Chłopak poprawił okulary i schował się za swoim komputerem. Słychać było tylko energiczne stukanie klawiatury.

Marta usiadła na wskazanym miejscu. Tuż przy myszce stał piesek z dyndającą głową. Poruszyła nią, żeby kiwała się jakby na przywitanie. Najpierw odebrała mejle. Było kilka służbowych, ale niezbyt istotnych. I długi, fajny ze zdjęciami z Toskanii. Od Anki. Szczęśliwej, zakochanej.

Ale też niespecjalnie zainteresowanej tym, co u Marty. To pewnie normalne podczas miesiąca miodowego.

Poznały się w liceum. Zdecydowały się nawet na rytuał braterstwa krwi: po obowiązkowej szczepionce zbliżyły do siebie ranne ramiona. Długo były dla siebie bardzo ważne. Potem razem studiowały. Marta po wczesnej śmierci matki została sama. Ciotka tylko formalnie przejęła nad nią opiekę, pozwalając nastolatce na sporą samodzielność w odziedziczonym mieszkaniu. I tak zostało do dziś. Marta jest niezależna. Nie ma nikogo bliskiego. No, oprócz Anki.

Gdy wstukała w Google „Mille", wyskoczyło zaledwie kilka stron. Opis parafii i hojnych parafian, wizytówka szkoły i reklama: „Zakład Pogrzebowy Hades, ul. Rynek 66. Właściciel: Gabriel Bogacz". I hasło: „Jeśli chcesz mieć spokój w ostatniej drodze, przyjdź do nas już teraz". Zdjęcia trumien, kamieni, wieńców. I niezliczona ilość propozycji pochwalnej mowy pogrzebowej. W zakładce „O nas" — zdjęcia właściciela i jego szczęśliwej rodziny: Gabriel Bogacz, trzydziestoletni blondyn o kręconych włosach, ubrany w żałobny garnitur, białą koszulę i wąski krawat; Jolanta Bogacz, rudowłosa piękność w eleganckim kostiumie, siedząca na huśtawce z małym synkiem; z przyklejonym uśmiechem przytula chłopca, ale on ma smutne oczy i zaciśnięte piąstki, patrzy w dal.

Marta przyjrzała się zdjęciu. To ten sam malec, którego widziała dziś przez szybę.

Strona zakładu pogrzebowego była dość nietypowa. Nie była zrobiona w zwyczajowych, ciemnych i smutnych kolorach, a poza tym w relacjach z ceremonii pogrzebowych widniały zdjęcia uśmiechniętych ludzi. Może chodziło o to, by pokazać zadowolonych klientów?

Hasło „Katarzyna Piecowa" nie wygenerowało ani jednej strony. Marcie wydało się to dziwne, pomyślała nawet, że Janek zmyślił historię tej kobiety. Pojedyncze słowa odsyłały do tysięcy niepotrzebnych linków.

– Macie blokadę Internetu, panie Jędrusiu? – Witecka odchyliła się, jednocześnie stukając pieska w głowę.

– Eee, nie… To ja bym musiał założyć, bo tylko my mamy dobry dostęp.

– A ojciec Dyzia?

– No, on w sumie też by mógł. Ale nie wydaje mi się… – zapiszczał chłopak.

– A może go pan spytać?

– No dobra, wieczorem zapytam… A czego pani szuka?

– Katarzyny Piecowej.

– Co? – Jędruś podjechał krzesłem do komputera Marty i spojrzał na hasło w wyszukiwarce. – Dlaczego pani… Kto pani powiedział?

– Może być na nią blokada? – Marta drążyła dalej.

– Może, ale po co. Tu wszyscy wszystko o niej wiedzą. Nie muszą szukać.

– A skąd wiedzą?

– No, głównie od garbatej Borowiczowej. To ona najwięcej pamiętała. I te wszystkie staruszki. Ale to przekazują sobie z pokolenia na pokolenie. Trzeba w księgach poszukać, w starych dziejach, a nie w necie.

– Masz rację, mądry chłopak jesteś. – Marta pokiwała z uznaniem. – A ty w to wierzysz?

– A jak nie wierzyć? No jak? Gdzie by dwóch gejów tak lubili i szanowali? I nawet brali na chrzestnych i świadków?

– Fakt, macie wyjątkowe prawa. – Spojrzała na pieska.

– Bo się nie rozmnożymy. Nie będzie dzieciaka, któremu ktoś musi miejsce zrobić. Proste.

Proste. Dziennikarka ciężko opadła na fotel. Musi zacząć myśleć tymi kategoriami. Przestawić się ze standardowej dedukcji. Musi zbierać i obserwować szczegóły, by dojść do wniosków i odpowiedzi. Rozumowanie indukcyjne.

Gdy zadzwonił telefon, starała się mówić naturalnym głosem.

– Marta Witecka, słucham.

– Ale jesteś oficjalna, fiu, fiu.

– Kto mówi?

– Janek. Chcę się tylko upewnić, co postanawiasz.

– Nie rozumiem.

– Jesteś tysiąc pierwsza.

– Daj spokój. – Czuła rosnącą falę irytacji.

– Bierzesz odpowiedzialność za czyjąś śmierć. Rychłą – dodał kowal, jakby od niechcenia, choć z pewnością tak nie było.

– Nie dam się w to wkręcić.

– Dobrze, wojowniczko. Czekam na ciebie.

Położyła telefon obok maskotki. Piesek dalej głupawo się do niej uśmiechał.

– Nie dam się…

– Słucham? – Jędruś znów wyjechał na swoim krześle.

– Nie wierzę w tę klątwę.

– To znaczy, że naraża pani kogoś z nas.

– Daj spokój. A ty? Tu się urodziłeś?

– Nie…

– To jak się tu znalazłeś? Kto przez ciebie umarł?

Chłopak zmrużył oczy. Nos z każdym oddechem niebezpiecznie mu się wybrzuszał.

– No dobrze. Mnie tu Dyzio sprowadził. Poznaliśmy się przez Internet.

– Ale kto umarł? – Marta patrzyła na niego, a ton jej głosu wskazywał, że nie zadowolą jej kolejne wykręty. Starała się nie pokazać po sobie, jak bardzo boi się, że chłopak się zatnie. W końcu czasem najlepszą obroną jest atak.

– Żeby była jasność. Najpierw umarł, a raczej umarła, a dopiero potem ja się pojawiłem.

– Kto? – Marta czuła się trochę jak sędzia.

– Urzędniczka Celinka.

– I co, nie szkoda ci było, bo pewnie stara baba, co? – Patrzyła Jędrusiowi prosto w oczy.

– Przeciwnie. Miała dwadzieścia dwa lata. Utonęła w rzece. To był czerwiec, początek lata. Wszyscy spędzali czas na brzegu, opalali się i korzystali z życia. Oj, jak cudownie jest w taką pogódkę sobie polegiwać…

– Do rzeczy, Jędruś.

– Ale Celinka nie przychodziła. Podobno wstydziła się swojej tuszy. No bo, między nami mówiąc, była trochę zaokrąglona.

– Dalej, jak to się stało?

– Normalnie. – Głos chłopaka był coraz bardziej piskliwy.

Przyparła go do muru:

– Jak normalnie? Nie przychodziła nad rzekę, a się utopiła?!

– Bo ona się zjawiała wieczorami. I któregoś wieczora musiała się potknąć i utopić, rano znaleźli ją w krzakach, przy domu kowala. Co prawda umiała pływać, ale niezbadane są wyroki boskie…

– A co na to policja? – Poziom adrenaliny niebezpiecznie jej się podnosił.

– No właśnie to, co mówię: nieszczęśliwy wypadek. I wtedy ja dołączyłem do Dyzia. Jego ojciec zapewnił nam tę możliwość. Bo wytłumaczył ludziom, że w dalszej perspektywie nie jesteśmy zagrożeniem. Zresztą od lat jego rodzina nie miała intruza. Należało się.

– Intruza?

– Każdy spoza Mille to intruz. Pani też. – Jędruś, gdyby był młodszy, z pewnością pokazałby jej język.

– Dobra. – Machnęła ręką. – Kto prowadził śledztwo?

– A co tu śledzić? Utopiła się.

– Tutejsza policja?

– Tak, komisarz Malina. Chociaż on to raczej pomagał… Zresztą ja nie wiem. Niech mi pani da już spokój. To był wypadek. Czy pani wie, co to jest samospełniająca się przepowiednia? Jeśli tak, to nie powinna się pani dziwić.

– Jędruś, próbuję tylko zrozumieć… Wierzę wam.

– Zresztą ja miałem miejsce, a pani…

– A ja? – Spojrzała na niego najbardziej wrogo, jak umiała.

– A pani kogoś uśmierci.

88

Chłopak z całej siły odepchnął się i dojechał na krześle do swojego komputera na znak, że rozmowa jest zakończona.

Wbrew pozorom udzielił jej sporo cennych informacji.

Usłyszała sygnał przychodzącego SMS-a: „Chodź na kawę do «Rzymu»". Wyłączyła komputer i zatrzymała głowę pieska. Koniec na dziś.

# ROZDZIAŁ 7

– **M**iałaś genialny pomysł z tą kawą! – Witecka ucałowała Włoszkę na powitanie. Bar był całkiem pusty.

– *Buon appetito!* – Barmanka uśmiechnęła się i podała aromatyczne, podwójne espresso. Zapamiętała, że to ulubiona kawa Marty, co ona uznała za bardzo miłe.

– Sophia, jesteś od ponad sześciu lat w Mille, prawda? Włoszka milczała, udawała, że nie słyszy.

– Już pierwszego dnia mi to powiedziałaś… – Marta próbowała mówić łagodniejszym głosem, co przychodziło jej z trudem po ostatnim spotkaniu z Jędrusiem.

– Tak, sześć lat i trzy miesiące.

– A jak to z tobą było? Skąd się tu wzięłaś?

– Nie odpuścisz, co? – Kobieta spojrzała na dziennikarkę, jakby chciała zatrzymać wzrokiem tę rozmowę.

– No, nie.

– Ech, tak myślałam. Najpierw przyjechał mój mąż, Francesco. To znaczy Frantisek…

– Franciszek?

– Tak, tak, ale dla mnie Francesco. Zresztą jak się poznaliśmy we Włoszech, to prosił, żeby tak do niego mówić. Mój Francesco kochany wrócił tu, żeby zbudować ten bar, ale właściwie tylko trochę go przerobił.

– Ale jak to, przyjechał akurat tutaj? – Witecka uderzyła ręką w stół.

– Marta, on tu do swoich ojców wrócił. Ten bogaty stolarz, Czesław Lajn, to mój teść. Jeszcze go nie poznałaś.

– Poznałam. Jak nocowałam w ośrodku zdrowia, przyszedł z żoną do lekarza.

– A tak, rozmawiali o jakimś biznesie. – Włoszka wzniosła oczy do sufitu.

– I co dalej z Franceskiem?

– Ech, to długa historia.

– Opowiedz – poprosiła Marta, już znacznie ciszej i spokojniej.

– No to zacznę od początku. Skończył właśnie szkołę podstawową. Na boisku wszystkie dzieciaczki z rodzicami miały akademię. Wiesz, świadectwa, dyplomy. Podobno było bardzo wzruszająco. Na koniec najmłodsze dzieci przygotowały spektakl niespodziankę. Przebierały się za zwierzątka w świetlicy. To taka sala…

– Znam to miejsce – przerwała jej, nie chciała, by Włoszka oddalała się od tematu.

– No właśnie. I tam nagle wybuchł straszny pożar. Straszny. Zamknięte, bezbronne dzieciny dusiły się, płakały niemiłosiernie.

– Zamknięte?

– Tak, okazało się, że któreś z nich zatrzasnęło dla żartów zamek i kłódkę. W szoku nie potrafiły się z tym uporać. Pierwszy zareagował Francesco. Wziął siekierę i wszedł w największy ogień.

– Piętnastolatek? On dopiero skończył podstawówkę, a gdzie jakiś ojciec? Wuefista?

– Co ty, tu był wtedy jeden nauczyciel, leniwy tchórz. A inni mężczyźni jakby skamienieli. Ludzie stali przerażeni, jak zaczarowani.

– Pewnie z powodu szoku. – Marta usiłowała jakoś to sobie wytłumaczyć.

– Tu bardzo boją się pożarów. A Francesco wszedł w najgorszy ogień. W najgorszy. I uratował te dzieciaczki. Wszystkie, co do jednego. Całą dziewiątkę.

– A co z nim?

– No właśnie… Był bardzo poparzony. Najbardziej twarz.

– Straszne.

– No, ale wiesz, on był tu bohaterem. Wielkim bohaterem. Dostał nawet nagrodę. Pokażę ci następnym razem. Tylko tu się nie dało go wyleczyć. Musiał wyjechać…

– Do Włoch?

– Tak. I tam się poznaliśmy. Byłam na praktykach. Pokochałam go. A on mnie. Nie widziałam jego twarzy, ale widziałam serce. Tak naprawdę to ja jestem Zofia i pochodzę z małego miasteczka na południu Polski. Ojciec był Włochem, a matka Polką… Udało nam się wyjechać do jego kraju, lepszego, jak zawsze podkreślał, ale szybko okazało się, że to szczęście jest przereklamowane. Rodzice zginęli w wypadku, ja zostałam sierotą w obcym kraju… Sierociniec, szkoła pielęgniarska, staż w szpitalu… No i wreszcie mój Francesco…

– Przejmująca historia, taka filmowa… – Marta próbowała ciągnąć temat, ponieważ wzruszona Włoszka zamilkła. – I co dalej?

– Gdy miał dwadzieścia pięć lat, zapragnął wrócić do domu. – Barmanka trochę teatralnie spojrzała na sufit.

– Dlaczego tak późno? – Dziennikarka próbowała zrozumieć postępowanie Francesca. Kto wraca do miasteczka, gdzie panuje jakaś dziwna klątwa?

– Bo tu nie ma powrotów. Kto raz wyjedzie, już nie może wrócić.

– Bo?

– Bo na jego miejsce szybko znajduje się chętny. Jakiś mąż, dziecko, żona.

– No tak… A jak to się udało Francescowi? I tobie?

– Marta układała sobie w głowie precyzyjny ciąg wydarzeń.

– Tu chciał wychowywać nasze dziecko. Z polskimi dziadkami. Gdy się pojawił, kilkoro nastolatków zgotowało mu wspaniałe powitanie. Jak się domyślasz, to ci uratowani przez niego. Ech, był tu bohaterem, takim dzielnym młodym strażakiem.

– No, ale zgodnie z klątwą ktoś powinien był umrzeć, żeby zrobić mu miejsce, tak?

Sophia pospiesznie zrobiła znak krzyża.

– Nie wypowiadaj tego słowa. To przynosi pecha. Jakiś miesiąc przed jego przyjazdem umarło dziecko.

– Zamordowane? Utopione? – Marta była przekonana, że znowu usłyszy jakąś dziwną historię.

– Nie, zmarło tuż po porodzie, miało jakąś wadę. – Barmanka się zamyśliła. Dyskretnie otarła łzę. – No i mógł zostać. I budować dla nas przyszłość.

– A ty?

– Czekałam. Choć już byłam jego żoną, nie mógł mnie tu przywieźć. Stałabym się intruzem.

– Neofita… I co dalej?

– Trochę kombinował. Nie mógł już wyjechać, bar stał prawie gotowy. Czekaliśmy.

– No tak, cierpienie uszlachetnia. Wytrzymałaś?

– No właśnie nie. Po miesiącu postanowiliśmy, że przyjadę. Miałam wynajęty pokój w mieście obok. Ale mieliśmy najpierw spotkać się przy krzyżu… Widziałaś przy wjeździe?

– Nie zwróciłam uwagi, nie lubię krzyży – Marta ucięła temat.

– Przy krzyżu Szalonej Kaśki byliśmy umówieni. Miał po mnie przyjechać motorem. Długo się nie zjawiał, a ja się modliłam. I gdy po północy w końcu się zjawił, wszystko było jasne. Umarła matka tego dziecka.

– To jakiś horror, Sophia. To brzmi nieprawdopodobnie. – Marta pokręciła głową. Takie rzeczy nie dzieją się naprawdę.

– To był horror. Jako żona miałam prawo tu zostać, ale mało mnie nie zlinczowano. Do tej pory nie chcą ze mną rozmawiać.

– Kto?

– Tutejsze kobiety. Mówią, że jestem włoską wiedźmą.

– Daj spokój. Bzdury.

– Pewnie, że bzdury. Ale nie z powodu takich bzdur ludzie płonęli na stosie.

– A mężczyźni?

– Im się podobam. Chcieliby mnie, wiesz… posiąść. – Włoszka odruchowo złapała się za piersi.

– Spokojnie, przychodzi tu ksiądz, pijany milicjant i dwóch gejów. – Marta wybuchnęła śmiechem. Zestaw stałych gości wydał jej się niezbyt groźny.

– Za krótko tu jesteś, by to wiedzieć. Nie masz prawa pochopnie wyciągać wniosków. – Włoszka demonstracyjnie zaczęła wycierać blat.

– Wiem, przepraszam. Chyba jestem w szoku. A dlaczego nie wyjedziesz? – To pytanie nie dawało Marcie spokoju, od kiedy poznała historię Piecowej. Dlaczego ludzie po prostu stąd nie ucieną i nie zaczną żyć normalnie?

– Nic nie mam. A tu przynajmniej jest moja rodzina. No i – może wyda ci się to dziwne – ale w tym miasteczku jest coś specyficznego. Ludzie nie chcą go opuszczać. Wiele są gotowi znieść, by zostać. Za wiele…

Dziennikarka przypomniała sobie parę sympatycznych staruszków poznanych u doktora. Opowiedziała Sophii o tym, że skojarzyli jej się z sąsiadami Rosemary, ale jej ten żart nie rozbawił.

– Przepraszam, nie powinnam… – Zrobiło jej się głupio. Poczuła, że nie ma prawa tak dowcipkować. Ci ludzie dali Zofii prawdziwy dom, którego nigdy nie miała.

– Pomagają mi. Muszę iść do kuchni. Chłopcy zamówili na wieczór lasagne.

– A co z twoim Franceskiem? – spytało głośno Marta, gdy Włoszka znikała na zapleczu.

Ale ta nie odpowiedziała, machnęła tylko ręką i pokręciła głową.

Oby tylko nie żałowała tej swojej szczerości, pomyślała Witecka, gdy dopijała zimne espresso. Często tak jest, że ludzie pod wpływem chwili dużo opowiadają, a potem tego żałują i unikają swojego spowiednika albo wręcz tracą dla niego sympatię.

Odstawiła filiżankę, ale Włoszka nie wyszła z zaplecza. Marta słyszała, jak się tam krząta, szura meblami i strzepuje ścierki, czasem przy tym wzdychając. To był wyraźny sygnał, że czeka na jej wyjście.

Na piaszczystej drodze prowadzącej do domu Janka zawiał silny wiatr od rzeki. Był nieprzyjemnie zimny, ale oczyszczający. Marta marzyła o prysznicu i ciepłym kocu. „Abonent jest poza zasięgiem" – trzeci raz usłyszała beznamiętny komunikat. Wrzuciła komórkę do torby. Bardzo zmarzła. Furtka była zamknięta, a w domu straszyły ciemne okna wyglądające jak przymknięte oczy potwora.

Mimo chłodu postanowiła pójść nad rzekę. Miała ją w zasięgu wzroku. Piasek wsypywał jej się do butów. Nigdy nie lubiła plaż. No trudno, i tak nie ma się gdzie podziać. Dotarła do ciemnych, splątanych krzaków. Tworzyły szlaban zabraniający iść dalej. Nagle z konarów drzew zerwało się kilka czarnych ptaków i Marta aż podskoczyła. Gdy głośne krakanie wreszcie ucichło, usłyszała rozmowę. Było zbyt ciemno, by mogła zagłębić się dalej.

– Kotek, to niemożliwe.

– Nie mów do mnie „kotek". Ani „piesek". Ani „misio". Nie cierpię zdrobnień.

Witecka zamarła. To był głos Janka. Poczuła niemiłe ukłucie w sercu. Nie umiała tego racjonalnie wytłumaczyć, przecież ten facet kompletnie jej nie interesował. Była zła na siebie, że nie umie powstrzymać nieprzyjemnych skurczów w gardle.

– Dobrze, już dobrze, panie piloooociee.

– Co chciałaś? Po co mnie tu ściągnęłaś? – Głos Janka brzmiał groźnie.

– Hm… A jak myślisz?

– Przestań. Jestem umówiony. – Kowal tracił cierpliwość.

Marta nie widziała jego rozmówczyni, choć bardzo chciała ją zidentyfikować. Na sto procent słyszała już kiedyś ten głos.

– Ja wtedy też byłam umówiona, a jednak się skusiłam. No… weź mnie, słyszysz?

Kobieta zaczęła teatralnie dyszeć. Marta nie chciała dłużej tego słuchać. Postanowiła wrócić na rynek. Pokonując krzaki, poczuła wilgoć w butach. Musiała wejść w jakąś głębszą wodę, a skórzane conversy mają małe dziurki, przcz które woda może nalać się do środka. Była wściekła. Pytanie tylko, na co?

Przysiadła na murku gospodarstwa. Gdy kończyła wytrzepywać mokry piach z butów, zadzwonił telefon. Janek. Odruchowo chciała nacisnąć czerwoną słuchawkę. Zachowywała się jak zazdrosna kobieta. Śmieszne.

– Co tam, Romeo?

– Słucham? Janek mówi.

– Wiem, wiem, żartowałam.

– Dzwoniłaś, ale miałem kilka spraw. Gdzie jesteś?

– U ciebie pod domem. A gdzie mam być? – Powstrzymała się przed puszczeniem kilku bluzgów.

– Super, będę za kilka minut – zakończył jakoś radośnie.

I rzeczywiście po chwili wyłonił się z ciemności. Sam.

Zapach świeżych kwiatów poczuła już w przedpokoju. W kuchni stał jeden z piękniejszych bukietów, jakie kiedykolwiek widziała. Była pewna, że zrobiła go ta malarka z kwiaciarni. Rozglądała się, zagadywała o przeróżne bibeloty poustawiane na drewnianych półkach, próbując zamaskować swoje niezadowolenie z podsłuchanej rozmowy. Co ją to w ogóle obchodzi?

Murowany dom Janka wyróżniał się na tle pozostałych noclegowni. Urządzony w nowoczesnym stylu, charakteryzował się metalowo-szklanymi meblami, białymi, eleganckimi sofami. W kuchni wyspa, lakierowane szafki, gustownie dobrane czerwono-czarne fronty. Podłoga imitowała beton, ale była przyjemnie ciepła. Wysokiej klasy sprzęt AGD robił wrażenie, a drewnianą, rustykalną szafkę, oddzielającą kuchnię od jadalni, wypełniały równo ułożone butelki wina. Pod oknem stał niewielki, ale wysoki stół i nowoczesne hokery.

– Ładnie się tu urządziłeś.

– To Aldonka. Ja tylko mieszkam. Rozgość się. – Janek zrobił ręką zapraszający gest.

Marta zobaczyła na parapecie figurki trzech mrówek, zrobione z jakiegoś złotego metalu. Ubrane we fraki, tworzyły muzyczne trio, każda z nich miała jakiś instrument — saksofon, bas lub trąbkę. Przyglądała się im z dziecięcą radością, po czym przymknęła oczy i wyobraziła sobie, jak grają.

– Słyszysz? – Głos Janka przywołał ją nagle do rzeczywistości.

– Duke Ellington! – odpowiedziała, na co on zaczął nucić *Take the A Train*.

Początkowy dystans szybko się skrócił. Przyjemna konwersacja, wspólne gotowanie, żarty, degustacja wina – szkoda, że nie trafiła tu już na początku. Janek mógłby być moim kumplem, pomyślała, gdy dolewał jej wina. Kumplem, nie facetem. Marta nie znosiła związków i tego wzajemnego ograniczania się, spowiadania, ciągłej kontroli. Ceniła sobie niezależność. Lubiła mieć poczucie, że w każdej chwili może wszystko zostawić i zająć się czymś bardziej interesującym.

– Jak tam mój samochód? – spytała, gdy usiadł po jej stronie stołu.

– Części już jadą do sklepu. Ale chyba niezbyt cię to interesuje?

– Niezbyt. Opowiedz mi coś jeszcze...

– Ech... – westchnął i usiadł na sofie. Zabrał ze sobą karafkę i postawił na szklanym stoliku.

– Jak było z Sophią? – Marta wzięła swój kieliszek i się dosiadła.

– Widzę, że się polubiłyście. – Zmrużył oczy i wydął usta w podkówkę.

– Chyba tak.

– Nie ma łatwo. Nie lubią jej.

– A ty?

– Ja lubię kobiety. – Uśmiechnął się. Długie, czarne kosmyki włosów założył za ucho.

Ścierpła jej skóra.

– Nie wątpię... Słuchaj, chciałabym chwilę popracować. Mogę tutaj? – Odsunęła karafkę i wyjęła laptop.

– Coś się stało?

– Muszę coś przejrzeć.

Janek nie rozumiał, dlaczego tak nagle zmieniła nastrój, ale czuł, że chce zostać sama. Poszedł na górę. Bez gadania, dopytywania się i rozkminiania. Zaimponował jej tym. Nie bawił się w psychologa i jedynie słusznego terapeutę, nie próbował dorabiać ideologii do jej zachowania. Zrozumiał, że potrzebuje samotności. Jakie to wydawało się proste.

Wyciągnęła z etui laptopa zeszyt i po chwili, skubiąc końcówkę drewnianego ołówka, notowała kolejną porcję informacji.

*Udany dzień. Coraz więcej dowiaduję się o klątwie. Zarówno Jędruś, jak i Sophia z mężem pojawili się niedługo po śmierci któregoś z mieszkańców. To jednak zdecydowanie za mało, bym mogła już wyciągać jakieś wnioski. Myślę, że mówią prawdę, ale podejrzewam także, że to zwykły zbieg okoliczności.*

Gdy skończyła pisać, jeszcze raz przejrzała zdjęcia i stworzyła galerie tematyczne. Porządkując folder „ZAMEK", skupiła uwagę na fotkach z wnętrz. Gdy na jednej z nich zobaczyła czaszkę, olśniło ją. Zrozumiała, czym były zauważone wcześniej wyżłobienia. Każde przekreślenie to miesiąc. Dziewięć przekreśleń, dziewięć miesięcy.

Po skończeniu pracy zaczęła przyglądać się mrówkom. Zwykłe figurki, a sprawiały, że czuła czyjąś kojącą obecność. Jeszcze trochę i nada im imiona! Z tą myślą położyła się spać.

„Kiedy księżyc jest w nowiu, ludzie mówią *I love you*".
Wyrwane z kontekstu słowa piosenki siedziały jej w głowie.
Leżała w salonie, w puchowej pościeli, i przez drewnianą
roletę obserwowała poświatę srebrnego globu. Choć była już
potwornie zmęczona, nie mogła usnąć. Kolejny raz poszła
do kuchni, zaparzyła znalezioną w metalowej puszce melisę.

Janek zszedł tylko raz, żeby pościelić łóżko. Nie chciał
rozmawiać, nie dał się wciągnąć w żadne dywagacje o klątwie, choć próbowała go zachęcić do oglądania i inter-
pretowania zdjęć.

Nagle ciarki jej przeszły po plecach. Nikt nie wspominał o kolejnym noclegu, a nie miała gdzie się podziać.
Poczuła, jak włoski podnoszą się jej na karku, a w ustach
brakuje śliny. Z coraz większym trudem łapała oddech.
To jakieś irracjonalne, ganiła się w myślach, ale niewiele
to pomagało.

„Śpisz?". Usłyszała dźwięk wysłanego przez siebie
SMS-a. Po kilku minutach dobiegł ją odgłos skrzypienia
desek i kroków na schodach. Janek zszedł z góry. Był
zaspany, na prawym policzku miał odgnieciony kształt
poduszki.

– O rany, sorry, że cię obudziłam. Masz jakoś głośno
ustawione dźwięki…

– Chyba tak. – Gospodarz, odziany jedynie w bokserki,
drapał się po brodzie.

Z powodu szczupłej, choć nie cherlawej budowy ciała
i pozornej bezradności wyglądał jak nastolatek. Marta
się uśmiechnęła. Sama, w białym T-shircie wyciągniętym
prawie do kolan, też pewnie wyglądała na wyrośnięte
dziecko.

Znów usiedli przy kuchennym stole. Janek przecierał oczy, na ustach wciąż miał wiśniowe ślady po winie.

– Nie mam na jutro noclegu… – zaczęła i nerwowo oblizała usta. Pewnie były w tym samym kolorze.

– I dlatego nie możesz spać? No co ty? Co to dla ciebie? – Kowal związał włosy znalezioną na stole gumką.

– Daj spokój. Jestem tym zmęczona. Przestańcie już w to grać.

– Eee, nie poddawaj się. Coś wymyślimy. – Pogłaskał ją po ręce.

Nie cofnęła jej. Było przyjemnie i ciepło. Zachęcony jej zachowaniem, przybliżył się i delikatnie objął ją w pasie, pocałował w szyję i płatek ucha. Potem wziął ją na ręce i przeniósł na sofę. Broniła się tylko z przyzwoitości.

– Co my robimy? – Drżała z podniecenia.

– Cii. – Uciszył ją pocałunkiem. – Dobry seks to najlepszy sposób na bezsenność.


No i miał rację. Gdy obudził ją sygnał SMS-a, nagi Janek spał obok. Dochodziła dziesiąta.

„Jak ci idzie? Będzie z tego mięso? Szajnert".

„Idzie słabo, ale mięso będzie. Potrzebuję jeszcze trochę czasu. Ludzie zaczynają mówić. Witecka".

Spojrzała na Janka. Miałaby ochotę dodać, że nie tylko mówić. Leniwie się przeciągnęła. Delikatnie, by go nie zbudzić, próbowała wstać. Czuła się trochę niezręcznie. Sama nie wiedziała, co myśleć o tej sytuacji. Seks był przyjemny, taki nieprzewidywalny. Przypomniała sobie Roberta. Jego sprawdzony rytm, pozycje i kolejność. Ta pozorna świadomość kontroli bardzo jej na początku imponowała. Na początku. Potem, choć Robert o nią dbał, zaczęła się nudzić.

Wstawiła wodę na kawę, przygotowała śniadanie. Po chwili miała ochotę je wyrzucić. Zachowywała się jak jakaś żona albo panna, która chce zdobyć przystojnego faceta. Przez żołądek... Blee, straszne. Wzdrygnęła się.

– Zwykle nie sypiam z nowo poznanymi mężczyznami – przywitała Janka w kuchni.

– A z kobietami? – zażartował. Najwyraźniej był w dobrym nastroju.

– Też nie, najpierw muszę się zaprzyjaźnić. – Puściła do niego oko. Było w tym trochę prawdy, ale tego rodzaju eksperymenty z czasów studiów nie wydawały się jej istotne.

– To możc ustalimy, że jesteśmy przyjaciółmi, i po sprawie. Ładnie pachnie. – Janek stanął nad patelnią i pociągał nosem.

– Niezłe masz podejście.

– A po co wszystko rozkminiać, wałkować i analizować. Lepiej cieszyć się życiem. – Zamieszał widelcem na patelni. – Ładnie wygląda. – Wyjął kawałek boczku i natychmiast go połknął.

Jego postawa nieco ją uspokoiła. Powoli jedli śniadanie, rozmawiali, żartowali. Poranek przyjaciół.

– Muszę się zbierać... – Wytarł ręce w bokserki i podniósł zegarek pozostawiony na blacie stołu.

– A co ty właściwie robisz?

– Jestem kowalem. – Wzruszył ramionami.

– E, myślałam, że to taki przydomek. Masz co prawda szyld...

– Robię balustrady, ogrodzenia, schody, bramy, no i meble. Jest sporo zamówień. – Machnął ręką.

Marta była pewna, że wcale się przed nią nie przechwala.

– Ludzie chyba cię tu cenią?

– Nie, tutejsi siedzą w drewnie i Lajn ma z czego żyć. Ja tam robię dla Niemców.

Trochę pokręcił się po mieszkaniu, a potem zginął na dłuższą chwilę. O dziwo, Marta nie czuła się w jego domu jak nieproszony gość. Usiadła do laptopa, przeglądała kolejne zdjęcia. Galeria była już całkiem pokaźna. Podzieliła ją na obiekty i odpowiednio otagowała. Gdy wreszcie usłyszała na schodach Janka, ucieszyła się. Stał przed nią w kurtce pilotce. Umyte, lśniące włosy przytrzymywał opaską. Miała ochotę je potargać.

– Wybierasz się gdzieś? – spytała pozornie od niechcenia, choć tak naprawdę drżała, czy nie każe jej się wynosić. Przemyślała to w nocy. Gdyby tak zrobił, poszłaby do księdza.

– No tak, mam kolejne dni kursu. – Podciągnął opadający plecak.

– Jakiego?

– Na pilota. Wiesz, takie chłopięce marzenie.

– Fajnie ci. W takim razie już się zbieram… – Zaczęła się podnosić.

– Poczekaj… – Podszedł do kuchennej szuflady. – Skoro mnie nie będzie, możesz zostać. To ustalone. – Podał jej dwa duże klucze. – Jeden od furtki, drugi od drzwi wejściowych.

– Jak to? Tutaj? – Wzięła je i ścisnęła w dłoni.

– Jasne. Przecież mnie nie będzie. – Wzruszył ramionami i zaczął wkładać buty. Nie rozczulał się nad nią ani nad jej sytuacją. Wydawał się spokojny i opanowany.

– A z kim ustalone? Kto tu o wszystkim decyduje? – podniosła głos, a w jego tonie pobrzmiewała stanowczość.

– Z mieszkańcami. – Janek skończył wiązać buty, nawet nie odwrócił się w jej stronę.

– Słuchaj, to jakieś Dogville, jeszcze mnie teraz przywiążcie do studni! – Czuła, jak wzbiera w niej wściekłość. Miała ochotę rzucić w niego tymi kluczami, by wreszcie coś poczuł.

– Rada mieszkańców Mille. Musimy ją mieć w obecnej sytuacji. – Odwrócił się i wyciągnął w jej stronę podbródek. Dostrzegła, że tętnica na jego szyi pulsuje w coraz szybszym tempie, a w kącikach ust zbiera się ślina.

– I co robi taka rada? Zostaję tutaj i chciałabym wiedzieć, co mnie czeka. – Marta gorączkowo wyrzucała słowa, ale kończyła spokojniej, w sposób charakterystyczny dla kogoś, kto chce za wszelką cenę utrzymać czyjąś uwagę.

– Ustala, co robić. Głowa do góry. Nic ci nie grozi. Jesteś u mnie. A, jeszcze fajki… – Posprawdzał kieszenie i zerknął do plecaka. Gdy zobaczył czerwone pudełko, odetchnął z ulgą.

Martę zastanowiło, co tak naprawdę go zdenerwowało. Czy powodem niepokoju była tylko zwykła paczka papierosów…

– Dokąd jedziesz? Kiedy wrócisz? – spytała nieco zaczepnie, choć wcale tego nie zamierzała.

– Normalnie jak żona. Jadę do Trójmiasta. Powinienem być za kilka dni. To zależy od pogody. Poza tym nie wykorzystałem jeszcze swojego pierwszeństwa…

– Co to znaczy? Usiądź, opowiedz.

Ale nie usiadł. Usłyszała trzaśnięcie zamykanych drzwi, a po chwili w oknie dojrzała tył samochodu. I tuman kurzu. Popatrzyła na mrówcze trio z parapetu. To oczywiste, że nic nie grają. Są zwykłymi metalowymi figurkami.

Początkowy stres odpuścił i Marta postanowiła wykorzystać te kilka dni na robienie notatek do reportażu. Delikatnie przesunęła mrówki i odsłoniła firanki, by wpuścić więcej dziennego światła. Wydawało jej się, że za płotem ktoś stoi. Nie mogła dojrzeć, mimo że wspięła się na palce.

Odezwał się telefon. SMS od Janka: „Lubię twój szept". Chciała odpisać, ale każdy pomysł kasowała. Uśmiechnęła się. Jak nastolatka. Wróciła do obserwacji podwórka. Za płotem już nikogo nie było, tylko lekka chmura kurzu zdradzała odchodzącego przechodnia.

Intensywna woń świeżo mielonej kawy na chwilę oderwała Martę od pisania. Ekspres przestał bulgotać, zapanowała przyjemna cisza. Z kubkiem w ręku wyszła na ganek zapalić papierosa. Wiatr znad rzeki pachniał wakacjami na wsi i przez sekundę czuła się bezpiecznie. Przymknęła oczy.

Mille, jakim jesteś miastem? Czy to, czego się dowiedziałam, jest prawdą, czy ludzie po prostu chronią cię przed intruzami? A może to ty ich chronisz? Przecież to zupełnie normalne, że wzajemnie wam na sobie zależy? Zorientowała się, że myśli o miasteczku jak o człowieku, i przeszło ją mrowie. A może po prostu zrobiło się chłodniej? Zgasiła papierosa i poczuła wibrowanie telefonu na udzie. Odruchowo spojrzała na wyświetlacz: „Dorota Harc".

– Cześć, Dorota. – Chciała wypaść jak najbardziej przyjaźnie. Nie rozmawiały ze sobą od ostatniego sylwestra, właściwie widywały się głównie na jakichś spotkaniach. Nie były to częste kontakty, bo niespecjalnie o nie zabiegała. Czuła się outsiderem w towarzystwie kolegów. Singielka, bez dzieci i planów na wakacje, z trudem znajdowała z nimi wspólne tematy, a poza tym... większość znajomych było sparowanych, a to zwykle wystarczy, by ograniczyć spotkania z kimś, kto jest samotny. I ten pośpiech... Oni zwykle narzekają na brak czasu, ciągle mają coś do zrobienia, a Marta, jeśli nie była w trasie albo nic pisała, nie miała żadnych obowiązków. To mogło być wkurzające.

Yyyy... – Dorota po drugiej stronie wyraźnie była zaskoczona głosem, który usłyszała, ale po kilku odkaszlnięciach dodała: – Marta, no jasne. Sorry, ale jakoś się przeziębiłam...

Marta nie miała ochoty słuchać, co u koleżanki, bo dokładnie tak samo było po stronie Doroty. Ten telefon był ewidentną pomyłką.

– Bo wiesz, robimy takie małe spotkanie, kameralne... Może wpadniesz? – Dorota znowu zakasłała.

– Zbieram materiały do reportażu, nie dam rady – odpowiedziała lekko. Miała nadzieję, że koleżanka zapyta o temat, o to, gdzie jest, czy znalazła coś ciekawego, ale nic takiego nie nastąpiło.

– No to szkoda, naprawdę. – W słuchawce rozległ się jęk zawodu.

Marta wiedziała, że ten jęk nie był szczery. Zresztą czuła, że Dorota wie o tym, że ona wie, i kompletnie się tym nie przejęła. Oficjalnie wyszło *correct*.

Po kilku godzinach pracy wreszcie wstała, wyprostowała plecy, strzeliła palcami i rozmasowała kark. Czas na kolejną kawę. Nagle usłyszała dobiegający z garażu hałas. Najpierw metaliczne uderzenia, a potem męskie głosy, z minuty na minutę coraz głośniejsze.

– Nie wiem, co dalej będzie! Zaraz zwariuję od tych waszych pytań. A jak majster myśli, a co majster myśli… – Usłyszała gruby, zziajany głos starszego człowieka. Potem zapadła cisza, którą przerwał warkot silnika. Rozpoznała swojego peugeota. Podczas odpalania zawsze piszczał. Przez chwilę rozważała nawet, czy nie pójść do mechaników, ale zrezygnowała. Z laptopem na kolanach usiadła przy oknie. Zapadał zmrok, a odchodzące promienie słońca gdzieniegdzie zmieniały kolor nieba na krwistą czerwień. Pogłaskała jedną z mrówek i wróciła do pisania.

*Jak się czuje miasto po dokonaniu rytualnego mordu?*
*Co dziś o swoich dziadach myślą mieszkańcy, wychowywani*
*w kulcie sprawiedliwości dziejowej wymierzanej zgodnie*
*z Kodeksem Hammurabiego? Jak bronią się przed karą,*
*którą sami sobie wymierzyli?*

*Choć niełatwo skłonić kogokolwiek do zmierzenia się z tymi pytaniami, to właśnie one pozwolą zrozumieć miejsce, w którym się znalazłam. Dziwne, magiczne i niedzisiejsze. Mille. Małe miasteczko na północy Polski. Liczy tysiąc mieszkańców i z jakichś powodów nigdy nie może mieć ich więcej. Oni sami uważają, że jest tak na skutek klątwy.*

*Uważam, że to typowy przykład samospełniającej się przepowiedni, a zbiegom okoliczności nadaje się irracjonalny sens. To ucieczka od odpowiedzialności za haniebne czyny rodem ze średniowiecza w czasach, kiedy cywilizacja kazała otworzyć umysły. Ale my, ludzie, nie lubimy zmian. My lubimy mieć władzę, jeśli tylko los nam na to pozwoli…*

*Do dziś działają tu jakieś rady hołdujące zabobonom, choć zaledwie kilka kilometrów dalej świat przyspieszył i znalazł nowe rozwiązania. Mille, gdzie jesteś? Dlaczego stoisz? Obudź się, czas na transformację, przełam ten kryzys…*

# ROZDZIAŁ 8

– Przyjdziesz? Potrzebuję pogadać.

– Och, *bella*… No, przyjdę. Jestem obok, wracam z cmentarza. – Sophia była trochę zdyszana, ponadto słychać było w słuchawce świst wiatru.

– Nastawiam ekspres – odpowiedziała wesoło Marta.

Jakie to niezwykłe – zadzwonić do kogoś i od razu się z nim spotkać, a ten ktoś nie ma tysięcy spraw do załatwienia i nie opowiada o kłopotach czy nieudanym dniu. Ekspres zabulgotał ostrzegawczo, a gdy z filiżanek zapachniało kawą, zrobiło się przyjemniej. Włoszka stała już przed bramą i machała do stojącej w oknie Witeckiej.

– No, pięknie… – Gwizdnęła, przyglądając się Marcie, a raczej jej podkoszulkowi; dziennikarka wciąż miała na sobie T-shirt Janka.

– Co ty… – Marta odwróciła zarumienioną twarz.

– Taa, po co się tłumaczysz, *mio amore*? – Włoszka puściła oko, sadowiąc się na hokerze w jadalni.

Dostała kawę i pierniczki.

– Widzę, że niezły z ciebie detektyw – zażartowała speszona Witecka. Nie chciała, by Sophia drążyła ten temat.

– Kochana, na złodzieju… coś tam gore.

– Czapka. – Marta zaśmiała się serdecznie. Polubiła Włoszkę, dzięki niej miała wrażenie, że nie jest w tym miasteczku sama. – Powiedz mi, co to znaczy, że on ma pierwszeństwo? – spytała, gdy kobieta wygodnie się usadowiła i pociągnęła kilka łyków gorącej kawy.

– Miał, ale nie wykorzystał. Ech, sam ci powinien to powiedzieć. Spytaj go, jak wróci. – Sophia nadgryzła piernik, a okruchy opadły na jej czarną bluzkę.

– To mi nie pomogłaś. – Marta była zawiedziona.

– Tylko się nie zakochaj!

– Nie ze mną takie numery. Ja się nie bawię w miłość, nie umiem. – Wzruszyła ramionami. Czuła się jak uczeń, który zapomniał odrobić pracę domową.

– Jak to nie umiesz? Co ty? Każdy umie! – niemal wykrzyknęła Włoszka, potrącając talerz z piernikami.

– Ja nie. I nie chcę umieć.

– Biedna jesteś, wiesz? Nigdy nikogo nie kochałaś? – Sophia oparła brodę na dłoniach i delikatnie kręciła głową.

– Nie. Choć chciałam… – Marta nie umiała przerwać tej męczącej rozmowy. Z każdą chwilą czuła się mniej pewnie.

– A matkę na przykład? – nie ustępowała barmanka.

– Ją zwłaszcza chciałam kochać.

– No to ojca?

– Widziałam go raz. Byłam malutka. Zresztą… – Witecka próbowała dać znak, że chce zakończyć ten temat.

– To niemożliwe. – Sophia kręciła głową.

– Nie umiem, rozumiesz? Nie umiem kochać, nie umiem być z kimś.

111

– Jezus Maria. A może ty się boisz? – Kobieta konspiracyjnie ściszyła głos i nachyliła się ku Marcie, ale w tym momencie usłyszały huk i coś uderzyło w drzwi wejściowe. Natychmiast wybiegły i znalazły rozbity kamień, a także ślad po nim na drzwiach.

– Zaczyna się. – Włoszka, zaniepokojona, pogładziła i tak idealnie ułożone włosy.

– Co?

– Wiesz co, nie wychodź. Zamknij się bezpiecznie i czekaj na Janka. – Kobieta przykucnęła i delikatnie wodziła ręką po sporym wgłębieniu.

– Co to ma znaczyć? Jakieś łobuzy rzucają kamieniem, a ja mam się przed nimi chować? Biorę ten kamień i idę na komendę. Na pewno są na nim odciski palców! Nie będę czekać, aż on wróci. No co ty. Aha, a ciebie biorę na świadka!

Szybko włożyła ciepłe ciuchy. Rozłupany kamień spakowała do foliowej torby. Włoszka próbowała protestować, ale ona była jak czołg. Mocno potrząsając reklamówką, prawie wbiegła na rynek, Sophia z ledwością dotrzymywała jej kroku. Zwolniły dopiero przed sklepem Silnego. Marta zajrzała z ciekawości do środka, ale nikogo nie było. Ciemno, jakoś odstraszająco. Usłyszały dźwięk dzwonów.

– Czekaj, nie leć tak! Przecież jest niedziela. Wszyscy są na mszy. – Włoszka sapała.

– Jak to, jakiś oficer dyżurny chyba przyjmuje?

– Komisarz Malina też wierzący. Opamiętaj się. – Ton Sophii wyraźnie zhardział.

– Jak wszyscy tacy wierzący, to kto mi rzuca kamieniem w drzwi? – Witecka była zdenerwowana. – Chrześcijanie bez grzechu. Myślałby kto!

– No, widocznie z grzechem, skoro rzucają. – Kobieta spojrzała na kościelną wieżę.

– Miłe miasteczko, kurwa mać! – Marta potrząsała reklamówką. Drżącą ręką zapaliła papierosa. – Chodź, poczekam na niego przed kościołem.

– Idź sama. Muszę otwierać, zaraz przyjdą na wino po mszy. – Włoszka była wyraźnie poirytowana. Narzuciła szybkie tempo i ani razu się nie odwróciła, nie mówiąc o pożegnaniu.

Nieproporcjonalny pomnik Jana Pawła II był bardziej karykaturą niż wyrazem uznania. Papież miał krótkie nogi, duże buty podobne do chodaków, a także długi, nieforemny korpus. Wyglądał, jakby za moment miał się przewrócić. Raczej nie zachęcał do składania kwiatów i zniczy. Zapewne powstał w roku śmierci, zrobiony naprędce, żeby było gdzie oddawać hołd i świętować rocznice. Marta zgasiła pod nim papierosa.

Wreszcie koniec mszy. Ludzie wylali się z kościoła jak lawa, ale ona potrafiła rozpoznać już kilkoro z nich. Miała nadzieję, że komisarz będzie w mundurze. Po dłuższej chwili tłum zmalał. Nigdzie nie dojrzała niebieskiego stroju. Wreszcie dotarło do niej, że zachowuje się irracjonalnie: z kamieniami w reklamówce czatuje na nieznanego policjanta. Zrezygnowana, postanowiła porozmawiać z księdzem.

Weszła do środka, już prawie nikogo nie było. Odruchowo sięgnęła do kropielnicy, ale gdy palce wyczuły wilgoć, zabrała dłoń. Nie cierpiała tego zwyczaju ani tego siedliska bakterii i brudu. Uczulenie i swędzące bąble od zawsze sprawiały jej ból, ale matka uważała, że alergia to oznaka oczyszczania się skóry. Nie mogła zrozumieć, że córka nie chce wkładać rąk do tego kamiennego naczynia. Marta, nieustannie do tego zmuszana, w jednym ze swoich objawień zabroniła korzystać z kropielnic. Wreszcie rany zaczęły się goić.

Teraz, w kościele w Mille, rozejrzała się dyskretnie, czy nikt nie zauważył jej gestu. To chyba z przyzwyczajenia. Zawsze obserwowała, czy ludzie widzą jej gorliwą modlitwę.

Poczuła znaną woń, mieszankę zapachu kadzidła, świeżych kwiatów przy ołtarzu i pasty do czyszczenia posadzki. Czasem wtrącał się jeszcze intensywny zapach potu, wydobywający się spod koszul i garsonek z syntetycznych materiałów. Kiedyś myślała, że tak pachnie modlitwa.

Pohamowała odruch uklęknięcia przed ołtarzem, gdy przecinała nawę główną, ale zaraz potem zawstydziła się, bo napotkała wzrok księdza Andrzeja. W sutannie, z uczesanymi włosami, nie przypominał faceta, którego zdążyła wcześniej poznać. Porządkował ołtarz.

– Nie widziałem pani w trakcie sumy.

– Bo mnie nie było. Nie chodzę do kościoła.

– No to co pani tu robi? – Rozłożył ręce w jawnie drwiącym geście.

– Szukam komisarza.

114

– Tutaj? Zabawne…

– Jak ksiądz może tolerować tc bzdury? – wypaliła wprost, nie kontrolując się.

– Słucham? – Przestał zbierać rzeczy z ołtarza. Rude loki założył za ucho.

– No przecież to jest wbrew naukom Kościoła. Wiara w klątwy. Czy ksiądz nie może przemówić im do rozsądku?

– Nie może. Bo nie ma empirycznych dowodów.

– A na istnienie klątwy ma?

– Ma. – Wychylił kielich z winem mszalnym. Jego grdyka przemieszczała się z góry na dół.

– Jasne, a niby jakie?

– Obserwuję, co się tu dzieje, od jakichś trzech lat, odkąd tu jestem. Zapewniam, ta klątwa działa.

– Ksiądz naprawdę w to wierzy?

– Pani nie musi tego sprawdzać. Choć, zdaje się, to już przesądzone.

– Wszyscy chodzą na mszę? – Marta postanowiła zmienić temat, by ksiądz nie przejrzał jej planów. Chciała sama znaleźć sprawcę rzutu kamieniem.

– Nie.

– A kogo dziś nie było?

– Pani i Włoszki na przykład…. – Ksiądz Andrzej wzruszył ramionami.

– No, nie pomaga mi ksiądz. Idę na policję.

– Pani jest doprawdy zabawna. – Mężczyzna wycierał kielich. – Życzę powodzenia. – Po chwili wzniósł naczynie do góry na znak toastu. Nie uśmiechał się, tylko spojrzał na wysoki sufit i witraże nad wejściem.

Wyszła wkurzona. Choć nie obawiała się niczego, uznając incydent z kamieniem za chuligański wybryk, to jednak chciała zgłosić go na policję. Z pewnością sprawca się o tym dowie.

Gdy przechodziła obok wielkiego domu, przypominającego pałac, przystanęła. Nigdy nie widziała tak ostentacyjnego bogactwa. Złoto niemal skapywało z elewacji. Mimo ściśle przylegających sztachet w płocie, udało jej się zobaczyć w szczelinach kawałek podwórza. Dekoracje, ogród i fontanna – wszystko zaprojektowane z rozmachem. Przy furtce dojrzała napis: „Zakład Pogrzebowy Hades. Rynek 66".

– Ale bogacz… – powiedziała na głos, a tuż za nią w odpowiedzi huknął męski głos:

– Zgadza się, droga pani. Bogacz. Gabriel Bogacz. Czym mogę służyć? – Wyrósł przed nią facet, którego widziała na stronie internetowej. Niewysoki blondyn z mocno kręconymi włosami, ubrany w biały garnitur w ciemne prążki. Przyglądał się Marcie i dopiero teraz zobaczyła jego dziwne oczy. Jasnobłękitne, prawie przezroczyste tęczówki i ciemne źrenice przypominały ślepia psów husky. Wzdrygnęła się. Gabriel przeszywał ją wzrokiem. Za nim stała żona z chłopcem i dziewczynką w wózku. Kobieta, mimo chłodu, wachlowała się nerwowo.

– Niczym, dziękuję. – Marta ścisnęła reklamówkę z kamieniami.

– No, kochana, dębowa jesionka dawno wkładu stąd nie miała. – Bogacz zaśmiał się ze swojego żartu.

– Gabryś… – Wachlująca się żona mówiła słabym głosem. – Ja nie mam siły, chodźmy do domu.

– Liczę trochę na pani obecność. – Właściciel zakładu pogrzebowego nie zwracał uwagi na żonę. – Mam coś przyszykować? – Poruszył palcami, jakby liczył pieniądze, a złote sygnety i bransoletka błysnęły mimo braku słońca.

– Nie, dziękuję. Szczęśliwie wszyscy zdrowi. Do widzenia! – Ominęła całą czwórkę.

Co za hiena!, pomyślała i szybkim krokiem ruszyła na posterunek policji, który znajdował się nieopodal, tuż za szkołą.

Gdy wreszcie dopadła do drzwi, te ani drgnęły. Obeszła budynek. Kolejny drewniany dom z zamkniętymi okiennicami. Dojrzała napis na tabliczce: „Punkt Przyjmowania Interesantów. Czynne: Poniedziałek 8.00–11.00; Środa 14.00–17.00. W razie sytuacji wyjątkowych dzwonić: komisarz Malina, numer telefonu…".

– Nie wierzę… – Zrezygnowana usiadła na podwórkowej ławeczce.

Dawny posterunek policji niemal graniczył z kawiarenką internetową Dyzia i Jędrusia. W końcu postanowiła zadzwonić pod wskazany numer.

– Komisarz Piotr Malina, słucham – usłyszała młodzieńczy głos, jakby w trakcie mutacji.

– Chciałabym zgłosić napaść!

– Jest pani ranna? – zapiszczał głos.

– Nie, ale mogłabym być!

– Będę w poniedziałek od ósmej. Przyjmę zgłoszenie.

– Proszę pana, to są jakieś żarty. Ktoś rzuca we mnie skałami, a pan mi każe czekać do jutra? – Marta wstała z ławeczki.

– Niech się pani nie wygłupia. Do widzenia.

Z całej siły rzuciła kamieniami o ziemię. Wbrew pozorom spowodowały niezły huk.

– Co się tam dzieje? – Z tyłu posterunku usłyszała męski głos. Wychyliła się i zobaczyła wąską ścieżkę. Miała nadzieję, że mieszka tam ten Malina. Po kilku krokach, tuż za kawiarenką, zobaczyła mały domek. Pomalowany na biało, sprawiał przyjemne wrażenie. Na ganku ktoś siedział.

– Dzień dobry! – zagadnęła.

Mężczyzna w kapeluszu palił fajkę. Rozpoznała go po jasnych włosach i czerwonej twarzy.

– Może mi pan pomóc, panie Markuszewski?

– Co pani? Ja tu już nie mam nic do roboty.

– No, ale jest pan policjantem.

– Byłem. Milicjantem.

– Jak to możliwe, że nie ma tu posterunku?

– Ano… zlikwidowali. Za moich czasów, to… Ech, jeszcze Klaudziuś był mały, tu się bawił… – Milicjant wykonał ręką nieokreślony gest. – Patrzyłem sobie na niego, jak papirologia była. Ale na akcje też jeździłem. A teraz… Phi, punkt zrobili…

– No to ma pan doświadczenie. I wszystkich zna – Marta próbowała mówić jak najlepszy kumpel. Trochę się podlizywała, wiedziała, że ludzie to lubią.

– E tam. Daj pani spokój. To nie jest już mój rejon.

– Pomoże mi pan? – Wskazała na siatkę z kamieniami.

– Nie jestem od tego. Ja już nic nie mogę. Niech pani idzie. – Markuszewski oganiał się od niej ręką. Był trochę wstawiony. Zauważyła butelkę taniego wina wystającą z kieszeni płaszcza. Chwilę poczekała, ale już nie nawiązał z nią rozmowy.

Zbliżał się wieczór. W domu Janka, przy kuchennym stole, Marta robiła kolejne notatki.

*Spotkałam właściciela zakładu pogrzebowego. Nie zrobił na mnie dobrego wrażenia. Nachalnie proponował swoje usługi, pewnie od dawna nie miał klienta, choć konkurencja mu nie grozi. W sumie może być dobrym źródłem informacji, chyba najlepiej zna ofiary klątwy. Zastanawia mnie tylko jego znerwicowana żona i synek.*

*Mille sprawia wrażenie małego, sennego miasteczka, gdzie czas płynie wolno i każdy każdego zna. Wszystkie dni wyglądają tak samo, a rytmu wyznaczanego przez pory roku nie zakłóca zgiełk wielkiego świata. Nic się tu nie powinno stać, ale jestem pełna najgorszych przeczuć. Mam wrażenie, że zło czai się gdzieś za rogiem.*

Przed snem sprawdziła komórkę. Janek się nie odczwał. Szkoda.

# ROZDZIAŁ 9

Wywiad to podstawa — ta myśl obudziła Martę i skłoniła do szybkiego działania. Jeszcze w pościeli rozłożyła laptop. Do ósmej miała sporo czasu.

*Czy tutejsi policjanci wierzą w klątwę? Skoro mają dowody i prowadzą śledztwa, potrafią odróżnić fakty od mitów. Mam nadzieję, że najwięcej dowiem się od dawnego komendanta, starego Markuszewskiego.*

Chwilę przed ósmą była gotowa do składania zeznań. Szybko podążała na komisariat, ale gdy tylko weszła na rynek, poczuła zapach świeżego pieczywa. Przystanęła, zamknęła oczy i wsłuchiwała się w życie miasteczka.

Z lewej strony dobiegał charakterystyczny stukot pocztowych pieczątek, z prawej zawarczał ciężki samochód, podjeżdżający pod sklep Silnego. Chwilę potem nerwowe głosy mężczyzn zaciekawiły ją na tyle, że przerwała eksperyment. Podeszła bliżej. Zakradła się od strony podwórka. Na zapleczu stał niebieski citroen berlingo, z bagażnikiem wypakowanym skrzynkami. Pstryknęła telefonem kilka zdjęć.

– Nie schodzi mi, rozumiesz? – Klaudiusz Silny uderzał w skrzynki na pace.

– Zamawiałeś, stary. Gdzie mam to teraz zamelinować, co? – Młody kierowca w granatowym drelichu i wełnianej, tęczowej czapce bezradnie rozkładał ręce.

– Nie wiem. Zabieraj to stąd! – Sklepikarz trzasnął drzwiami od bagażnika. Kopnął w oponę.

– Co robisz? Światło i tak prawie wypada, rozwalisz mi rzęcha do końca. Ostatnia stłuczka jeszcze nienaprawiona. Mogę być jutro rano, ale już nie będziesz miał wyjścia.

– Dobrze już.

– Może ta twoja cię poratuje? – Kierowca cmoknął kilka razy.

– Daj jej spokój, dobra? Coś wymyślimy. Jutro rano, przyjedź jeszcze przed otwarciem... – Klaudiusz westchnął.

– Będę, bo inaczej, wiesz co... – Mężczyzna przejechał kciukiem pod gardłem, jakby chciał je przeciąć.

– Spierdalaj. Jutro o piątej, tutaj.

Witecka zwinnic umknęła na rynek. Mimo że Klaudiusz nie wywarł na niej dobrego wrażenia, zrobiło jej się go żal. Może facet ma problemy z mafią? Ojciec, stary milicjant, mógł się w coś wpakować... Z tą myślą dotarła na posterunek.


Tym razem okiennice były szeroko otwarte, a ich drewniane skrzydła przymocowane haczykami do ram. W pierwszym oknie świeciło się światło. Poranek był pochmurny i choć droga od domu Janka na komisariat była krótka, to jednak Marta trochę zmarzła. Gdy otworzyła drzwi, znieruchomiała. Miała wrażenie, że cofnęła się o kilkanaście lat.

Budynek mieścił dwa pokoje i korytarz. Po prawej stronie zobaczyła zakratowane pomieszczenie z polówką, zlewem i porozrzucanymi kocami. Po lewej – pokój z drewnianym biurkiem, za którym stało krzesło w skórzanym obiciu i pilśniowe szafy. Pośrodku rozciągał się korytarz z dwoma krzesłami, linoleum i zieloną lamperią. Na ścianach wisiały pożółkłe plakaty. Panoszył się smród stęchlizny.

– Jezus… – wyrwało się Marcie.

– Malina. – Z pokoju z biurkiem odezwał się znajomy, chłopięcy głos. – Zapraszam.

Przekroczyła próg. W oknie stał drobny mężczyzna. Światło słońca padające na jego jasne włosy sprawiało, że wyglądał jak nastolatek. Marynarkę miał rozpiętą, krawat poluzowany, koszulę nieco wymiętą.

– Proszę usiąść. – Wskazał drewniany taboret.

Podszedł do stołu, przygładził grzywkę, by nie odstawała. Pierwsze wrażenie nie było mylne, siedział przed nią niebieskooki młodzieniec.

– Co tu się dzieje? – Marta odchrząknęła. Chciała, by jej głos zabrzmiał odważnie i zdecydowanie.

– To znaczy? – Komisarz wyjął kartkę i ołówek. Jego nienaturalnie duża grdyka zaczęła nerwowo się poruszać.

– Będziesz pisał ręcznie? – Marta z niedowierzaniem przyglądała się, jak policjant wsuwa ołówek do automatycznej temperówki.

– A coś w tym złego, proszę pani?

122

– Sorry, zapędziłam się. Nie przywykłam, by przesłuchiwał mnie ktoś tak młody.

– Doprawdy? Jesteśmy w tym samym wieku. No, prawie. Jestem dokładnie sześć dni młodszy, bo urodziłaś się ósmego maja tysiąc dziewięćset siedemdziesiątego szóstego roku, prawda?

– Widzę, że wszystko o mnie wiesz. – Marta była zaskoczona.

– Tylko to, co można sprawdzić w systemie. Słucham. W jakiej sprawie przychodzisz?

– No właśnie, przychodzę w dwóch…

– Jeszcze wczoraj była jedna. No dobrze, opowiedz, co się dokładnie wydarzyło. Gdzie masz ten kamień? – Komisarz Malina wychylił się zza biurka. Na dużym, skórzanym krześle wyglądał jak król Maciuś Pierwszy.

– Wywaliłam. Zresztą to już nieważne. Wiem, że ludzie chcą się mnie pozbyć, ale może to po prostu jakiś szczeniacki wybryk…

– No, mówiłem. – Policjant schował kartkę do szuflady.

– Od kiedy jesteś w Mille?

– O masz. No… od początku. Jestem tutejszy. – Komisarz Piotr Malina wstał z fotela i się wyprostował. Zaczął nerwowo mrugać. Gdy stał na podłodze, twarz miał na tej samej wysokości jak wtedy, gdy siedział.

– I co, wierzysz w tę klątwę?

Zaniemówił. Znowu przygładził grzywkę. Ciężko opadł na fotel.

– Po co to drążysz? Każdy wierzy.

Zamilkła. Nie ufała temu policjancikowi. Po chwili odwróciła się w stronę drzwi.

– Nie czujesz jakiegoś dziwnego zapachu? – Głośno wciągnęła powietrze.

– To grzyb, nie chce się wynieść. – Malina machnął ręką.

– Ja nie mówię o tym tu, w komisariacie. Nie wyczuwasz swoim policyjnym nosem, że coś tu nie gra?

– Co masz na myśli? Ktoś cię nasłał? – Malina mrugał nerwowo, jakby mu coś wpadło do oka.

– Nic, chcę wiedzieć, co tu się tak naprawdę dzieje, i moim zdaniem ty wiesz to najlepiej. Prowadzisz śledztwa, tak? – Marta całym ciężarem oparła się o trzeszczące biurko.

– Samodzielnie pracuję od jakichś trzech lat. Ale wszystko jest zgodne z procedurami. Wcześniej długo tu rządził Markusz. Za długo. On się od dawna do niczego nie nadaje. Ile ja się musiałem nastarać, by móc wreszcie samemu pilnować porządku, bez jego wpieprzania się z tymi starodawnymi metodami. No ale jeśli nic nie zgłaszasz, to żegnam. – Policjant znowu wstał i zapiął marynarkę.

– Wiesz, że jestem dziennikarką? – zagadnęła już w progu.

– Jasne, znam twoje CV.

– No proszę, niezły macie system.

– Nie, sama to napisałaś w Internecie. Wujek Google prawdę ci powie.

Komisarz zaśmiał się trochę wymuszenie, ale jej nie rozśmieszył ten żart. Facet miał rację, sama podała w jakimś portalu swoje wykształcenie i drogę zawodową.

– Wiesz, chciałabym zrobić materiał o policjantach. Muszę przeprowadzić kilka wywiadów. Zależy mi na opisaniu ludzi na różnych etapach kariery, z różnych miast i o różnym doświadczeniu. Mógłbyś być jednym z moich bohaterów? – Przechyliła głowę w sposób, który świadczył o wyraźnym zainteresowaniu rozmówcą.

– Co ty? Ja? Co ja mógłbym powiedzieć? – Malina gładził ręką przetłuszczające się włosy, szczególnie nieznośnie odstającą grzywkę.

– No, prawdę, o swojej pracy, poświęceniu, sukcesach! – Uśmiechnęła się do niego. Wiedziała, że komisarz da się namówić.

– Skoro nalegasz… – Piotr Malina znowu usiadł i wyjął kalendarz, który powoli przeglądał. – To może w kolejny dzień dyżuru? W środę rano?

– Doskonale.

– Co mam przygotować? – Uśmiechał się, choć nerwowe mruganie nie ustawało.

– Wspomnienia.

Podeszła do biurka. Podała policjantowi dłoń. Pocałował ją.

Świeży podmuch chłodnego powietrza pozwolił Marcie wreszcie odetchnąć. Dopiero na zewnątrz poczuła ciężar smrodu z komisariatu. Pomimo głębokiego wdechu nie mogła się pozbyć otaczającej kwaśnej woni. Spojrzała na bramę. Ktoś za nią stał. Nagle furtka z impetem uderzyła o płot. Na chwiejnych nogach wtoczył się Markuszewski. Kapelusz opadał mu na twarz, za sobą ciągnął utaplany w błocie szalik.

– I co, chciał dzieciak gadać? – Tym razem stary milicjant nie bełkotał.

– No, trochę pogadał. – Machnęła ręką.

– Taa. – Markuszewski sprawnie ominął dziennikarkę i zmierzał w stronę swojego domu.

Gdy odszedł kilka kroków, powiedziała głośno do jego pleców:

– Nie udało się panu udowodnić, że´ nie ma klątwy, prawda?

Przystanął. Odwrócił się, na jego czerwonej twarzy pojawiło się kilka bruzd więcej. Spojrzał mętnym wzrokiem. Po chwili podniósł palec wskazujący i jej pogroził.

– Niech mi pan coś opowie… – Witecka, mimo lekkiego lęku, podeszła do starego. Podniosła z ziemi jego brudny szalik.

– Nie ma co opowiadać. Pracowałem bez sensu. Wszystko regulowała ta cholerna przepowiednia. Była ich głównym świadkiem i najlepszym obrońcą. Masz rację, dziecko. Nie wierzę w nią.

– Ja też nie! – niemal krzyknęła.

– To jest nas dwoje. Ale tylko dwoje.

– A nie możemy razem tego udowodnić? – Marta jeszcze bardziej zbliżyła się do Markusza, choć odór alkoholu był nie do zniesienia.

– Czy słyszała pani… – Stary beknął. – Przepraszam… Czy słyszała pani o społecznym dowodzie słuszności? – Milicjant zachwiał się na nogach.

– O czym? – Skrzywiła się. Coś kojarzyła, ale nie mogła znaleźć w pamięci kontekstu.

– Ano właśnie, nikt cię nie będzie tu słuchał. Ani mnie, starego pijaka. Miłego dnia. – Bolesław Markuszewski uchylił kapelusza i poszedł dalej swoją drogą.

Patrzyła, jak odchodzi chwiejnym krokiem. Czuła, że stary powiedział jej coś bardzo ważnego.

Wieczorem przyszedł SMS od Janka: „Mam przerwę w zajęciach. Wiozę maglownicę, chłopaki postawią wóz na koła". Zamyśliła się. Zmartwiła ją ta wiadomość. Wracał, bo miał części, by mogła jutro wyjechać. Po prostu. Nie odpisała, ale po chwili dostała kolejnego SMS-a: „Mam też dobre czerwone wino na kolację". Ucieszyła się, a ta dziwna euforia mocno ją zaskoczyła. Mimo napiętej atmosfery i nieufności, jaką budziła w miasteczku, dobrze się tu czuła. Materiałów do reportażu przybywało, a ludzie stawali się coraz bardziej skłonni do rozmowy.

Postanowiła przygotować kolację. Uznała, że do czerwonego wina pasuje spaghetti bolognese. Gotowanie sprawiało jej przyjemność. Przez chwilę czuła się jak w swoim domu, ale szybko zdusiła w sobie to uczucie. Przecież to niepoważne. Pewnie za kilkanaście dni wszyscy tu o niej zapomną. W tym momencie usłyszała sygnał klaksonu i zadrżała. Na podwórku, w światłach reflektorów, zobaczyła Janka.

– No, pięknie pachnie! – krzyknął w wejściu.

– Mam nadzieję, że jesteś głodny, pilocie Pirxie! – Marta wesoło odkrzyknęła z kuchni. Gdy stała przy kuchence, zakradł się za jej plecami i delikatnie pogładził jej szyję.

– Jezus Maria, nie rób tak! – Przestraszyła się.

– Lubię czasem niespodzianki. – Zrzucił kurtkę. Na białym T-shircie widniały ślady potu. Postawił na stole butelkę wina.

– A ja nie bardzo, szczególnie tutaj…

– Już dobrze, za kilka godzin muszę wracać. – Spojrzał na zegarek. – Dokładnie za sześć. Mamy niewiele czasu, szkoda marnować go na jakieś przepychanki, mam rację? – Oparł brodę na dłoniach i zrobił minę jak mały, skarcony chłopiec.

– Dla ciebie wszystko jest takie proste. Czarne i białe.

– Od roku tak jest. Szkoda czasu na bzdury. Życie jest za krótkie.

– Chory jesteś? – spytała bardziej dramatycznym tonem, niż zamierzała.

– Co ty, choremu by nie pozwolili latać.

Marta sama była zaskoczona swoim lękiem o niego.

– Fajnie, że przyjechałeś, to jednak kawałek drogi.

– No, miałem coś do załatwienia – odpalił, ale gdy napotkał wzrok Marty, od razu dodał: – I trochę się stęskniłem – tak lepiej?

Zapach świeżej bazylii i parmezanu przyjemnie pobudzał kubki smakowe. Cierpkoowocowy smak wina wprawił Martę w dobry nastrój. Janek w trakcie kolacji opowiadał o zajęciach w aeroklubie. Miał już za sobą cały kurs teoretyczny i mógł przejść do następnego etapu, praktycznego. Żeby zdobyć licencję, powinien zaliczyć minimum czterdzieści pięć godzin lotów.

– To ważny dzień. Muszę być o ósmej na lotnisku. Wyjeżdżam o czwartej. – Znowu spojrzał na zegarek.

– Nie boisz się? – Patrzyła mu prosto w oczy, delikatnie gładząc nóżkę kieliszka.

– Nie, moja kolej już była.

128

– Jak to, jaka kolej?

– Na śmierć. Teraz ja decyduję, co dalej. – Janek przymknął oczy.

– Jak Pan Bóg?

– Tu Boga nie ma. – Westchnął i dolał wina.

– Jest klątwa, tak? – spytała dobitnie.

– Tak.

– Przestań, naprawdę w nią wierzysz?

– Oczywiście. Każdy wierzy. – Wydawał się nieco zniecierpliwiony.

– Aha, właśnie to miał na myśli stary Markuszewski… – Marta mówiła cicho, patrząc na Janka. Odtwarzała sobie ostatnie słowa pijanego milicjanta, po czym wzdrygnęła się, jakby chciała strząsnąć z siebie myśli, jak zmoczona kura wodę. – Janek, ja oszaleję. Jak ty możesz wierzyć w takie zabobony?

– To nie są zabobony. Sam jej doświadczyłem. – Spojrzał na duży portret siostry wiszący na ścianie.

– Aldonka? – Marta ściszyła głos.

– Tak, zginęła rok temu. Wypadek. Krótka piłka.

– No, sam mówisz, że wypadek. – Witecka zaczynała się niecierpliwić.

– Jasne, a po trzech miesiącach urodziła się mała Bogaczowa. Tak przypadkiem?

– Janek, ale taki jest los. Ludzie się rodzą i umierają. Taka jest kolej rzeczy. – Ostatnie zdanie wypowiedziała wolno i wyraźnie.

– Dokładnie tak. Zawsze musi być jakiś trup i dzieciak. Tu jest jeden do jednego.

Zamilkła. Nigdy nie umiała znaleźć słów pocieszenia, gdy komuś umierał ktoś bliski. Nie potrafiła wytłumaczyć nieszczęścia ani dać nadziei. Po śmierci matki nasłuchała się o tym, jaka powinna być szczęśliwa, że Pan Bóg okazał matce łaskę i zaprosił ją do Królestwa Niebieskiego. Że wybrał ją dla dobra wszechświata i jej samej.

Była wtedy nastolatką i nie wiedziała, jak ma dalej żyć. Choć matka dręczyła ją z powodu swojej fanatycznej wiary, to jednak była przy niej fizycznie. Roznoszł się wokół niej prawdziwy zapach perfum, pięknych Evasion, w przedpokoju wisiało pachnące naftaliną futro, a w salonie cicho brzęczało radio, zawsze nastawione na Program Pierwszy Polskiego Radia. Ale w pewnym momencie w domu zrobiło się pusto i cicho. I ta cisza była nie do zniesienia, bo najważniejsze było wtedy dla Marty, żeby móc do kogoś wracać, przytulić się do futrzanego płaszcza matki, a w łazience wąchać flakon jej perfum i wyobrażać sobie, że jest nimi skropiona. By na święta zanurzyć się w zapachu makowca i zdobytych z poświęceniem mandarynek. Ale nie usłyszała już: „Zostaw, to na Wigilię", a w mieszkaniu roznosił się smród farby i rozpuszczalnika.

Ciotka przeprowadziła swoistą dezynsekcję i zabrała wszystko, co mogłoby przypominać o Marii Witeckiej. Starała się, jak mogła, by Marta nie pamiętała matki. Wspólne zdjęcia gdzieś się zawieruszyły, jakieś notatki zabrała do przejrzenia i nigdy ich nie oddała. W swojej naiwności sądziła, że to najlepszy sposób, by dziecko zapomniało. Nawet nie przypuszczała, jak bardzo się myliła.

– I dlatego miałeś pierwszeństwo? Że zginął ktoś z twojej rodziny? – Marta z trudem wróciła do tematu rozmowy.

– Ja je ciągle mam. I nie tylko dlatego. – Janek wlał sobie do gardła całą zawartość kieliszka. – Ale dość już na dziś.

– Wiesz, jest takie powiedzenie, że kłamstwo powtarzane wiele razy staje się prawdą. – Odłożyła sztućce.

– No jest. Ale nie w takich sprawach. – Wskazał ręką na sufit.

– W takich sprawach jak najbardziej. Te wszystkie cuda śmiechu warte... Wiesz, że miałam w dzieciństwie objawienia?

Janek zachłysnął się winem, zaczął ni to się śmiać, ni kasłać. Ona była poważna. Patrzyła mu prosto w oczy i choć próbowała ukryć zdenerwowanie, to jednak zdradzało ją drżenie kącików ust.

– Nie żartujesz? – spytał, gdy uspokoił kaszel.

– Nie. I choć te objawienia były wytworem mojej wyobraźni, to potem w nie uwierzyłam. Matka także. Proboszcz kazał je obserwować. Aż w końcu cała rzeczywistość mi sprzyjała i przypadkowe zdarzenia zdawały się potwierdzać moją wersję.

– Poczekaj, nic nie rozumiem. – Złożył dłonie jak do modlitwy i nachylił się nad stołem.

– Musiałam wymyślić coś, żeby się bronić... – szeptała. – Musiałam, rozumiesz? Matka miała świra na punkcie religii. Tylko Pan Jezus mógł na nią wpłynąć, albo Matka Boska. – Zaczęła się nerwowo śmiać.

– Ale po co ci obrona przed matką? – Janek zupełnie nieświadomie podniósł głos.

131

– Bo mnie katowała. Fizycznie i psychicznie. I zmuszała do ciągłej modlitwy. Wiesz, taki rodzaj bliskości. Ale któregoś dnia nie wytrzymałam. Udawałam, że widzę Chrystusa i że on do mnie przemawia. Ponieważ był to czas komunii, zwroty kościelne i modlitwy miałam w małym palcu. I mówiłam, nakazywałam. To działało.

– Nakazywałaś?

– Tak, gdy wiedziałam, że matka zaraz zacznie mnie bić, mówiłam na przykład tak: „Stój, mamo, widzę Matkę Boską. Posłuchajmy jej. Jeśli chcemy dostąpić łaski bożej, konieczna jest pokuta. Nakazuję wam odmówić różaniec. A potem napisz modlitwę". I matka się uspokajała, a ja wymyślałam modlitwę, którą potem zapisywałam. Były naprawdę piękne.

– Marta, tak mi przykro.

– Tylko stało się coś dziwnego. Te objawienia zaczęły się potwierdzać.

– Jak to? – Janek przerwał dolewanie wina.

– Kiedyś przestawiałyśmy ławę. Matka była cholernie zła, że dostałam czwórkę w szkole. Ciskała tym stołem z całej siły. Wiedziałam, że za chwilę oberwę, więc udawałam, że znowu przyszła Matka Boska. Ale matka wyjątkowo mi nie uwierzyła. „No to niech da jakiś znak, jak jesteś taka mądra!". I w tym momencie spod ławy wyfrunęła kartka. Gdy wreszcie miękko upadła na dywan, zobaczyłam, że to obrazek z jednego z pierwszych piątków. Zgadnij, co na nim było?

– Nie wierzę.

– Ja też nie wierzyłam, ale na obrazku była reprodukcja obrazu Matki Boskiej Częstochowskiej. I wtedy na poważnie się przestraszyłam, że zwariowałam. I uwierzyłam w te objawienia, choć był to przecież stek bzdur. Obrazek zwyczajnie utkwił w jakiejś szczelinie w ławie, pewnie na przyjęciu komunijnym, a wtedy, podczas tej szarpaniny, po prostu wypadł.

– Niesamowite, a może… – Janek przechylił głowę i zmrużył oczy.

– Tak naprawdę nic nie widziałam ani nie słyszałam. Ale przekaz był tak silny, że w niego uwierzyłam, rozumiesz to?

– Rozumiem, a co z twoim ojcem?

– Nie mam ojca. – Witecka wzruszyła ramionami i sięgnęła po kieliszek wina.

– Każdy jakiegoś ma. – Podszedł do niej i ją przytulił.

– No tak, ale ja go nie znam, choć teoretycznie mam ich aż dwóch. Biologicznego i tego, który zostawił mi nazwisko. Prawdziwego widziałam tylko raz.

– Skomplikowane to wszystko.

– Nie tak jak u was. Ale rozumiesz już, dlaczego nie wierzę w tę waszą klątwę? Za wszelką cenę chcę to udowodnić. Nie można tak żyć. W strachu i lęku ciągle liczyć ludzi i czekać na czyjąś śmierć…

– No, widzę, że rozprawiasz się tu też ze swoimi lękami, co? – Janek znowu mocno przytulił Martę. Zaczął ją całować, ale się odsunęła. Wstała.

– Powiedz mi prawdę, słyszysz?

– Nie ma żadnej innej prawdy. – Schował twarz w dłoniach.

Snop światła, padający z pobliskiej lampy, oddzielał równą linią gęstniejący mrok.

Marta zrozumiała, że kolejne naciski nic nie dadzą. Posprzątała ze stołu. Gdy wkładała naczynia do zmywarki, stanął za nią i pogładził ją po plecach. Nie reagowała. Po chwili włożył jej ręce pod bluzkę i delikatnie dotykał sutków, a później mocniej ściskał je opuszkami palców. Powoli przyjemnie twardniały mu w dłoniach. Uwielbiała takie pieszczoty, często o nich marzyła. Na uda spłynęła wreszcie wilgotna strużka pożądania. Pragnęła, by wziął ją szybko i mocno. Zamknęła zmywarkę, wciąż stojąc tyłem do Janka, i rozchyliła uda. Natychmiast zdarł z nich spodnie i wbił się w nią. Potem przeszli do salonu. Tam pieprzyli się jeszcze raz.

„Jak dobrze wstać, skoro świt, jutrzenki blask duszkiem pić…" – znana piosenka niemal siłą wdzierała się do jej mózgu.

– Jezu, co to jest? – zachrypiała.

Janek spał. Choć nie przytulali się, a nawet leżeli w pewnej odległości od siebie, czuła jego ciepło. Spojrzała na zegarek. Trzecia trzydzieści. Po chwili głos Marleny Drozdowskiej znowu rozchodził się po całym domu: „Nim w górze tam skowronek zacznie tryl, jak dobrze wcześnie wstać dla tych chwil".

Komórka Janka rozświetlała mrok.

– To budzik, wstawaj! – Marta szarpnęła Janka za ramię. – Co za kretyńska melodia!

– Nie podoba ci się? – Uśmiechnął się.

Wyglądał jakoś łagodnie, pogłaskała go po głowie. Nigdy wcześniej tego nie robiła. Uważała, że to taki matczyny gest.

– Nie o takiej porze. Wariat jesteś, wiesz? Kiedy wrócisz? – Znalazła na podłodze wczorajszy T-shirt Janka i zarzuciła na siebie tyłem do przodu, choć nie zwróciła na to uwagi.

– Za dwa, trzy dni. Do tego czasu włożą maglownicę. Przywiozłem ją. – Janek powiedział to głosem zwycięzcy.

– I będę mogła odjechać? – Spojrzała mu prosto w oczy.

– To będzie twoja decyzja – odpowiedział, uciekając wzrokiem. – Teraz ja odjeżdżam. – Wyskoczył z łóżka. Po kwadransie stał już w kurtce. – Pośpij sobie jeszcze. Musisz mieć siłę na to swoje śledztwo.

– Ja chcę wam tylko udowodnić, że się mylicie. – Nakryła się kołdrą. – Skąd wiesz, co robię?

– Wszyscy wiedzą – cmoknął w jej stronę – drogi Watsonie.


Na zewnątrz budził się dzień. Choć od kilku dni nie padało, to świat za oknem, skąpany w porannej rosie, nie zachęcał do wstawania. Dzwonił telefon, ale Marta nie miała ochoty go odbierać. Schowała głowę pod poduszkę, jednak natarczywa melodyjka nie ustawała. Z irytacją kliknęła zieloną słuchawkę.

– Szybko, wstawaj! – usłyszała zdenerwowany głos Włoszki.

– Co się stało?

Ale Sophii nie sposób było zrozumieć. Trajkotała jak katarynka, głośno i na dodatek po włosku.

– Nie rozumiem cię! Sophia, mów po polsku! – Marta próbowała przebić się przez słowotok. Spojrzała na zegarek. Dochodziła ósma. Po podwórzu przebiegli pracownicy warsztatu. Nie domknęli furtki, energicznie uderzała o metalowy słupek. Majster na chwilę przystanął na szosie, ale machnął ręką i dogonił kolegów.

Odłożyła telefon. W dresie i swetrze Janka wybiegła przed bramę. Już na piaszczystej drodze słyszała podniesione głosy mieszkańców. Ogarnął ją dziwny niepokój, nie mogła przestać myśleć, że idzie po własną śmierć. Gdy minęła pocztę, przy kościele zauważyła niebieskie migające światła. Nogi zrobiły jej się jak z waty, chciała iść szybciej, ale nie potrafiła. Miała wrażenie, że przemierzając kocie łby, porusza się jak w zwolnionym tempie.

Od strony szkoły biegła Włoszka. Mimo wczesnej pory tłum gapiów gęstniał. Razem z Sophią zbliżyły się do biało-czerwonej taśmy. Na wysokości przydrożnego krzyża stał radiowóz. Komisarz Malina rozmawiał przez telefon, po czym kucnął za samochodem.

– Pewnie trup – stwierdził ktoś stanowczym tonem.

– Po lekarza lećcie. Wykrwawi się, zanim z gminy przyjadą – podpowiadał kolejny głos.

W tym momencie usłyszeli gromkie „rozejść się". Z tłumu wyłonił się doktor Rogowski. Mimo zaawansowanego wieku sprawnie prześlizgnął się pod taśmą. Uklęknął za autem. Marta uważnie się rozejrzała. Na samym przedzie o taśmę opierał się Gabriel Bogacz, za nim dwóch jego pracowników. Po drugiej stronie dostrzegła Silnego. Stał nieruchomo z przymrużonymi oczami. Usta miał zaciśnięte, w dłoniach ściskał swoje nieśmiertelniki. Po dłuższej chwili rozpoznała większość mieszkańców.

Wszyscy w napięciu oczekiwali na dalszy ciąg wydarzeń. Lekarz wstał, otrzepał spodnie, poprawił płaszcz.

– Nie żyje. Ja już nic nie mogę zrobić. Piotrunia, wzywaj patologa – zwrócił się do Maliny i powoli przeszedł na drugą stronę taśmy, po czym stanął wśród gapiów.

Marta, przez nikogo niezauważona, weszła w krzaki na poboczu, potem zanurzyła się w nie głębiej, by po kilku krokach z bezpiecznej, ale bliskiej odległości obserwować sytuację. Oczami wyobraźni widziała już rozrzucone gęste, ciemne włosy Janka, ale gdy przykucnęła, zobaczyła, że na ziemi leży ciało kobiety, brzuchem do dołu. Potrząsnęła głową i zmrużyła oczy. Choć nie było widać twarzy, rozpoznała ofiarę. To nauczycielka. Miała na sobie wełniany, szary sweter.

Witecka drżącą ręką wyciągnęła komórkę i patrząc na wyświetlacz, zrobiła kilka zdjęć. W pewnym momencie zrobiła najazd zoomem i dojrzała, że nauczycielka dość mocno krwawiła w pasie, bo plama na swetrze wyraźnie gęstniała.

– Na co czekacie? – usłyszała cienki głos komisarza Maliny. – Za ile będziecie? Ja nic będę tu zbierał śladów!

Policjant chodził w tę i z powrotem ze słuchawką przy uchu. W pewnym momencie kopnął w coś, co poleciało kilka metrów dalej, po czym wzruszył ramionami, nerwowo poprawiając grzywkę, dopiął guzik marynarki i prężąc pierś, ruszył w stronę taśmy. Krążył przy niej niczym sęp, udając, że nie słyszy zapytań mieszkańców.

Ze swojej kryjówki miała doskonały widok. Po kilku minutach podjechały kolejne samochody. Komisarz biegał wokół przybyłych funkcjonariuszy, ale nikt nie zwracał na niego uwagi.

Do zwłok podszedł wysoki, barczysty mężczyzna.

– Panie prokuratorze, panie Jacku, no skaranie boskie. – Policjant sięgał mu do piersi.

– Malina, daj pracować. Gdzie technik? – Prokurator spokojnym, grubym głosem spytał komisarza, nie czekając na odpowiedź. – A, jesteś – zwrócił się do kolejnego z przybyłych mężczyzn.

– Kurwa, znowu coś. – Technik rozłożył walizkę. – Jedzie Chojnacka, ciekawe, ile znowu się pomyli.

– I tak nie jest źle. – Prokurator się wyprostował. – A ty, Walczak, to nigdy się nie pomyliłeś, co? – zwrócił się do technika, ściszając głos.

– Jacek, tu wszystko jest możliwe, sam wiesz. – Mężczyzna fotografował ślady na asfalcie. – Mam dość tego burdelu. Choć ta nawet ładna, nie? – Kiwnął głową, zerkając na ziemię, w stronę ciała nauczycielki.

– Nie wiem, twarzy nie widać – odpowiedział prokurator z dziwnym znużeniem w głosie. – O, idzie Chojnacka.

– Witam, witam. – Walczak ukłonił się kobiecie, która przeszła pod taśmą. Drobna blondynka, w nienagannym makijażu. Marta domyśliła się, że jest patologiem.

Lekarka ukucnęła nad ciałem nauczycielki. Po chwili dołączył do niej prokurator. Witecka z ledwością słyszała jej głos:

– Moim zdaniem dwie godziny, ale i tak wszystko wyjdzie na sekcji. Zabieramy ją i zamykamy ten teatrzyk.

Technik rozłożył wszystkie narzędzia, z dużym spokojem i specyficzną delikatnością fotografował dokładnie miejsce, zwłoki i wszystkie możliwe ślady. Marta próbowała robić to samo, ale słaby aparat w telefonie nie mógł poradzić sobie z odległością i zdjęcia były nieostre. Do tego zamokły jej buty, bo rosa na trawie była jeszcze obfita. Dopiero teraz poczuła, że od dłuższego czasu wpadają jej za kołnierz krople z drzew. Wzdrygnęła się, ale pozostała na miejscu.

– Kurwa, kto tu tyle śladów narobił. – Walczak mówił do siebie, ale nie sposób było nie słyszeć jego podniesionego, zaniepokojonego głosu. – Panie komisarzu Malina – wezwał wyprężonego małego policjanta.

– Co tu mamy, co tu mamy? Bo ja… – Malina zapiszczał, ale zamilkł, napotkawszy wzrok technika.

– Pokaż podeszwę!

Policjant podniósł drobną stopę. Walczak pstryknął zdjęcie.

– No jasne – westchnął. – Kogo tu jeszcze wpuściłeś?

– Żarty jakieś! – Malina poprawiał grzywkę. – Od razu był radiowóz, taśma… Zabezpieczenie jak należy.

– Dobra, dobra. – Walczak machnął ręką. – Idź już lepiej.

Marta, prawie niezauważona, opuściła kryjówkę i po kilku krokach wróciła na stare miejsce. Gdy znowu stanęła przy taśmie, tłum zaczął się od niej odsuwać. Najpierw dyskretnie, a potem ostentacyjnie, tak by nie miała żadnych wątpliwości. Przestrzeń wokół niej pustoszała, niektórzy spluwali w jej stronę, inni robili znak krzyża. Napotkała przeszywający wzrok księdza Andrzeja. Zacisnęła zęby i za wszelką cenę próbowała powstrzymać drżenie brody, ale nie potrafiła zapanować nad ciałem. Powoli odwróciła się od taśmy i postanowiła spokojnie wrócić, choć tak naprawdę miała ochotę biec. Z trudem łykała podchodzący do gardła krzyk.

Na wysokości poczty, gdy tylko ukazał się drogowskaz „PLAŻA", zadzwoniła do Janka, ale miał wyłączony telefon. No tak, jest na zajęciach.

Po wejściu do domu całym ciężarem opadła na drzwi od strony przedpokoju. Serce łomotało jej jak oszalałe, nie mogła opanować dygotu rąk.

– Kurwa! – krzyczała, sprawdzając zamki. – To niemożliwe! – Po upewnieniu się, że drzwi zostały zamknięte, z całą siłą opadła na nie ponownie, tym razem plecami, po czym zsunęła się na podłogę i choć próbowała nad sobą panować, zaczęła płakać. Najpierw połykała łzy, ale w końcu nie wytrzymała i zaczęła krzyczeć, w ogóle się nie hamując. Miała wszystkiego dość.

– Sophia, odbierz… – Leżąc na podłodze, szeptała do słuchawki, ale telefon Włoszki nie odpowiadał. Miotała się jak tygrys w klatce i choć wciąż racjonalnie tłumaczyła sobie sytuację, jej organizm odmawiał posłuszeństwa. Próbowała powstrzymać wstrząsy na całym ciele, ale bezskutecznie. Widok leżących, poharatanych zwłok i te włosy… Nie mogła pozbyć się ich obrazu, jakby ktoś go przykleił od wewnętrznej strony powiek.

Próbowała zapalić papierosa, ale utrzymanie go było nie lada sztuką. Zmusiła się i szybko zgasiła go w popielniczce na stole kuchennym, po czym rozebrała się do naga i weszła pod prysznic. Stała kilka minut pod mocnym, chłodnym strumieniem.

Uwagę przyciągały wystające obojczyki, zwane sol-
niczkami, tak bardzo charakterystyczne dla szczupłych
osób. Duża, biała bluza miała zatuszować sporą niedo-
wagę. Twarz dziewczyny była pięknie oświetlona, dzięki
czemu jej oczy wyraźnie błyszczały, a czarne jak węgiel
włosy, swobodnie opuszczone na ramiona, miały spra-
wiać wrażenie beztroski. Ale nie sprawiały. Na zdjęciu
utrwalił się widok cierpienia. Dziewczyna próbowała się
uśmiechać, ale kąciki jej ust opadały, a błyszczące dzięki
padającemu światłu oczy były puste i smutne.

Marta leżała na sofie i patrzyła na zdjęcie Aldonki.
Do tej pory je omijała, ale po powrocie spod zimnego
prysznica nie mogła przestać się jej przyglądać.

– Marta, otwieraj! – Usłyszała na podwórzu wołanie
Włoszki. Walenie w drzwi wzmagało się. Obolała i zdrętwiała, z ledwością je otworzyła.

– Sophia, ona nie żyje, prawda? – Czuła, jak całe jej
ciało sztywnieje.

– Nie obwiniaj się, do cholery! – Kobieta krzyknęła
głośniej, niż zamierzała, na co Marta drgnęła. – To był
wypadek, rozumiesz? – Energicznie potrząsała nią jak
lalką.

– Już nic nie rozumiem, chcę stąd wyjechać… – Marta
podeszła do okna, wyjrzała niespokojnie i trzęsącą się ręką
próbowała zapalić papierosa. Po kilku próbach odłożyła
pudełko zapałek obok tria muzycznego mrówek

– Teraz? Za późno. – Sophia podparła się pod boki.
– Nie możesz się poddać.

– Ale ona przeze mnie nie żyje, prawda? – Zadając
pytanie, miała nadzieję, że Włoszka zaprzeczy i ją uratuje.

– No, tak ludzie mówią, ale ty w to nie wierzysz, więc udowodnij im teraz, że się mylą. Może to wszystko wreszcie się skończy. – Kobieta ciężko opadła na krzesło. – Ja też już nie mam siły. Nie płacz. – Przytuliła Martę.

– Nie wiem, co mam robić. Nie wiem. To nie tchórzostwo, ale żarty się skończyły. Nie żyje człowiek. Do tego nie żyje przeze mnie. Chcę wyjechać jeszcze dziś. – Marta usiadła na sąsiednim krześle.

– Nie możesz tego zrobić, słyszysz? – Włoszka znowu zaczęła ją szarpać.

– Ale oni mogą mi zrobić coś złego, kurwa. Zaczynam się bać...

– No co ty, nie wolno im. Jutro już będą szczęśliwi, że to nikt z nich. Instynkt przetrwania jest silniejszy niż żal po obcej osobie. Zobaczysz na pogrzebie, to będzie wielka uroczystość. Wesoła. Bo inni ocaleli, rozumiesz?

– Nie rozumiem, nie chcę rozumieć. Pieprzę to, poddaję się. Pierdolony tysiąc. Co, teraz jest nas tysiąc, tak? I możemy żyć długo i szczęśliwie, tak?

– Jest nas tysiąc jeden. – Barmanka ściszyła głos.

– Od dziś znowu równy tysiąc, bo ja sobie wymyśliłam, że się mylicie. I przegrałam.

– Marta, posłuchaj. – Włoszka wstała i zatrzasnęła okna, a drzwi zabarykadowała łańcuchem i drugą zasuwą. – Proszę cię, zachowaj spokój i nalej mi kawy – mówiąc ściszonym głosem, wskazała na ekspres. – Najlepiej podwójne espresso. Albo daj kieliszek wódki. – Była bardzo zdenerwowana.

Witecka z niepokojem patrzyła na przyjaciółkę. Nalała dwa kieliszki i obydwie wypiły jednym haustem.

142

– Od sześciu lat i trzech miesięcy jest nas tysiąc jeden. Wcale nie tysiąc. – Włoszka nerwowo oblizywała usta.

– Co chcesz przez to powiedzieć? – Marta ponownie napełniła kieliszki wódką. Ręka właściwie już przestała jej drżeć.

– Mam córeczkę, Alessandrę. – Sophia nabrała powietrza. – Urodziła się tuż przed naszym sprowadzeniem.

– Sophia… – Marta złapała się za głowę. – Co ty mówisz?

– Wiesz, że pojawiliśmy się w trudnym momencie, po śmierci tej kobiety i jej małego dziecka?

– No tak, opowiadałaś. Nawet miałam cię spytać o twojego męża. Co się z nim stało?

– Francesco miał wypadek. Jechał jak wariat na motorze. Zginął tam, gdzie Magda. Tuż przed jego śmiercią przysłali księdza Andrzeja, bo stary proboszcz zwariował.

– I znów był tysiąc? – Marta wciągnęła się w historię.

– Przynajmniej oficjalnie. Jak zabrakło Francesca, to ludzie już całkiem otwarcie zaczęli mnie dręczyć. Kobiety do dziś przechodzą na drugą stronę, jak mnie widzą, a mężczyźni tylko przy żonach udają, że nie chcą mnie zerżnąć. Są okrutni, ale tylko do wieczora, kiedy siadają w „Rzymie". Tak było od początku i trwa do dziś. Alessę, czyli po polsku Aleksandrę, sprowadziliśmy pod osłoną nocy. Czekaliśmy na dobry moment, by pokazać ją w Mille, ale po śmierci Francesca teściowie się obawiali. Wystarczy, że ze mną mieli kłopot… Wiesz, są najwspanialszymi dziadkami, o jakich można marzyć. Widziałaś, jaki szczelny i wysoki mamy płot?

– Nie wiem nawet, gdzie mieszkasz… – bąknęła Marta.

143

Włoszka mówiła trochę chaotycznie, a jej zdenerwowanie nie ustępowało.

– To po to, by mała mogła pobyć na powietrzu. Ale tak się nie da żyć, ja już nie mam siły. Jak Alessa choruje, odchodzę od zmysłów. Boję się, że gdy będzie wymagała natychmiastowej pomocy, zamiast biec do lekarza, stracę czas na kamuflaż. Szczęśliwie teść przyciemnił szyby w samochodzie i jak wyjeżdżamy z garażu, to nas nie widać. Szczególnie małej.

– Straszne – wyrwało się Marcie. – A dlaczego jej po prostu nie pokazałaś, skoro była już tutaj dłuższy czas?

– Teściowie się bali. Po pierwsze, tak nie można tu robić, a po drugie, tutejsi uznaliby mnie za jakąś czarownicę, bo jak to możliwe, że jest więcej osób i nikt nie umiera. Zwłaszcza teściowa nie chciała, przyjaźniła się wcześniej z zielarką Borowiczową i bardzo się przejmowała tą klątwą. Tak naprawdę bała się o wnuczkę i prosiła, by poczekać na lepsze czasy.

– Które ciągle nie nadchodzą? – Marta spojrzała na wódkę w kieliszkach. Drżała, mimo że stół solidnie trzymał się podłoża.

– Wiesz, przeczytałam gdzieś… – Sophia odetchnęła i sięgnęła po kieliszek.

Marta zrobiła to samo. Choć przeszła jej już ochota na alkohol, nie umiała odmówić. Wychyliły zawartość i uderzyły szkłem o blat. Włoszka chuchnęła w dłoń i kontynuowała:

Przeczytałam gdzieś, że w takich miasteczkach jak nasze problemów zwykle nie udaje się rozwiązać bez pomocy osoby trzeciej. Nie pojawiłaś się tutaj bez powodu…

144

Alessandra nie może żyć w getcie. Jest otoczona miłością, ale potrzebuje świata, rozumiesz?

– Jasne. – Witecka była oszołomiona. Alkohol w połączeniu z potężną dawką emocji robił swoje.

– A teraz najważniejsze… Powtórzę to jeszcze raz: mimo że Alessa była tutaj cały czas, to nikt „nadprogramowy" nie umarł. Więc weź się w garść i udowodnij, że nie ma żadnej pieprzonej klątwy. Czekałam na kogoś takiego jak ty. Sama nie miałam odwagi, teściowic też się boją, słyszysz? – Sophia niemal zaczęła krzyczeć. – Nauczycielka nie umarła przez ciebie, rozumiesz? To był wypadek. Ktoś ją potrącił. Było ciemno. To zbieg okoliczności.

Gdy Włoszka kończyła zdanie, usłyszały grzmot. Na zewnątrz w sekundę zrobiło się szaro, wiatr kładł konary drzew, a huk piorunów nie ustawał. Podbiegły do zamkniętych okien, jeszcze raz sprawdziły wszystkie klamki. Na szybach roztrzaskiwały się krople deszczu.

– Znowu burza z piorunami. – Marta zagadnęła Włoszkę, ale Sophia milczała. – Boisz się? Jesteś jakaś blada…

Przyjaciółka nie reagowała. Przymknęła oczy, uwalniając kilka łez.


– Czy ona miała kogoś bliskiego? – spytała Marta w zamyśleniu.

– Kto? – Włoszka wpatrywała się w zacinający za oknem deszcz.

– Ta nauczycielka…. – Witecka także patrzyła przed siebie.

– Raczej nie miała – Sophia ledwo zauważalnie wzruszyła ramionami.

– A Klaudiusz? Kilka razy widziałam ich razem w sklepie. Z całą pewnością coś ich łączyło.

– Że niby byli parą? Ja tam wątpię, czy Silny potrafi się jeszcze zakochać. Już tyle lat nie może pogodzić się ze śmiercią pierwszej narzeczonej, tej urzędniczki, co utonęła cztery lata temu. – Sophia wreszcie wciągnęła się w rozmowę. – Tej Celiny.

– To znaczy, że jemu już druga kobieta zmarła?

– O rany, masz rację. – Włoszka aż podskoczyła i spojrzała na Martę.

– A jeśli tu grasuje jakiś seryjny morderca? – Dziennikarka spoważniała. Od jakiegoś czasu ta myśl chodziła jej po głowie, ale bała się o tym mówić. Wierzyła, że jeśli coś zostanie wypowiedziane, to zaistnieje, nabierze mocy i usadowi się w przestrzeni, a potem spełni. Jak przepowiednia.

– Zwariowałaś chyba. – Włoszka prychnęła, wachlując się gazetą. Rozpięła gruby czarny sweter. – Idę do Alessy. Przyjdź wieczorem do „Rzymu", to się naradzimy. Aha, i na razie nikomu nie mów o mojej córce. Nikomu, obiecujesz?

Marta pokiwała głową.


Barmanka, nim włożyła płaszcz, zerknęła na podwórze. Wyjrzała przez obydwa okna. Deszcz przestał padać, burza wreszcie ucichła. Krajobraz powoli stawał się łagodniejszy.

– Droga wolna. – Wypuściła powietrze i skuliła się, gdy wyszła na ganek.

Martę nieco rozbawiła ta konspiracja. Choć sama przed chwilą reagowała podobnie, teraz odetchnęła. Miała rację od początku. Klątwy nie ma. Postanowiła raz jeszcze, na spokojnie, przejrzeć zdjęcia, również te z wypadku. Jakby liczyła na to, że znajdzie na nich potwierdzenie swojej tezy… Właściwie nie było dnia, by nie pstrykała kilku fotek. Fotografowała mieszkańców, ulice, zabudowę. Wszystko.

Nauczycielkę znalazła zaledwie na kilku zdjęciach. Za każdym razem, gdy na jakimś pliku odkrywała postać Magdy, przechodził ją nieprzyjemny dreszcz. Mimo to porównywała zdjęcia, powiększała, dokładnie analizowała wszystko, co znalazło się w kadrze.

Na jedną z fotek zwróciła szczególną uwagę. Niebieski citroen berlingo zaparkowany przed cmentarzem. Przy kolejnym przybliżeniu udało jej się dostrzec w środku nauczycielkę i kierowcę, znanego jej ze sprzeczki na zapleczu sklepu Silnego. Rozpoznała go po kolorowej, wełnianej czapce. Choć nie miała pewności, wyglądało na to, że się kłócili. Kim, do cholery, jest ten facet?, zastanawiała się. Od dłuższej chwili drapała się w tył głowy, jakby to mogło przyspieszyć znalezienie odpowiedzi na nurtujące ją pytanie.

Z odrętwienia wyrwało ją energiczne stukanie do drzwi. Po chwili usłyszała piskliwy głos Maliny, nakazujący wpuszczenie go do środka.

– Ma pani zakaz opuszczania miasta! – zakomunikował jej, gdy odciągnęła zasuwę.

– Serio? – spytała, nie mogąc powstrzymać śmiechu. Policjant był naprawdę malutki.

– To chyba oczywiste, że jest pani na liście podejrzanych. A śledztwo dopiero się zaczyna! – Malina groził palcem.

– Byliśmy na ty, zapomniałeś? Poza tym ja się nigdzie nie wybieram. No i oczywiście nie stratowałam tej nauczycielki.

– Skąd wiesz, jakie ma obrażenia? Odgrodziliśmy ją taśmą od gapiów. – Policjant poprawił czapkę, wysunął dolną szczękę i zmrużył oczy. Chciał wyglądać strasznie.

– Bo widziałam. Daj spokój. – Marta chwyciła za klamkę, by przymknąć drzwi. Wiatr od rzeki był ciut za rześki.

– Jak na razie to masz motyw. I to nie byle jaki!

– O, zaskoczyłeś mnie. Nie mam motywu, bo nie wierzę w te wasze bzdury, przecież ci wczoraj mówiłam – odpowiedziała komisarzowi, ale poczuła dziwny wewnętrzny niepokój. Ani razu nie przyszło jej do głowy, że mogłaby się znaleźć na liście podejrzanych.

– Mówienie i zabijanie to dwie różne rzeczy. Teraz jadę na naradę, a potem zaczynam śledztwo. Jakby co, przesłucham cię w pierwszej kolejności. Zobaczysz mnie w akcji! – Malina uśmiechnął się, akcentując ostatni wyraz. – To będzie lepsze niż wywiad.

No tak, jeszcze ten pseudowywiad. Ale może to będzie okazja do poznania jakichś szczegółów – pomyślała, odprowadzając go wzrokiem za furtkę.

Stała jeszcze chwilę w oknie, drapiąc się w tył głowy. Pewnie dochodziła piąta, bo robotnicy energicznie opuszczali zakład kowalstwa artystycznego. Gdy w końcu wyszedł majster, a furtka się zatrzasnęła, znów zadzwoniła do Janka. W tym czasie poprawiła mrówczą orkiestrę; muzyk z trąbką stał nieco za daleko. Janek nie odbierał.

– Nareszcie oddzwaniasz! – krzyknęła do słuchawki.

– Latałem, wiesz? Było cudownie! – euforycznie opowiadał o swoich zajęciach. – Zabiorę cię wszędzie!

– W Mille był wypadek. – Starała się mówić spokojnie, choć nie mogła powstrzymać drżenia rąk. Drugą ręką podtrzymywała słuchawkę.

– Co? Jaki? Jest trup? – zadawał pytania jak policjant. Marcie zapaliła się czerwona lampka. Odpowiedziała najspokojniej, jak umiała: – Tak, nie żyje Magda Gołczyńska. Ktoś ją potrącił i zwiał.

– Tylko się nie zamartwiaj, przerywam zajęcia. Jutro będę, dobrze? To nie przez ciebie, słyszysz? – Janek krzyczał, jakby za chwilę miało mu zerwać połączenie.

– Spokojnie. Wiem, że nie przeze mnie. Ale nie chcę być tutaj sama. Jeśli możesz zawiesić te zajęcia, to…

– Będę jutro. Nie martw się. Kończę, bo instruktor na mnie macha. Musimy wszystko omówić.

Rozłączył się. Mężczyźni mają niebywałą zdolność szybkiego, chłodnego kończenia rozmów. Chciała usłyszeć od niego coś miłego albo uspokajającego. Ale on był w siódmym niebie. Dosłownie i w przenośni. Nie chciała mu psuć tej radości. Przecież jutro wróci i pogadają.

Próbowała zracjonalizować kiełkujące w niej uczucie. Strach wydawał się najlepszym wyjaśnieniem. Bała się tego, co działo się z nią i poza nią.

Zmierzch zapadał wyjątkowo spokojnie. Marta, gotowa do wyjścia, obserwowała jeszcze przez szpary w okiennicach zmieniające się barwy na niebie. Włożyła ciepły sweter, otuliła się szalem, spakowała latarkę i pojemnik z gazem. Na wszelki wypadek. Już dawno powinna być w „Rzymie", ale jakiś wewnętrzny niepokój nie pozwalał jej wyjść. Przypomniała sobie noc w barze, znalezione tam zabawki i serdeczną Włoszkę. Była ciekawa, jak wygląda jej ukrywana sześcioletnia córka. Z pewnością miała ciemną karnację i śliczne włosy. Po chwili przed oczami stanęły jej rozrzucone na asfalcie włosy Magdy. Ubłocone, takie już nieważne i niczyje. A jeszcze dzień wcześniej pewnie starannie wyczesane, misternie układane i pieszczone.

– Wyjaśnię to! – powiedziała na głos. Szybko zabrała torbę i wyszła z domu. Po wczorajszym deszczu piasek na drodze od domu Janka był niemal czarny. Pasował do bezgwiezdnego nieba.

Rynek był prawie pusty i cichy. Nawet psy nie szczekały tak głośno jak zawsze. Nie docierały do niej żadne śmiechy czy pokrzykiwania. Miała wrażenie, że ludzie zamknęli się z powodu tego wypadku, dosłownie i w przenośni. W domach, gdzie ktoś mieszkał, były zapalone wszystkie światła, jakby to miało odpędzić złe moce.

Gdy dochodziła do sklepu Silnego, postanowiła wejść po papierosy. Otwierając drzwi, usłyszała gwizd świstaka. Ale Klaudiusz nie zareagował. Siedział na wprost, na swoim krześle, i patrzył w przestrzeń. Podeszła do lady.

– Poproszę papierosy i paczkę kukułek. – Próbowała wypaść naturalnie, choć tak naprawdę cała się trzęsła.

Masz odwagę – wycedził. Bez odrywania od niej wzroku sięgnął po paczkę i położył przed sobą. Nie podał ceny, nie nabił jej na kasie.

– Przykro mi. – Marcie przyszedł do głowy tylko ten idiotyczny banał.

– Powinnaś być zadowolona. Witamy w Mille i życzę wszystkiego dobrego na nowej drodze życia. A te fajki to prezent. – Klaudiusz, pozostając wciąż w tej samej pozycji, zrzucił paczkę vogue'ów i cukierków na podłogę. Marta je podniosła i zostawiła banknot na ladzie.

Widok niebieskiego, brzęczącego neonu zadziałał na nią kojąco. Przyspieszyła kroku, by jak najszybciej znaleźć się w „Rzymie". Stanęła przed szybą, dokładnie tak jak pierwszego dnia. Obserwowała migoczące w oknie ogniki papierosów, dosłyszała przez szparę głos spikera radiowego. W końcu drzwi z łoskotem uderzyły o kratę.

– Co tak stoisz, chodź! – Zniecierpliwiona Włoszka nawoływała Martę.

Dziennikarka weszła do środka. W rogu siedział pijany ksiądz Andrzej, przy drugim stole stary Markuszewski. Wyglądali jak pozostawione przed kilkoma dniami woskowe figury. Przy pierwszym stoliku urzędowało czterech mężczyzn, znanych Marcie tylko z widzenia. Ewidentnie byli pijani, przekrzykiwali się arogancko, ale gdy tylko przekroczyła próg, na chwilę zamilkli i teatralnie odwrócili od niej głowy.

– To nie Klaudiusz! – Marta szepnęła do Włoszki.

– Co?

– To nie on. Bardzo cierpi.

– Cierpieć też można na pokaz. Mordercy to zwykle dobrzy aktorzy. O matko! – wykrzyknęła Włoszka.

Ksiądz Andrzej wyprostował się i podniósł brew.

– Nie możesz chodzić tam sama! Przecież on mógł cię zabić! – Sophia zrobiła na piersi znak krzyża.

– Przestań, w sklepie?

– Wszystko jedno. – Barmanka wachlowała się plastikowym menu.

– Ale jaki miałby motyw? – Marta usadowiła się na swoim ulubionym stołku. – Motyw, według Maliny, to ja miałam!

– Jezus Maria, no tak, tak to może wyglądać. – Sophia przytakiwała nerwowo. Po chwili zniknęła na zapleczu, a Marta zapaliła papierosa. Próbowała zebrać myśli. Gdy spokojnie wydmuchiwała dym, tuż za białą chmurą dojrzała twarz Markuszewskiego. Czerwoną, pooraną bruzdami.

– Przepraszam, zamyśliłam się.

– Malina będzie chciał panią wrobić, proszę uważać. – Milicjant spokojnie skończył zdanie.

– E tam, przecież to brednie. – Starała się więcej na niego nie dmuchać.

– Trup to nie brednie. I powiedziałem, że to Malina będzie chciał, a nie ja.

– Ale…

– Ja wiem, że to nie pani. Ale co z tego? – Markuszewski wzruszył ramionami.

– No właśnie, może będzie pan mógł mi jakoś pomóc? – Chciała zachęcić starego do rozmowy i być może do włączenia się w jej prywatne śledztwo.

– Niech pani nie żartuje. Jeszcze ćwiarteczka będzie! – Markusz machnął do Włoszki i wrócił na swoje miejsce.

Wyciągnął nogi i zakrył twarz kapeluszem. Marta usiadła przy jego stoliku.

– Nawet jeśli podejrzany to pana syn?

Pijaczyna drgnął, ale nie zmienił pozycji. Nade wszystko chciał zostać sam. Ona spokojnie czekała, kątem oka obserwując drzemiącego księdza.

– Nie będę z panią rozmawiać, on nie ma z tym nic wspólnego! – Markuszewski wreszcie opuścił kapelusz, a gdy Włoszka doniosła butelkę, drżącą ręką nalał wódki do swojego kieliszka.

– Naprawdę? Przecież byli z Magdą parą, tak jak z Celiną.

Milicjant zatrzymał kieliszek na wysokości ust. Wpatrywał się w nią bladoniebieskimi oczami.

– To nieprawda, nie zmusi mnie pani do niczego takimi bredniami – powiedział szeptem i wlał zawartość kieliszka do gardła. Po chwili jego szyja poczerwieniała, jakby nabawił się szkarlatyny, ale tylko czknął i nalewał sobie następne kolejki, które w milczeniu wypijał.

– Czyli nic pan nie wie o tym, że coś ich łączyło?

– Nieprawda! – wykrzyknął, z ledwością próbując wstać. Zrzucił ze stołu flakonik z plastikową różą.

Przebudzony ksiądz podbiegł do starego i siłą z powrotem posadził go na krześle. Pijani mężczyźni z pierwszego stolika wybuchnęli śmiechem.

– Mało pani jeszcze? – Ksiądz Andrzej obrzucił Martę wściekłym spojrzeniem i przyklęknął obok krzesła starego.

– A panu? – Marta odwzajemniła ton. – Czyje pan zajął miejsce?

Wystraszona Włoszka zakryła twarz dłońmi. Marta stanęła nad pochylonym księdzem, ta postawa dawała jej pewną przewagę.

– Nie teraz. – Proboszcz nerwowo poprawiał włosy.

– Jak zwykle „nie teraz", zamiećmy to pod dywan. W tym jesteście świetni! Nie ma problemu, tak? Kto wtedy zginął, co? – Marta wysunęła dolną szczękę i potrząsała głową.

– Czego pani chce? – Ksiądz wreszcie wstał i choć podpierał się na ramieniu milicjanta, sprawiał wrażenie nieco trzeźwiejszego.

– Żeby ksiądz mi pomógł – powiedziała już spokojniej. Wiedziała, że uderzyła w czułą strunę. Pewnie od śmierci Francesca był w takim samym dole jak ona dzisiaj. Ale on od ponad trzech lat nic z tym nie zrobił.

– To znaczy? – Wyprostował się, wypiął pierś i wyżej podniósł głowę.

– Chcę przejrzeć wszystkie księgi parafialne…

– Dobrze. – Rozłożył ręce. – Proszę przyjść na plebanię. Niewiele z tego zostało, ale przecież nie mogę zabronić wglądu nowej parafiance. Nic z tego pani nie wyczyta, niejeden próbował wszystko odtworzyć, z marnym skutkiem. – Popukał się wymownie w czoło. – Panie Bolesławie, kolejeczka?

Markuszewski skinął głową. Włoszka nalała wódki do kieliszków. Sama wychyliła jeden naprędce, po czym wypuściła powietrze i wytarła usta. Ksiądz Andrzej dosiadł się do Markuszewskiego, demonstracyjnie tyłem do Marty.

– Sophia, pójdę już, chcę zebrać myśli, przejrzeć zdjęcia, notatki. – Marta mówiła jak w gorączce.

– Wciągnęłaś się jednak, co? – Barmanka kiwnęła głową i oblizała spieczone usta.

– Nie pozwolę się zniszczyć, tak jak on… – Witecka wskazała na księdza – tylko dlatego, że jestem na miejscu Magdy. – Zgięła palce, biorąc ostatnie zdanie w cudzysłów.

– Wypadki się przecież zdarzają. – Włoszka się zamyśliła.

– No właśnie, to dlaczego kierowca nie udzielił jej pomocy? Nie wezwał karetki? Dlaczego zwiał?

– A może to ktoś przejezdny? Pewnie był pijany. Żadnych świadków i szukaj wiatru w polu! – Sophia mówiła wolno, kiwała głową i zastanawiała się nad swoimi przemyśleniami.

– Prawdę mówiąc, myślałam o tym, ale chcę przejrzeć księgi parafialne. Policzę tam wszystkich od czasów tej waszej Kaśki. Udowodnię, że od lat nie macie racji. A teraz spadam.

– Uważaj na siebie. – Przyjaciółka pocałowała Martę na pożegnanie.


„Uważaj na siebie" – to ostrzeżenie ciągle siedziało jej w głowie. Czuła niepokój. Gdy znalazła się na rynku, usłyszała głośny trzask. Rozejrzała się, ale nikogo nie dostrzegła. Miasteczko wyglądało na wymarłe. Gdzieniegdzie w oknach widziała niebieską poświatę. Odetchnęła i ruszyła w stronę domu, ale usłyszała za sobą kroki. Gdy zwolniła, ktoś również zwolnił. Nie umiała

155

ocenić odległości ani miejsca, skąd dochodziły odgłosy. Przyspieszyła, a wtedy usłyszała za sobą tupot nóg. Gdy dotarła do poczty i miała skręcić w boczną, ciemną drogę prowadzącą do domu Janka, nogi miała jak z waty. Zatrzymała się. Na rynku była w miarę bezpieczna. Do odgłosu kroków doszły uderzenia czymś w metalowe ogrodzenie. Sięgnęła po gaz. Choć od domu dzieliło ją zaledwie kilkanaście metrów, był to najgorszy odcinek; piaszczysta droga prowadząca nad rzekę była nieoświetlona i wiodła przez krzaki. Uderzenia w płot stały się bardziej miarowe. Marta wiedziała, że ten, kto ją śledzi, jest blisko. Odwróciła się, by sprawdzić, czy Klaudiusz jest w sklepie, ale witryna była wygaszona.

– Nie boję się ciebie! – krzyknęła najodważniej, jak umiała.

Uderzanie ustało. Przypominała sobie wszystko, czego się dowiedziała o klątwie. – Pamiętaj, że jak mi coś zrobisz, to będziesz cierpiał. Szalona Kaśka ci nie daruje! – krzyczała Marta i bezskutecznie wypatrywała jakichś przechodniów. Po chwili znowu usłyszała odgłosy uderzeń. Najpierw mocnych, a potem delikatniejszych. Zacisnęła w ręku klucze. Nabrała powietrza i najszybciej, jak umiała, pobiegła do bramy. Gdy wreszcie się za nią znalazła, wypuściła powietrze. Poczuła spływające po czole kropelki potu. Uderzenia w ogrodzenie osłabły, choć nie ustały. Zrozumiała, że prześladowca został na swoim miejscu.

# ROZDZIAŁ 10

Wskazówka odmierzająca sekundy na budziku z fluorescencyjnym cyferblatem dochodziła do dwunastki. Wybiła szósta rano, zegar wydał sześć piknięć. Marta usnęła z laptopem, który teraz niebezpiecznie wystawał za krawędź łóżka. Przebudziła się, rozmasowała zdrętwiałą nogę i schowała komputer pod kołdrę. Było zdecydowanie za wcześnie, by wstawać.

Po kilku chwilach usłyszała natarczywe walenie do drzwi. Na wpół śpiąca podeszła do okna. Widok natychmiast ją rozbudził. Za płotem stały dwa radiowozy z włączonymi kogutami, na podwórzu rozstawieni i uzbrojeni policjanci bacznie obserwowali dom. Z pewnością dostrzegli jej kontur za firanką. W zdumieniu nie mogła ruszyć się z miejsca.

– Komisarz Piotr Malina, policja! Mam nakaz zatrzymania! Proszę w tej chwili otworzyć drzwi, inaczej wejdziemy siłą! – Jego głos był wyższy niż zwykle.

W końcu odsunęła zasuwę, a policjant wślizgnął się jak zwinny kot, zręcznie ją omijając.

– Gdzie on jest? – spytał, nerwowo rozglądając się wokół.

W tym czasie do środka weszło trzech kolejnych policjantów. Nie znała żadnego z nich, nawet z widzenia.

– Ale kto? – Z całych sił rozciągała T-shirt, by zasłonić pośladki.

– Czy mieszka tu Jan Krokos, lat trzydzieści sześć, syn Franciszka i Genowefy?

– Co ty gadasz? No przecież wiesz, że mieszka. Swoją drogą przynajmniej poznałam imiona jego rodziców. – Marta uśmiechnęła się do komisarza. Miała nadzieję, że uda jej się rozładować napięcie, ale Malina tylko spojrzał i pokręcił głową.

– Mamy nakaz zatrzymania. – Zamachał jej jakąś kartką przed nosem. – Dlatego bardzo proszę o odpowiedź.

– Janka nie ma, jest na kursie dla pilotów. Dlaczego chcesz go zatrzymać? – Marta narzuciła szlafrok, przez otwarte drzwi wdzierał się do domu wiatr.

– Jest podejrzany o potrącenie ze skutkiem śmiertelnym niejakiej Magdaleny Gołczyńskiej – ogłosił triumfalnie Malina.

– Jezus Maria… – Opadła na krzesło.

– Tak to się kończy, jak się bzyka z kim popadnie. – Policjant zaczął rechotać, a obecni funkcjonariusze mu zawtórowali.

– Spieprzaj stąd! – Wskazała ręką drzwi. – Przeginasz.

– No, jeszcze nam dojdzie znieważanie organów ścigania. No, no, nieźle. Dobrze, podaj adres, gdzie obecnie przebywa podejrzany.

– Nie wiem – odparła trochę bezradnie. Nagle dotarło do niej, jak mało wie o Janku, a poza tym uświadomiła sobie, że wyjeżdżał z miasta właśnie w noc wypadku. Niedobrze, pomyślała i zaswędziało ją z tyłu głowy. Powstrzymała chęć podrapania się, zwijając dłoń w pięść.

– Sprawdzimy to. – Komisarz zamachał na pozostałych policjantów. – Jak tylko się pojawi, proszę o kontakt. Masz telefon do mnie. – Puścił oko.

– Dziś wraca, pewnie będzie za kilka godzin – powiedziała cicho, bardziej do siebie niż do policjanta.

Co ja mam robić? Gdy tylko trzasnęły drzwi, usiadła z tym pytaniem na brzegu łóżka. Wzięła komórkę i patrzyła na wyświetlacz. Zgubiło ją to cholerne zauroczenie Jankiem. Jak to możliwe, że nie przyszło jej do głowy, że to właśnie on mógł spowodować wypadek? Po pierwsze, jechał rano tą drogą samochodem, a po drugie, może chciał zrobić miejsce właśnie jej…

– Ten pieprzony tysiąc – zaklęła na głos.

Ale jeśli to był wypadek, to może klątwa naprawdę działa? Nikt nie planuje nieumyślnego spowodowania śmierci. Marta zapisała wszystkie swoje wątpliwości w laptopie. Obawiała się, że zbyt duża dawka emocji osłabi jej czujność i pozbawi ją dystansu do tej sytuacji.

Dochodziła siódma, przyszedł SMS od Janka: „Śpisz?".

Nie potrafiła odpisać, zupełnie na serio czuła lęk przed swoim kochankiem. Ten miniglina miał w sumie rację, nie znała kowala. Nie wiedziała, do czego jest zdolny i jaką ma przeszłość. Ale przecież skurwysynem może okazać się nawet przyjaciel od dziecka albo nawet brat. Czy mamy jakiekolwiek prawo sądzić, że kogoś znamy naprawdę?

Marta nie mogła przestać analizować tej sytuacji, nie odpisała na wiadomość. Dopiero po kwadransie i po kubku gorącej kawy zaczęła myśleć racjonalnie. Janek musi mieć szansę wytłumaczenia się. Postanowiła wziąć prysznic.

Mocny strumień wody uderzał w nią jak bicz, ale szybko oswoiła się z bólem. Rozpuściła włosy, podniosła głowę i wystawiła twarz jak do słońca. Ciężko spadające krople masowały jej zbolałe ciało, a szum wody odgradzał ją od rzeczywistości. Zamknęła oczy.

Nagle na plecach poczuła zimny powiew. Wystraszona, odwróciła się i mimo unoszącej się pary dojrzała kogoś za kabiną.

– Kto tu jest? – krzyknęła, zrywając ze ścianki ręcznik. Zakręciła wodę. – Janek, to ty?

– A kogo się spodziewałaś? – odpowiedział wesoło, otwierając drzwiczki kabiny. Stał nagi, gotowy do seksu.

– Nie cierpię takich niespodzianek, mówiłam ci! – zaczęła krzyczeć. Wybiegła, odpychając go. Wciąż ociekająca wodą, zatrzymała się dopiero na dole, w salonie. Dygotała na całym ciele. Metodycznie i powoli wycierała każdą kroplę, jakby ten rytuał miał ją uspokoić.

– Kochanie, co ci jest? – Przyszedł po kilku chwilach i próbował objąć ją ramieniem.

Odsunęła się.

– Myślałem, że się ucieszysz na mój widok.

– Jesteś poszukiwany. O szóstej rano pieprzony Malina wlazł tu z nakazem zatrzymania. Możesz mi to wytłumaczyć? – Marta nieporadnie wkładała spodnie, chwiejąc się na jednej nodze.

Patrzył na nią zdezorientowany.

– Dlaczego cię szukał? Chcę usłyszeć całą prawdę! – Trzęsła się, a woda z ociekających włosów tworzyła coraz większą kałużę.

– Nie wiem, Martuś. – Janek usiadł na sofie, schował twarz w dłoniach.

– To dlaczego ma nakaz? Przecież do tego potrzebna jest zgoda prokuratora, nie dziwi cię to tempo? – Podeszła do niego i zaczęła go szarpać.

– Dziwi, ale sama widzisz, co tu się dzieje. A nie chciałaś wierzyć. – Westchnął. – I znowu jest nas tysiąc. Ale ja nie mam z tym nic wspólnego, rozumiesz? Wypadek, potrącenie – to nie pierwszy raz tutaj. Tak się reguluje liczba mieszkańców. Przecież to wiesz.

– Chcę zobaczyć twój samochód, teraz! – Stała w drzwiach, gotowa do wyjścia.

– Stoi przed domem, idź sprawdź, detektywie! – Janek był zły. Nie tak wyobrażał sobie ten poranek. Usłyszał trzaśnięcie drzwiami.

Marta odetchnęła na ganku. Tuż przed wejściem, na podjeździe, tyłem do domu, stał hipsterski, czerwony duży fiat.

Nieruchomo przyglądała się bagażnikowi auta. Serce łomotało jej jak oszalałe. Wiedziała, że musi natychmiast sprawdzić, czy przód nie ma śladu po zderzeniu. Wiał silny wiatr, deszcz siąpił, jakby nie mógł się zdecydować. Zimne krople i kilka podmuchów zmusiły ją do pierwszego kroku. Czuła, jak uginają się pod nią kolana. Kątem oka dojrzała stojącego w oknie Janka, trzymał w ręku jednego z mrówczych muzykantów.

Zbliżyła się do przedniego błotnika od strony pasażera. Dotykała blachę ręką, ale nie czuła wgnieceń. Próbowała wyobrazić sobie, jak mogło dojść do tego wypadku.

Ciało znaleziono po prawej stronie drogi, patrząc od strony miasteczka. Nauczycielka zapewne została uderzona w plecy, ponieważ leżała na brzuchu. Zatem wyjeżdżający z miasta samochód potrącił ją od strony pasażera. Marcie w tym wnioskowaniu coś nie grało, ale nie umiała sprecyzować, co dokładnie.

– Cholera, nie znam się na tym – zaklęła w duchu i stanęła przed maską. Prawy reflektor był lekko pęknięty, ale nic poza tym. Pozostałe części pozostawały w stanie nienaruszonym.

– I co, przejechałem ją? – Janek stał na ganku i wpatrywał się w nią zmrużonymi oczami; wiedziała, że jest zły.

– Masz uszkodzone światło – odpowiedziała najspokojniej, jak umiała.

– I o czym to świadczy? – Usiadł na schodach – No, słucham?

– Nie wiem. – Wzruszyła ramionami. Na szczęście na tyle, na ile się znała, auto nie wyglądało na takie, które uczestniczyło w wypadku.

– Przypominam ci, że twoje auto też nie ma reflektora… – Wskazał na nieodległy warsztat. – I nie twierdzę, że ją potrąciłaś, ani tym bardziej że zrobiłaś to celowo. Uważam, że wypadek spowodował ktoś obcy i zwiał. I nie znajdziemy go, bo nie było żadnych świadków. Wypadki to u nas — powiedziałbym — chleb powszedni. A teraz idę do Maliny. Jakby co, to palę i nie lubię cebuli! – Wstał ze schodów, otrzepał spodnie i ruszył do bramy.

Martę zatkało. Kompletnie nie umiała odczytać intencji Janka, nie wiedziała, kiedy żartował, a kiedy mówił poważnie.

Zrezygnowana, poszła do warsztatu. Na kanale stał jej peugeot. Położyła dłonie na masce. Po tym, jak w pierwszą noc ktoś stłukł jej prawy reflektor, nie przyglądała się uszkodzeniom, ale teraz zauważyła wgniecenia wokół światła i jasnobrązowe zarysowania. Ktoś to zrobił celowo, to oczywiste, pytanie tylko, czy to na pewno był tylko głupi kawał?

Mijały godziny, a Janek nie wracał, nie odbierał telefonu. Jej początkowa złość przeszła w jakąś tkliwość. Domyśliła się, że Malina go zatrzymał. Sięgnęła po telefon.

– Witaj, Piotr, musimy porozmawiać!

– O, pani dziennikarz, miło mi. – Usłyszała w słuchawce piskliwy głos policjancika. – A o czym? Czy raczej – o kim?

– Nie rozumiem… – poczuła się wytrącona z równowagi.

– O kim chcesz rozmawiać? Czego tu można nie rozumieć? – Zaczął się śmiać. – O mnie, o Krokosie czy o tobie?

– Co z Jankiem?

– Jednak o nim? A wywiad? – spytał tonem małego dziecka, któremu zabrano cukierek.

Miała ochotę wykrzyczeć temu gówniarzowi, że ma to wszystko gdzieś, ale uznała, że w ten sposób nic nie załatwi.

– Wywiad na pierwszym miejscu, to wiadomo! – odpowiedziała z udawaną wesołością.

– To za kwadrans będę gotowy. – Malina skończył pospiesznie.

Dupek jeden, pomyślała. Ale zmieniła baterie w dyktafonie, wzięła aparat, poprawiła fryzurę. Użyła swoich ulubionych perfum Dune i w kilka minut była gotowa.

Zapach Dune zawsze przynosił jej ukojenie. Woń osmolonego drewna łączyła się z jej skórą w cudowny duet. Jeszcze przed bramą zaciągnęła się przyjemnym aromatem i nabrała animuszu, jakby była uzbrojona.

Miasteczko powoli wracało do utartego rytmu. Z poczty niezmiennie dobiegał stukot datowników, a w sklepie „U Silnego" znowu była kolejka. W cukierni, przy stolikach, tłoczyło się sporo dzieci. Wszystkie jadły słodkie bułki, podczas gdy matki obok plotkowały. Choć nie mogła ich słyszeć, to potrafiła wyobrazić sobie te jazgotliwe tony. W sumie nie powinna dziwić się ich poruszeniu, zginęła nauczycielka.

Z ośrodka zdrowia wprost na Martę wyszedł Markuszewski. Zwolniła i zrównała się z nim. Zmierzali w tę samą stronę, ale po kilku metrach stary przystanął. Przy stolarni usiadł na drewnianej ławce, zdjął kapelusz i poluzował szalik. Nie mógł złapać tchu. Wyciągnęła z torby plastikową butelkę.

– Co panu jest? Może wody? – Uklękła i spojrzała staremu w twarz. Miała wrażenie, że w ciągu kilku godzin przybyło mu bruzd, a broda bardziej posiwiała.

– Nie trzeba. – Markuszewski odsunął się.

– Potrzebuje pan jakichś lekarstw?

– Dlaczego?

– No, wyszedł pan od lekarza. – Wskazała głową na ośrodek zdrowia.

– A pani myśli, że tylko chorzy chodzą do lekarza? A pani co dolega? – Milicjant nawet nie starał się być miły.

– Rzeczywiście, to nie moja sprawa! – Marta wstała.

– Tak to pani tej zagadki nigdy nie rozwiąże. Musi pani zobaczyć więcej, niż chcą pokazać, usłyszeć więcej, niż chcą powiedzieć, i nie pytać wprost.

– Dziękuję za rady, poradzę sobie. – Miała dość tego gbura. Zwątpiła w to, że kiedykolwiek mógłby jej pomóc.

– A Malinę niech pani spyta o Franciszka Lajna. To jego pierwsze śledztwo. Znalazł sprawcę. A raczej sprawczynię, czyli suchą gałąź, o którą niby zawadził młody Lajn! – Milicjant zaczął się śmiać.

Pomyślała, że zakompleksiony, łasy na komplementy Malina, ten nieudacznik, który lubi błyszczeć w świetle fleszy, musiał bardzo zaleźć Markuszowi za skórę.

– Dziękuję – odpowiedziała i nawet jej nie zdziwiło, że stary wiedział o planowanym wywiadzie. Dałaby sobie rękę uciąć, że wiedział o wszystkim, co działo się na komisariacie. Przyszło jej nawet do głowy, że wciąż tam przychodzi, czyta akta spraw i przegląda bieżące dokumenty.

Kwaśną woń stęchlizny wyczuła jeszcze przed furtką. Punkt policyjny od dawna wymagał remontu, ale nie było komu o to zadbać. Malina z pewnością nie będzie narzucał się burmistrzowi, zniesie wszystko dla dobra miasteczka.

Stanęła przed drzwiami. Nie miała ochoty na żaden wywiad, ale była to jedyna możliwość, by dowiedzieć się czegoś o tutejszych sprawach. Spojrzała z niechęcią na zieloną lamperię na korytarzu i paskudne linoleum. Drzwi do pokoju po prawej stronie były uchylone. Tak jak się spodziewała, w zakratowanym pomieszczeniu zobaczyła Janka. Spał na zdezelowanej polówce, nakryty kurtką pilotką. Cicho, na palcach, podeszła bliżej. Zwinięty stary koc pod głową pełnił funkcję poduszki, na zlewie wisiała ścierka, a od starego, okratowanego okna ciągnęło chłodem. Ścisnęło ją w gardle.

– Janek…

– Odwiedziny są zabronione! – Usłyszała za sobą piskliwie chłopięcy głos. – Zapraszam do siebie. – Malina wskazał pokój naprzeciwko.

Gdy wyszli z aresztu, dodatkowo zamknął go na zasuwę.

– Oj, nie przesadzaj – powiedziała nieco zrezygnowanym głosem. Znowu zaswędziało ją z tyłu głowy. Wbiła paznokcie w podrażnione miejsce, co przyniosło chwilową ulgę.

– To główny podejrzany! – Policjant poprawił krawat.

Dopiero teraz dostrzegła, że ma na sobie galowy mundur, białą, wyprasowaną koszulę, a na ścianie pojawił się jakiś nowy certyfikat. Dobrze, że wzięła ze sobą aparat. Jej stary canon z wielkim obiektywem sprawiał wrażenie profesjonalnego sprzętu.

– Zanim zaczniemy właściwy wywiad – odezwała się, najuprzejmiej jak umiała – chciałabym dowiedzieć się czegoś więcej na temat Janka.

– No nie wytrzymam! – krzyknął niemal płaczliwie.

– Dla dobra śledztwa nic ci nie mogę powiedzieć, to po

pierwsze. Po drugie, jesteś osobą obcą dla podejrzanego, więc zrozum wreszcie, że nie mam prawa nawet pisnąć na ten temat!

– Rozumiem – westchnęła. Pomyślała, że dowie się wszystkiego inaczej.

– A… no, i najważniejsze. Prokurator mi nie wierzy, że możesz mieć motyw, a ja uważam, że go masz. No nic, a teraz wracajmy do wywiadu. – Malina uśmiechnął się z satysfakcją.

Włączyła dyktafon. Wyciągnęła notes, w którym zapisała sobie interesujące ją kwestie. Policjant usadowił się z powrotem w swoim skórzanym fotelu. Złączył dłonie i w skupieniu wyczekiwał na pytania. Martę coraz bardziej swędziało z tyłu głowy, tuż nad szyją. Podrapała się i wyczuła niewielkie strupy.

– Na początku bardzo dziękuję, że mimo tylu gorących wydarzeń zgodziłeś się na wywiad.

– Myślę, że lepiej wypadnie, jak teraz będziemy mówić sobie na pan. – Mrugnął okiem. – Tak, droga pani, jestem bardzo zajęty. Prowadzę nowe śledztwo. Obecne okoliczności i moje doświadczenie pozwalają mi przypuszczać, że szybko ujmę sprawcę.

– No właśnie, Mille ma duże szczęście, że to właśnie pan pilnuje tu porządku…

Malina opowiadał dużo i chętnie. Z upływem czasu skóra swędziała ją coraz bardziej i gdy kolejny raz podrapała się z tyłu głowy, wyczuła krew. W dużym stresie nie umiała powstrzymać tego odruchu. Z premedytacją, ale i w „tajemnicy", zrywała kolejne strupy.

167

Mniej więcej po dwóch godzinach zadzwoniła komórka Maliny. Spojrzał na wyświetlacz.

– To prokurator. – Skrzywił się. – Muszę odebrać, taka praca.

– Jasne, i tak już chyba skończyliśmy. – Wyłączyła dyktafon.

Komisarz nacisnął zieloną słuchawkę na aparacie.

– Tak, po pierwszym przesłuchaniu. Krótka piłka – meldował pewnym głosem do słuchawki. Po chwili spojrzał na zegarek. – Dobrze, będziemy gotowi. Czekam. – Odłożył telefon. – No tak, jest przełom, muszę się wziąć do pracy. Dziękuję za przemiłą rozmowę.

– To ja dziękuję. – Marta spakowała rzeczy do torby.

– A zdjęcie? – Spojrzał na wystającą ze środka lufę obiektywu.

– Racja, już robię.

– A kiedy będziemy mogli spodziewać się publikacji? – spytał niby mimochodem, pozując na tle obskurnych ścian i certyfikatu.

– Mam nadzieję, że w następnym numerze. Od razu powiadomię! – Pospiesznie cykała zdjęcia. Z pewnością były to najgorsze fotki w jej karierze. – Może jednak z uśmiechem? – Ustawiała Malinę między ujęciami. – Tak, bardzo dobrze! Teraz z ręką pod brodą! Skończyłam. Świetna robota – wycedziła.

– No, jaki model, takie zdjęcia! – Policjant znowu puścił oko.

– A, proszę mi jeszcze powiedzieć, czy mogę mu przynieść kilka rzeczy? – spytała, wskazując na zamknięte drzwi po drugiej stronie korytarza.

– Wykluczone, dziś przysyłają tu technika, przyjeżdża prokurator. Będzie gorąco! – Malina zacierał ręce. – No już, już, wystarczy. – Nie zauważył, że dziennikarka od kilku chwil ma opuszczony aparat i nie robi już zdjęć.

Zmęczenie niemal ścinało ją z nóg. Choć dochodziła dopiero piętnasta, w miasteczku było szaro i pochmurnie. Wyraźnie poczuła, że jesień weszła już w przygnębiającą fazę, a ona wplątała się w jakąś obrzydliwą historię i w dodatku zrobiła z siebie idiotkę. Dotknęła głowy tuż nad karkiem, krew na palcach była nieprzyjemnie lepka.

– Marta, poczekaj! – usłyszała za sobą głos Włoszki.
– Tak? – Odwróciła się.
– Oj, jak ty źle wyglądasz. – Sophia wykrzywiła usta.
– Dzięki… – Witecka spuściła głowę. Zakrwawione opuszki wytarła o spodnie.
– Chodź, coś zjesz. Zrobię pyszne ravioli ze szpinakiem, świeżą ricottą i mięsem. – Przyjaciółka podniosła wypełnioną smakołykami reklamówkę. – Specjalne zamówienie od naszych chłopców!
– A życie toczy się dalej. Nie mam siły – westchnęła Marta.
– Bo nic dziś nie jadłaś. Nie ma dyskusji! – Włoszka machnęła torbą, jakby poganiała ją batem.

Po kwadransie obie siedziały w „Rzymie", popijając espresso. Zapach świeżych ziół wymieszanych z oliwą przyjemnie ożywił wspomnienia z wakacji we Włoszech. Wieczór we Florencji, zwiedzanie pięciu urokliwych miasteczek w Cinque Terre, piękne zatoki, odpoczynek na cudownej plaży w Forte dei Marmi i najlepsza pizza w malowniczej wiosce Borgo Giusto. Były tam razem z Anką. Beztroskie i szczęśliwe. Tak jakby zostały wycięte nożyczkami ze swojej codzienności.

– Jak ty mogłaś tu zamieszkać? – Marta patrzyła na krzątającą się Sophię, która sprawnie lepiła ravioli, nucąc jakąś włoską melodię.

– A ty? – Włoszka spojrzała na nią, zdmuchując z czoła kosmyk włosów.

– Co ty! – wybuchnęła. – Ja tu nie mieszkam!

– Naprawdę?

– Widziałam Janka, on tam, w tym miniwięzieniu, ma tragiczne warunki, a ten skurwysyn Malina nie chce mi pozwolić się z nim zobaczyć.

– A jak wywiad? – spytała przyjaciółka lekko kpiącym głosem.

– A to wszyscy już wiedzą?

– Jasne, od rana o tym opowiadał, jak gwiazda filmowa. – Sophia zaczęła się śmiać. Przedrzeźniała Malinę, naśladując jego piskliwy głos, co Martę naprawdę rozbawiło.

– No, nareszcie! – Włoszka przytuliła ją, ale ona zesztywniała.

– Powiesz mi wreszcie o Janku, dlaczego go zamknęli?

Kobieta westchnęła. Podkręciła gaz, zamieszała w garnkach.

Nagle drzwi baru uderzyły w kratę. Weszli zziębnięci, ale i rozbawieni chłopcy.

– Mamuśka, no, głodni jesteśmy! – Jędruś podbiegł do Włoszki i pocałował ją w rękę.

– Co ty, zgłupiałeś? – Machnęła ścierką.

170

– O, witamy! – Tym razem Dyzio skinął głową w stronę Marty.

– Widzę, że wszystko wróciło do normy, co? – Witecka zdobyła się na zgryźliwą uwagę.

– A co, mamy się zamartwiać? Czym? Że żyjemy? – Jędruś sadowił się na swoim fotelu pod oknem.

– Ale ktoś umarł. Wasza sąsiadka. – Próbowała jakoś dotrzeć do ich sumień.

Obydwaj wzruszyli ramionami.

– Nie pierwsza i nie ostatnia. Ale my żyjemy i zamierzamy to dziś świętować. Może czerwonego winka, Pysiu? – Jędruś zrobił dzióbek do Dyzia.

– Uważają się za ocalonych – szepnęła Włoszka. – To duża radość. Pozostali też dziś świętują.

Białe talerzyki z delikatną, złotą obwódką, wypełnione zgrabnymi ravioli, czekały na przybranie. Włoszka zręcznie układała liście szpinaku i suszone pomidory. Zapach rozpływającego się serka ricotta mocno działał na zmysły. Marta była niemiłosiernie głodna. Z przyjemnością skosztowała pachnącego Italią dania. Chłopcy usiedli przy oknie, ale co jakiś czas posyłali barmance buziaki. Smakowało im, co bardzo ją cieszyło.

– Sophia, pyszne. Ty się tu marnujesz! – Marta zachwycała się potrawą.

– E, zwykłe danie, daj spokój. Odłożyłam też dla Janka. – Przyjaciółka puściła do Marty oko. – Pogadaj z Markuszewskim. On pewnie będzie dyżurował, tak sobie dorabia.

– No właśnie, nie ma go. – Witecka rozejrzała się po barze.

– Siedzi w komisariacie. Jak Malina pojedzie, to przejmie więźnia. Wtedy mu zaniesiesz ravioli.

– Wspaniała wiadomość. Dziękuję ci.

– Drobiazg.

– A my dorzucimy flaszeczkę! – wtrącił się Jędruś.

– To nasz bohater! – Dyzio uniósł kieliszek na znak toastu.

– Sophia, powiesz mi, o co tu chodzi? – Marta spojrzała Włoszce prosto w oczy.

– Pani jej powie, i tak musi się w końcu dowiedzieć! – zachęcał Jędruś.

– Czy my nie możemy same porozmawiać? – Witecka fuknęła w stronę okna.

– O Jezuniu, chciałem tylko pomóc – odparł piskliwie chłopak i demonstracyjnie odwrócił się do niej tyłem.

– Janek jest bohaterem, bo uważają, że pozbył się ciężaru. – Barmanka z trudem dobierała słowa.

– Co to znaczy? Ja nic nie rozumiem.

– Wtedy, gdy zabił Aldonkę…

– Chyba zaraz zwariuję! Niemożliwe… – Marta głośno wypuściła powietrze przez usta.

– No, możliwe. Okoliczności śmierci są takie same – powiedziała Sophia, układając usta w podkówkę.

– Co ty gadasz? – Dziennikarka nerwowo rzuciła sztućcami na talerz.

– Dobrze, opowiem ci, ale obiecaj, że zachowasz spokój.

– Postaram się.

– Aldonka zginęła identycznie jak Magda. Samochód potrącił ją na tej samej drodze. Ale to był wypadek. Zresztą śledztwo wszystko potwierdziło, a kierowca dostał karę w zawieszeniu, bo i tak już się nacierpiał.

– Sorry, a co Janek miał z tym wspólnego? – Witecka traciła cierpliwość.

– To on był tym kierowcą.

– Słucham? Janek śmiertelnie potrącił swoją siostrę… – wyszeptała Marta, bardziej twierdząc, niż pytając, po czym zamilkła i schowała twarz w dłoniach. Przez kilka minut nie potrafiła wydusić z siebie słowa.

Długą ciszę przerwały nawoływania Dyzia:

– Może lekarza trzeba? Pewnie jest w szoku.

– Nie jestem w szoku – odpowiedziała spokojnie. – Teraz przynajmniej rozumiem, dlaczego go zamknęli. Malina powiązał fakty, krótka piłka… A teraz, słucham państwa, opowiadajcie wszystko szczegółowo.

Chłopcy dosiedli się do baru ze swoimi talerzami, Sophia napełniła winem kieliszki. Zapowiadał się długi wieczór.

– Rok temu, we wrześniu, były u nas potworne mgły. – Włoszka upiła łyk wina.

– Chyba najgęstsze w historii – wtrącił Dyzio.

– No, na metr nic nie było widać – przekonywała barmanka.

– Był wypadek, tak, Sophia? – Zniecierpliwiona Marta poganiała rozmówców. Drażniło ją, że ciągle nie mogą zacząć właściwej historii.

– No tak. Janek rano wyjeżdżał do tych swoich Niemców, miał zawieźć zamówione ogrodzenie. Spieszył się, tak po prawdzie to już po miasteczku gnał jak szalony. – Włoszka przewróciła oczami. – I przy krzyżu Kaśki wpadł

173

w poślizg. Nic nie widział, poczuł tylko, jak samochód wjeżdża na coś i miażdży to z potworną siłą.

– Bo miał te ogrodzenia na pace – dopowiedział przytomnie Dyzio.

– Wysiadł i pod kołami zobaczył zmasakrowane ciało dziewczyny. Poznał ją po kurtce, takiej dziwnej zielonej, jak ty masz. – Sophia wskazała na parkę Marty.

– To było ciało Aldonki. Ona była bardzo chudziutka, pamiętacie? – wtrącił Jędruś, a pozostali przytaknęli.

– Nie miała szans na przeżycie, a Janek takiego szoku dostał, że nic nie pamiętał. Oprzytomniał po kilku godzinach na komisariacie, do wszystkiego się przyznał i od razu chciał iść do więzienia. – Barmanka zakasłała, maskując wzruszenie.

– Malina prowadził śledztwo? – Marta przerwała milczenie.

– No a kto? I ten sam skład przyjechał, co teraz do nauczycielki – mruknął Jędruś. – Oni przecież nie wiedzą o naszej Kaśce.

– No właśnie, właśnie… A pamiętacie, jak wszyscy się bali jeszcze przed śmiercią Aldonki, świeć Panie nad jej duszą, gdy ta mała się urodziła? – wtrącił Dyzio. – No, ta Joleńka Bogaczów. Prawie miesiąc nas za dużo było. I to Janek nas uratował. Wszystkich.

Witecka spojrzała na Włoszkę, ale Sophia dyskretnie pokręciła głową.

– Właśnie, właśnie, odetchnęliśmy z ulgą. – Jędruś wsparł swojego chłopaka. – Pod koniec to ludzie z domów nie wychodzili, pamiętacie? Było nas za dużo i ktoś musiał wreszcie zginąć.

– Przestańcie już! – Marta podniosła głos.

– Pani nie ma zielonego pojęcia o tym, jak strach może paraliżować. I każdy wtedy jest wrogiem, choć jednocześnie przyjacielem w niedoli. Obłęd pukał do bram. – Dyzio dokończył zdanie podniosłym tonem.

– Marta, rzeczywiście tak było. – Włoszka pokiwała głową. – Janek został naszym bohaterem. Nawet zrzuciliśmy się na adwokata… No i miał pierwszeństwo, jakby się kolejne miejsce zrobiło.

– Rozumiem, że miał prawo, by kogoś tu sprowadzić? – Marta zrobiła palcami znak cudzysłowu. – I nie skorzystał?

– Eee, przez chwilę się z tą nową fryzjerką umawiał, ale ona zbyt dziecinna dla niego. Pani to co innego… – gwizdnął Dyzio.

– Dobrze już, ale co dalej było z Jankiem?

– Ze względu na okoliczności dostał wyrok w zawieszeniu. To był wypadek, siostra mu zginęła, i tyle… No ale teraz ma motyw…

– On tego nie zrobił. – Marta uderzyła ręką w stół. – Przecież to można udowodnić. Dziękuję wam, pójdę do niego. Pogadam z Markuszewskim, musi mnie wpuścić.

– Przekup go jedzeniem, spakowałam więcej. – Włoszka podała Marcie pojemniki z ravioli.

W tym momencie usłyszeli skrzypienie drzwi i głos księdza:

– Pochwalony!

– Idę już. – Dziennikarka zeskoczyła ze swojego hokera i położyła na stole banknot.

– Zmyka pani na mój widok. – Ksiądz Andrzej zdjął kaptur i pogroził Marcie palcem.

– Jeszcze przyjdę – odparła zdecydowanie. W trakcie wywiadu z Maliną udało jej się dotrzeć do okoliczności przyjazdu księdza. Miała pomysł, jak zmusić duchownego do współpracy.

Gdy wychodziła z „Rzymu", mimo niezbyt późnej pory miasteczko przygotowywało się już do zakończenia dnia. Na rynku dojrzała kilka zakapturzonych postaci. Szczęśliwie nikt nie zwracał na nią uwagi. Przystanęła na chwilę i przyglądała się temu miejscu, jakby widziała je na nowo. To dziwne – pomyślała – czuję się, jakbym miała prawo tu zostać... Jej uwagę przyciągnęła silnie oświetlona kwiaciarnia. Ciągnęło ją, by poznać właścicielkę, ale przecież czekał na nią Janek. Do komisariatu doszła w kilka minut, odważnie uchyliła bramę. W obydwu częściach domu świeciło się światło. Ucieszył ją ten widok.

Drzwi wejściowe były zaryglowane, a na mocne stukanie nikt nie reagował. Podeszła do okna, od strony gabinetu Maliny, i wspiąwszy się na palce, dostrzegła Markuszewskiego. Wertował papiery, od czasu do czasu zerkając w głąb pomieszczenia. Zastukała w szybę i za chwilę po drugiej stronie pojawił się stary.

– Panie Bolesławie, tylko na pięć minut.

Markuszewski pokręcił głową i odwrócił się od okna. Marta z ledwością dosłyszała, że z kimś rozmawia. Po chwili uchyliły się drzwi wejściowe.

– Szybko – warknął stary i Marta natychmiast weszła do środka. – Pięć minut, bo Malina mi nie daruje.

– Nie cierpię skurwysyna.

– No to już w drugiej sprawie się ze sobą zgadzamy. – Markuszewski zamknął drzwi, po czym zasłonił okna.

– Jesteś. – Janek uśmiechnął się do Marty, która stała w milczeniu pod kratą.

– Dlaczego nic mi nie powiedziałeś o Aldonce?

– Chciałem, ale jakoś nie było okazji. – Spuścił wzrok.

– Powiązali te sprawy, tak?

– Yhm – przytaknął i ciągle patrzył w podłogę.

Marta, choć w zasadzie byli sobie obcy, całkiem się rozkleiła.

– Obrażenia ciał są bardzo podobne – wtrącił Markuszewski, stając w korytarzu z plikiem dokumentów. Duże, poklejone taśmą okulary z ledwością trzymały mu się na końcu nosa. – Ale musimy poczekać na wyniki sekcji. Na moje stare oko wypuszczą cię za chwilę, choć Malina napisał, że nie masz alibi.

Janek skulił się jak dziecko.

– Nie chcę tu być – mruknął.

– Siedem złotych pytań… – Markuszewski zdawał się nie zwracać uwagi na stan zatrzymanego. – Co, gdzie, kiedy, jak, czym, dlaczego, kto. Nie mamy wszystkich odpowiedzi. Wyjdziesz zaraz, chyba że technicy coś znajdą, a Jacek, ta stara wyga, się uprze.

– Nic nie znajdą, bo on tego nie zrobił, panie Bolesławie – zapewniała starego Marta.

– Tego dziś nie wiemy. Z przesłuchania wynika, że pan Krokos nie współpracuje. – Markuszewski znowu zajrzał w papiery.

– Bo ma traumę, przecież pan to wie. – Witecka zwróciła się do starego z wyrzutem.

– Ale to nie ja prowadzę śledztwo – odpowiedział Markusz, nie odrywając wzroku od dokumentów.

Marta wiedziała, że jest w swoim żywiole. Trzeźwy jak nigdy, skupiony i zaangażowany.

– Wielka szkoda dla tego miasteczka i dla… Klaudiusza – mruknęła.

Spojrzał na nią znad okularów. Pokręcił głową i cmoknął przeciągle, jakby próbował wydobyć jedzenie ze szczelin między zębami. Po czym splunął i krzyknął:

– On nie ma z tym nic wspólnego!

– Tego nie wiemy, a Klaudiusz właśnie teraz pana potrzebuje. Zginęła jego narzeczona. – Samą Martę zdziwił ten nagły upór.

– Powtarzam, że syn jest niewinny.

– A jego wspólnik? Taki z dostawczaka. Mam w aparacie kilka zdjęć. Chce pan zobaczyć? Słyszałam, jak się naradzali w noc przed śmiercią Magdy.

– Słucham? – Markuszewski podszedł do Marty.

– Przypadkiem słyszałam, że miał przyjechać do Klaudiusza po jakieś pieniądze we wtorek rano. Tu się umawiają, a tu jest jego samochód. – Dziennikarka pokazywała zdjęcia na wyświetlaczu.

– No, zaskakuje mnie pani – odparł stary z podziwem. – Mogę zatrzymać ten aparat?

– Nie bardzo, ale tu zgrałam wszystkie zdjęcia. – Podała staremu pendrive'a.

– A co to za wihajster? – Markuszewski badawczo przyglądał się trzymanemu w ręce przedmiotowi.

– To trzeba włożyć do komputera.

– E, to ja nie umiem…

– To może jutro przyjdzie pan do mnie i obejrzy na spokojnie, na dużym ekranie? – zaproponowała, mając nadzieję, że połknie haczyk.

– Widzę, że jest pani nieustępliwa. Dobrze, będę. A teraz niech pani już idzie. Tylko bez migdalenia się! – dorzucił, gdy żegnała się z Jankiem.


Pomimo całej sytuacji była szczęśliwa. Idąc do domu, ustalała w głowie plan dalszych działań. Jeszcze dziś przesłucha wywiad z Maliną, wkrótce odwiedzi księdza i postara się dowiedzieć czegoś więcej o okolicznościach jego przybycia, a potem być może namówi Markuszewskiego do współpracy. Poczuła silne uderzenie adrenaliny. Nareszcie coś zaczyna się dziać, coś, na co ona może mieć realny wpływ.


Niebieski ekran monitora rozświetlał mrok salonu, kursor migał w otwartym edytorze. Zdecydowała, że od razu opracuje ten wywiad. Że wyrzuci śmieci i zostawi tylko te wypowiedzi, które pokazują, jaki rozmówca jest naprawdę.

W trakcie przesłuchiwania pliku nie znalazła niczego, co mogłoby zaciekawić czytelnika, dlatego postanowiła zrobić notatki jedynie ze śledztw, o których Malina opowiadał całkiem otwarcie. Szczęśliwie w na pozór przestraszonej dziennikarce nie dostrzegł samozwańczego detektywa.

*Jak wygląda dzień człowieka sukcesu?*

No, bez przesady, jestem zwykłym policjantem. A że przy okazji udało mi się złapać kilku przestępców, to już siła wyższa.

**Ale pana rola w Mille...**

Dobrze, muszę się z panią zgodzić. Rzeczywiście jestem na właściwym miejscu i we właściwym czasie, a moje trzecie oko pozwala na wychwycenie wielu nieprawidłowości. I myli się ten, kto sądzi, że w małym miasteczku...

*„Tak naprawdę nie dzieje się nic i nie stanie się nic aż do końca".*

Dokładnie. Tu dzieje się dużo, ale dzięki mnie jest bezpiecznie i sprawiedliwie.

**Porozmawiajmy zatem o konkretach. Pana pierwsze samodzielne śledztwo.**

Och, właściwie zajmował się nim mój znakomity poprzednik, ale ponieważ już wtedy wykazałem się niezwykłą intuicją, można powiedzieć, że było moje. To było cztery lata temu. W rzece znaleziono zwłoki kobiety, mieszkanki naszego miasteczka.

**Podobno umiała pływać...**

W tym potoku to każdy umie... Proszę nie żartować. Sekcja zwłok wykazała, że było to utonięcie. Nie znaleziono żadnych śladów, które by wskazywały na to, że ktoś mógł się przyczynić do śmierci tej kobiety. W miasteczku pojawiły się wątpliwości, jak zawsze w takich sytuacjach, ale moje, to znaczy – nasze – śledztwo nie pozostawiło niedopowiedzeń.

**Czyli utonięcie?**

Tak jest. Po prostu wypadek.

*To miał pan łatwe śledztwo na początek kariery...*

*Raczej tak, choć moją rolą było uciąć spekulacje. A to, jak zapewne pani wie, w małych miasteczkach jest najtrudniejsze.*

**Takie są realia małych miejscowości. Ale muszę przyznać, że panuje tu spokój. Nawet swojego rodzaju rozleniwienie.**

*Wcale tak nie uważam. Staram się po prostu pilnować, by prawo było tu przestrzegane. Jeszcze tylko wyeliminuję nadmierną prędkość i będzie stan idealny.*

**No właśnie, prędkość. Przy drodze stoi krzyż.**

*Niestety stoi i obawiam się, że może być przyczyną innych wypadków, bo znajduje się za blisko jezdni. Nie mogę go samodzielnie usunąć, ale nadałem już sprawie bieg.*

**A czyją śmierć upamiętnia? Rodzina może nie wyrazić zgody na przeniesienie.**

*Jest to jakiś stary, historyczny symbol. Nie warto o tym mówić. Chodzi o to, co tu i teraz. A dziś mamy kolejną jego ofiarę. Tylko proszę o to nie pytać, sprawa jest w toku i ze względu na dobro śledztwa nic nie mogę powiedzieć.*

**A pierwsza ofiara?**

*To rzeczywiście ciekawa historia. Mieliśmy tu pięknego bohatera. Warto o nim wspomnieć, bo kilka lat wstecz uratował sporo dzieci. Franciszek Lajn. Pojawiły się nawet głosy, żeby jego imieniem nazwać ulicę, ale to już sprawa burmistrza. Co ja mogę, skromny policjant... Ksiądz Andrzej, który przybył do nas na krótko przed jego śmiercią, urządził mu piękny pogrzeb. To była doprawdy podniosła uroczystość, jakby chciał tę stratę wynagrodzić rodzinie. Wspaniałe.*

**Ale wracając do krzyża...**

*Tak, tak. Niestety Franciszek jechał z nadmierną prędkością, a motor to nie przelewki. Okazało się, że ten wystający krzyż jakby go wystraszył. Prawdopodobnie oślepiony słońcem Lajn stracił panowanie nad kierownicą i skręcił do rowu. Nie było co zbierać. Zginął na miejscu. Bardzo żałuję, ale nic się nie dało zrobić.*

**To chyba najtrudniejsze w pana zawodzie.**

*Trupy? Nie, z tym jestem oswojony, jak każdy zawodowy policjant. Nie mogę się bać, bo nie mógłbym pracować. Jestem też trochę jak lekarz. I to często ja powiadamiam rodziny. Do ich łez też już przywykłem.*

**A co jest w takim razie najgorsze?**

*Trudne pytanie. Może brak infrastruktury. Nie mamy sprzętu, mebli, ludzi do pomocy. Jestem jak samotny wilk. Sam sobie radzę.*

W kolejnych minutach nagrania Malina skupiał się głównie na swojej wielkości. Marta miała ochotę przewinąć ten bełkot, ale powstrzymała się, mając nadzieję, że wyłuska jakąś znaczącą wiadomość.

W ostatniej minucie, gdy myślał, że dyktafon jest już wyłączony, usłyszała:

*Tak między nami, poza nagraniem, to mam nadzieję na jakieś widowiskowe śledztwo. Żebym mógł pokazać wreszcie wachlarz swoich możliwości. Same wypadki mogą się znudzić. I coś mi się wydaje, że ten czas właśnie nadszedł.*

Martę przeszedł dreszcz. Malina był książkowym przykładem chorego z kompleksem Herostratesa*. Ten policjant, podobnie jak starożytny szewc, dążył do sławy, a mogła mu ją zapewnić tylko wielka zbrodnia. Był jak strażak podpalacz, który bohatersko ratuje ludzi z wznieconych przez siebie pożarów. Pomyślała, że koniecznie musi spotkać się z Markuszewskim, który, jak zauważyła, z zaangażowaniem zajął się sprawą Magdy, jakby postanowił ją rozwiązać.

---

* Herostrates albo Herostratos (gr. Ἡρόστρατος) – szewc żyjący w IV wieku p.n.e. w Efezie, owładnięty obsesją zyskania wiecznej sławy. Uznał, że miejsce w historii może mu zapewnić tylko wielka zbrodnia. W 356 r. p.n.e. spalił efeski Artemizjon, jeden z siedmiu cudów świata. Został skazany na śmierć, a jego imię miało być wymazane ze wszystkich dokumentów pisanych, procedura ta nie została jednak przeprowadzona wystarczająco dokładnie, gdyż historia o podpalaczu przetrwała w formie wzmianki, której autorem był Teopomp. Źródło: Wikipedia.

# ROZDZIAŁ 11

Leniwy poranek zapowiadał podobny przebieg dnia. Marta przeglądała zdjęcia i notatki z dotychczasowego pobytu w Mille. Przedpołudnie, zanim spotka się z Markuszewskim, postanowiła poświęcić na penetrowanie okolicy, ponieważ do tej pory właściwie nie wyszła poza rynek, cmentarz i ruiny zamku. Zadzwoniła do Sophii.

– Co z Jankiem? – usłyszała zdenerwowany głos przyjaciółki.

– Malina go wypuści, jak minie czterdzieści osiem godzin. Muszę czekać. Co robisz?

– Siedzę z Alessą, ale zaraz wrócą teściowie – szeptała Włoszka.

– Przejdziesz się ze mną po Mille? Chcę się rozejrzeć.

– Dobrze, dookoła rynku – zażartowała Sophia.

– I jeszcze pójdziemy do ruin, okej? – Marta czuła, że to ważne miejsce.

– Chodzenie tam przynosi pecha. Mało ci nieszczęść? – Włoszka wydawała się zniecierpliwiona.

– Już chyba wyczerpałam swój limit. Sophia, potrzebuję przewodniczki. Będziesz za godzinę w cukierni?

– *Si, si* – odparła zrezygnowana barmanka. – A wiesz, że rynek ma inną nazwę?

– Jaką? – Marta nie przypominała sobie żadnych tabliczek.

– Plac Wolności – wyszeptała przyjaciółka. – Ale ludzie na domach nie chcą zmieniać tabliczek.

– Zwariować z wami można. – Witecka chciała być poważna, ale wcale tak nie zabrzmiała.

Sophia wybuchnęła śmiechem i rozłączyła się.

Marta wrzuciła komórkę i aparat do plecaka i wyszła do cukierni. Dochodząc do rynku, rozglądała się w poszukiwaniu niebieskiej tabliczki informacyjnej, ale dopiero przy poczcie dostrzegła napis: „URZĄD POCZTOWY W MILLE. PLAC WOLNOŚCI 1". Pstryknęła kilka zdjęć.

Gdy łapała ostrość na kobiecie wrzucającej list do skrzynki, poczuła silne uderzenie w łokieć. Wypuściła aparat, ale szczęśliwie pasek zaplątał jej się wokół dłoni i canon nie upadł na ziemię. Zobaczyła oddalające się plecy w kurtce moro. Klaudiusz. Trzymał ręce w kieszeniach, a jego ciężkie, skórzane buty rytmicznie stukały o bruk. Wyglądał, jakby się rozpychał, choć nie było to konieczne, bo ludzie i tak schodzili mu z drogi.

Gdy odszedł na bezpieczną odległość, zwolnił. Marta miała ochotę zwrócić mu uwagę, ale powstrzymała się. Odczekała kilka chwil. Wreszcie przystanął. Wyjął ręce z kieszeni, zapalił papierosa i powoli odwrócił się w jej stronę. Wyglądał strasznie. Opuchnięta twarz, rozcięte warga i łuk brwiowy, siniaki na policzkach. Lewe oko miał tak podpuchnięte, że właściwie nie dał rady go otworzyć.

Wystająca spod kurtki zielona wojskowa koszulka miała poszarpany dekolt i wyraźne plamy krwi.

– Co ci się stało? – Podeszła do Silnego.

Wykrzywił twarz w jakimś nieokreślonym grymasie. Splunął krwią i wysyczał:

– Skasuj wszystkie zdjęcia, tu nic się nie dzieje, rozumiesz?

– Nie rozumiem.

– Chcesz, żebym ci pomógł? – Zbliżył twarz do jej twarzy. Poczuła zapach krwi.

– Nie wiem, o czym mówisz. – Wzruszyła ramionami z udawaną obojętnością.

– Wiesz. Wieczorem ma ich nie być. Jak mój ojciec cię odwiedzi, nic mu nie pokażesz, jasne?

– Ale on już wie, że je mam.

– Plik będzie uszkodzony. Przecież to się zdarza. – Klaudiusz zarechotał i jeszcze raz wypluł zakrwawioną flegmę, po czym spokojnie ruszył przed siebie.

Wystraszyła się. Teoretycznie wszystkie dane były zabezpieczone. Komputer, dysk zewnętrzny i kilka pamięci USB. Od kiedy zhakowano jej kiedyś laptop, niczego nie zostawiała tylko na dysku. Sięgnęła do kieszeni spodni. Wyczuła pendrive'a i odetchnęła.

Kilku znieruchomiałych przechodniów ruszyło jakby na sygnał. Tylko oparta o drzwi poczty młoda blondynka ciągle stała w miejscu. Na pewno była świadkiem całego zajścia. Marta miała wrażenie, że dziewczyna nie spuszcza z niej oka; że hardym wzrokiem mierzy w nią, jakby celowała lufą pistoletu. Mimo niepokoju podeszła do niej. Blondyna żuła gumę. Robiła balony, które pękały jej na twarzy. Dziennikarka z bliska dostrzegła różową opaskę i tipsy, rozpoznała fryzjerkę Lusię.

– Na tego też zagięłaś parol? – spytała dziewczyna, nie odrywając wzroku od oddalającego się Klaudiusza.

Witecka wychwyciła jakiś dziwny szelest w jej głosie. Była przekonana, że już gdzieś go słyszała i że nie było to w „Rzymie", gdy kobieta przyszła się wyspowiadać. Choć przymknęła oczy, nie umiała sobie przypomnieć tamtych okoliczności.

– Słucham?

– Nie mów słucham, bo cię wyrucham. – Lusia wydęła usta. – Żarcik, wyluzuj.

– No cóż, mówiłaś coś do mnie, ale nie dosłyszałam.

– A ty myślisz, że ja nie umiem po polsku? Że nie znam znaczenia wyrazów? Spierdalaj stąd i nie kręć się wokół Klaudiego.

– A kim ty jesteś, co? – Marta podeszła do Lusi jeszcze bliżej, a ponieważ fryzjerka była od niej niższa, więc teraz patrzyła na nią z góry.

– Jego przyszłą żoną. – Blondyna zrobiła kolejny balon. Gdy pękł jej na twarzy, głośno mlasnęła, by znowu zgarnąć masę. – Zrozumiałaś?

– A ile ty masz lat? – Marta z pobłażaniem mierzyła fryzjerkę wzrokiem.

– Z pewnością bardziej się nadaję. Jak się nie kuma bazy, to głupka można rżnąć i kilku naiwniaków się znajdzie. Jak ten Krokos, nie przymierzając, nieudacznik jeden.

– A może to ty tam na drodze pozbyłaś się konkurentki, co? – Marta zbliżyła twarz do balonu z gumy, aż pękł na twarzy Lusi, i wskazała drogę za kościołem. – Coś mi się wydaje, że powinnam porozmawiać z komisarzem Maliną.

Dziewczyna zebrała językiem resztki gumy z twarzy, po czym zaczęła się śmiać. Już po chwili zanosiła się teatralnie i łapała się za brzuch. Urodzona aktorka. Marta machnęła ręką, bo nie miała ochoty patrzeć na to wulgarne dziewuszysko, które zaczęło symulować seks, energicznie poruszając biodrami w przód i w tył.

– Wyuzdana gówniara – syknęła, odwracając głowę. Drażniły ją współczesne nastolatki. W jej wieku z pewnością nie była taka pusta ani nie uganiała się tak za facetami.

Pogrążona w tych rozmyślaniach, doszła do cukierni. Zwolniła, gdy zrozumiała, że tak naprawdę wkurzyła się, bo Lusia wspomniała o Janku. Teraz skojarzyła, że to właśnie jej głos słyszała na plaży, gdy przypadkiem podsłuchała rozmowę Janka nad rzeką. Wkurzona, z hukiem wpadła do cukierni. Wszystkie pary oczu natychmiast zwróciły się w jej stronę. Trochę speszona, usiadła przy stoliku z nadzieją, że za chwilę spotka się z Sophią.

Zza lady zamaszystym krokiem podszedł do niej Grzegorz Oster. Był nieco zwalistym mężczyzną, trochę gapowatym. Uśmiechał się, spocone ręce nerwowo wycierał w biały fartuch. Przyprószone siwizną włosy wymykały się spod za dużej czapy opadającej mu na oczy.

– Dzień dobry. – Uśmiechnęła się, ale on nadal milczał, przestępując z nogi na nogę. – W czym mogę pomóc? – spytała łagodnie.

– Ach… – Oster machnął ręką i wrócił na zaplecze.

Marta miała wrażenie, że nikogo nie zdziwiło to zagadkowe zachowanie. Jedynie Bogaczowa nieśmiało pokiwała głową, jakby na potwierdzenie swoich przemyśleń.

– Nareszcie jesteś – Witecka przywitała się z przyjaciółką. – To miasteczko nie przestaje mnie zadziwiać, naprawdę – dodała. – Chodźmy na chwilę do Janka.

Włoszka przystała na propozycję i ruszyły w stronę posterunku.

– No to już rozumiesz, dlaczego tu zostałam? – Sophia puściła do niej oko. – No ale co się stało?

– Najpierw wyzywa mnie jakaś ordynarna gówniara z różem zamiast mózgu…

– Lusia – wtrąciła Włoszka.

– Potem Oster patrzy na mnie jak na ciastko i się nie odzywa…

– On jest bardzo nieśmiały, może następnym razem się odważy.

– Na co? – Marta przystanęła, dopinając kurtkę.

– Zaproponuje ci swój najlepszy wypiek, drożdżówkę z budyniem.

– Widzę, że to znany proceder. – Witecka przeklęła pod nosem.

– No tak, kilka wolnych kobiet doczekało się tej buły, ale następny krok nigdy nie nastąpił. On ma podobno coś nie tego… – Włoszka machnęła ręką. – Ale dość już, pewnie Malina nasłuchuje. – Sophia ściszyła głos, gdy stanęły przed bramą prowadzącą na komisariat.

Dłuższą chwilę stukały do drzwi budynku, bez skutku. Do tego wszystkie okna były szczelnie zasłonięte, a nikt z wewnątrz nie dawał znaku życia. Marcie przyspieszyło tętno i natychmiast poczuła swędzenie z tyłu głowy.

– Kurwa, no co to ma znaczyć? – Wkurzona usiadła na schodkach.

– Procedury. – Usłyszały z głębi alejki stłumiony głos Markusza. Zbliżał się do nich wolnym krokiem. Twarz miał bardziej czerwoną niż zwykle, ręce mu się trzęsły i bardzo szybko oddychał. Za szybko.

– Co panu jest? – Marta podbiegła do starego.

– Ciśnienie za wysokie, muszę po lekarstwa… – dyszał, wspierając się na ramieniu Witeckiej.

– Ja polecę – zaproponowała Włoszka. Natychmiast zorientowała się, że nie jest z nim dobrze, bo nigdy nie widziała, by korzystał z czyjejś pomocy. Zawsze mówił, że może polegać tylko na sobie. Poza tym zrozumiała, że polubił tę namolną dziennikarkę, czy raczej w specyficzny sposób się do niej zbliżył.

– Ten twój siedzi zamknięty. – Gdy usiedli z Martą na schodach przed komisariatem, milicjant nie mógł złapać tchu. Drżącą ręką sięgał do kieszeni płaszcza.

– Sam?

– No a z kim? Na razie ten kretyn nie ma więcej podejrzanych. – Markusz ciągle walczył z kieszenią.

– I nikt go nie pilnuje? – Witecka wstała. Janek nie dawał znaku życia, może zemdlał?

– Uspokój się. Taki mamy układ. Powinienem siedzieć w środku… O, nareszcie… – Wyjął z płaszcza klucze.

– Ale zaniemogłem. Zamknąłem go i poszedłem po leki, tylko że gdzieś mi się zapodziały

Markuszewski wzruszył ramionami i zrobił minę małego urwisa, czym ją rozczulił. Miała ochotę pogłaskać go po twarzy.

– Zaraz Sophia przyniesie, co trzeba. Tam na pewno wiedzą, co pan bierze – tłumaczyła łagodnie.

Stary przymknął oczy i jednostajnie kiwał głową.

Minęło kilkanaście minut. Włoszka nie wracała, a milicjant jakby drzemał, oparty na ramieniu Witeckiej. Niemiłosiernie swędziało ją z tyłu głowy, ale nie miała jak się podrapać. Ze zniecierpliwienia zaczęła podrygiwać kolanami.

– Wytrzymam – wyszeptał – i mam nadzieję, że ty też. – Po czym poluzował krawat i rozchylił kołnierz flanelowej koszuli.

– No, *mamma mia*! – Sophia z impetem wpadła na podwórko. Metalowa furtka niemal wbiła się w siatkę.

– Masz leki? Dawaj szybko!

– Mam, ale to nie było takie proste. – Włoszka podała leki i wodę w plastikowej butelce, po czym zgięła się wpół i zwiesiła ręce nad ziemią. Z ledwością łapała oddech.

– Nie chciał dać? – spytała Marta, klepiąc Markuszewskiego po twarzy. Gdy tylko otworzył oczy, wcisnęła mu do ust tabletkę, a ten jakby automatycznie sięgnął po wodę i bardzo ostrożnie wlewał w siebie płyn.

– Potem ci opowiem. Trzeba go położyć, ale ja nie dam rady zanieść go aż tam. – Sophia, ciągle zipiąc, wskazała ścieżkę prowadzącą do domu milicjanta.

– Położymy go u Janka, nie ma wyjścia, tu są klucze.

Marta wyjęła je z zaciśniętej dłoni starego. Po kilku zwinnych ruchach dostała się do środka i uwolniła Janka. Kowal z łatwością wziął Markusza na ręce i wniósł do komisariatu. Gdy wszyscy znaleźli się w środku, zamknęli drzwi, poprawili zasłony i w ciszy ułożyli starego na polówce. Wiedzieli, że gdyby tylko Malina dowiedział się o kiepskim stanie milicjanta, już nigdy nie dopuściłby go do komisariatu.

– Z tego, co wiem, pojechał do Trójmiasta. Ma spotkanie z prokuratorem – wyszeptał Janek.

Wszyscy siedzieli na podłodze w celi, nie włączyli światła, więc panowała przygnębiająca atmosfera.

– To szybko nie wróci. Doktor mówił, że ten lek zaraz powinien zadziałać. – Włoszka spojrzała na Markusza. Wyglądał dużo lepiej. Zbladł, ale oddychał miarowo i spokojnie.

– No właśnie, co tam się stało? – Marta przypomniała sobie przerwaną rozmowę o sytuacji w ośrodku zdrowia.

– Doktor twierdzi, że stary powinien mieć jeszcze cały listek leków i że nigdy ich nie gubił, nawet w największym cugu. – Włoszka się przeżegnała. – I nie chciał mi uwierzyć, bo odkąd go leczy, a będzie tego ponad dziesięć lat, to Markusz dbał o lekarstwa jak o majątek.

– Aż dziwne – wtrącił się Janek. – Taki pijak, właściwie codziennie traci kontakt z rzeczywistością, jakby kopał sobie grób, a boi się choroby.

– Może dlatego pije – odpowiedziała szeptem Marta. Kowal z Włoszką spojrzeli na nią. Zaczęli się śmiać.

– Jak wy nic nie rozumiecie. – Podeszła do starego i pogłaskała go po twarzy. Odważyła się wreszcie dotknąć jego głębokich bruzd. Markuszewski śmierdział kwaśnym potem, a spod poluzowanego kołnierzyka wystawały smugi brudu.

– Niby czego, seniora? – spytała Włoszka.

– Czy to nie dziwne, że zabrakło mu leków? Pierwszy raz od lat?

– A może ktoś mu je zabrał? – Sophia znowu ściszyła głos.

– E tam, kto i po co? – Janek podrapał się po brodzie. Powstający zarost nieprzyjemnie podrażniał mu skórę.

– Niczego nie możemy wykluczyć. Dziwne i już. – Zamyślona Marta spojrzała w głąb komisariatu. – Wyjaśnimy i to, a on nam w tym pomoże!

– Ale na razie lepiej chodźmy stąd. – Włoszka wstała, masując zdrętwiałe kolana.

– Ja się nim zajmę. – Janek przykrył Markusza swoim kocem.

Stary wyglądał już lepiej, jakby odpoczywał.


Witecka spojrzała w niebo. Zebrały się gęste, ciemne chmury. Przypomniała sobie, że w nocy była pełnia, a ona zawsze naśmiewała się z tych wszystkich bzdur o energiach i wpływie cykli Księżyca na ludzi. Z tych przemyśleń wyrwał ją dopiero miarowy stukot obcasów Sophii o bruk. Ruszyła za przyjaciółką.

– Słuchaj, idziemy do Klaudiusza, może on zabrał te leki… – zastanawiała się głośno, zawiązując kaptur i walcząc z wiatrem, który się nagle zerwał.

193

– Nie wiem, czy to dobry pomysł. – Włoszka trochę się skuliła. Może po prostu marzła na wietrze.

– Sophia… – Witecka ujęła w dłonie smutną twarz przyjaciółki. – Damy sobie radę, zobaczysz.

Podmuchy wiatru stały się jeszcze silniejsze. Wiało tak mocno, że Marta musiała przytulić się do Włoszki, by nie upaść. Ludzie uciekali do sklepów i innych punktów na rynku. Drewniane okiennice trzaskały o ściany domów, niedomknięte furtki przeraźliwie skrzypiały, a na wysokości co najmniej metra fruwały gazety, a nawet kawałki drewna i inne śmieci.

Przejście kilkunastu metrów zajęło im sporo czasu. Znalazły się pod stolarnią i domem Włoszki. Do Silnego miały jeszcze całą długość rynku. Sophia spojrzała na swój ogród, zwolniła uścisk dłoni, przez co Marta prawie straciła równowagę. Sophia westchnęła tylko i chwyciwszy przyjaciółkę mocniej, z nową siłą ruszyła do przodu.

Biała krata z impetem uderzała o drewniane drzwi wejściowe, robiąc w nich wyszczerbienia. Pomimo hałasu, jaki powodowała, Klaudiusz jej nie przymocował. Z trudem udało im się dostać do środka. Wewnątrz zmęczone opadły na ladę. Silny ani drgnął. Siedział w swoim kitlu, z wyciągniętymi nogami w ciężkich wojskowych butach. Rany na twarzy mu przyschły, a zapuchniętego oka wcale nie było widać.

– Silny, co tobie? – Włoszka podeszła do niego. – Trzeba cię opatrzyć!

Ale młody Markuszewski ciągle siedział bez ruchu. Zaczęła myszkować w sklepie. W części z chemią gospodarczą znalazła ligninę, wodę utlenioną i jakieś bandaże. Szybko zabrała się do obmywania ran. Pozwalał na wszystko. Czasem tylko cicho westchnął, bo choć starała się być delikatna, to niektóre skaleczenia były głębokie i mocno zanieczyszczone.

Marta miała ochotę wybiec stamtąd, ale wiatr nie ustawał. Została i niemo przyglądała się intymnej relacji, jaka na chwilę wytworzyła się pomiędzy tym dwojgiem.

Na koniec Sophia podała Silnemu jakieś tabletki, które ten bez wahania przyjął. Choć nie wypowiedział ani jednego słowa, widać było, że fachowy zabieg przyniósł mu ulgę.

– Idź jutro do lekarza. – Włoszka zwróciła się do niego już nieco głośniej. – Naoglądałam się takich ran. Szycia co prawda nie będzie, ale musisz dostać leki… No, co się tak patrzysz? – Odwróciła się do oniemiałej Marty.

– Zaskakujesz mnie. Zapomniałam, że byłaś pielęgniarką.

– Tego się nie zapomina, uwierz mi. – Kobieta pogłaskała łysą głowę Klaudiusza.

– Podobno coś dzieje się z moim ojcem? – odezwał się wreszcie słabym, zmęczonym głosem.

– A, już wszystko dobrze. – Sophia machnęła ręką. W tym gronie była medycznym autorytetem.

– Ale dobrze by było wyjaśnić, co się stało z jego lekami – wtrąciła Marta. — Właściwie po to przyszłyśmy.

– Co się miało stać? Wybrał je. – Silny wzruszył ramionami.

– Ale to się podobno nigdy wcześniej nie zdarzyło – próbowała coś z niego wyciągnąć.

– Ja tam nie wiem, ale chyba uratowałyście mu dzisiaj życie. Gdybyścic tam nie węszyły, nikt by go nie znalazł.

Doceniam to, ale... sama rozumiesz, nie wolno go denerwować, prawda? – Klaudiusz z trudem otworzył spuchnięte
oko.

Martę przeszył dreszcz.

– No i – Silny ciągnął dalej – to jest naprawdę mądry
gość. On tu był kimś. Tylko ma pecha, jak my wszyscy,
*fuck*...

Niezręczną ciszę przerwało mocne uderzenie w szybę.
Wiatr porywał coraz większe przedmioty, do tego zrobiło
się całkiem ciemno.

– Pójdę już. – Włoszka dopięła swoją kurtkę. Znacząco
spojrzała na Martę.

– Nie idź – zaprotestował Klaudiusz – jest niebezpiecznie.

– Muszę! – Mocno zawiązała chustkę pod brodą i wyszła. Początkowo trudno jej było złapać równowagę, ale
przylegając do zabudowań, pokonywała kolejne metry,
aż zniknęła im z pola widzenia.

Martę zaswędziała głowa. Podrapała się i wyczuła nowo
powstałe strupy. Miała ochotę zerwać je, by przynieść
sobie ukojenie, ale się powstrzymała.

– Okej, wiem, że jesteś na mnie zły. – Zdecydowała się
przerwać milczenie. Z lękiem zbliżyła się do Silnego. Ten
nie zareagował. – Ale musisz zrozumieć, że to nie była
moja wina, bo tu nie ma żadnej klątwy. To był wypadek.

– A co ty możesz wiedzieć? – żachnął się i wyjął papierosa. W blasku ognia zobaczyła jego spuchniętą twarz.

– Że to już druga narzeczona, którą straciłeś.

Markuszewski zaciągnął się papierosem. Próbował
ukryć drżenie rąk.

– Ja ich nie zabiłem…

– Wiem. – Marta zrobiła kolejny krok w jego stronę.

– Ale musisz mi pomóc to wszystko wyjaśnić.

– Nie mam siły. – Klaudiusz, ogromny, dobrze zbudowany mężczyzna w wojskowym stroju, z nieśmiertelnikami na piersi, jakby na znak swojej niemocy zaczął płakać.

Gdy się uspokoił, widać było, że te łzy przy dziennikarce uznał za niepotrzebne. Choć obydwoje się starali, rozmowa już się nie kleiła.

Marta postanowiła zmierzyć się z szalejącą wichurą.

– Halo! Bolesław Markuszewski mówi. – Martę ucieszył telefon od starego.

– Dobry wieczór, Marta Witecka.

– A, to znaczy, że dobrze się dodzwoniłem. – Milicjant odetchnął. – Nie umiem dzwonić na te wasze aparaty

– Słyszę pana doskonale. Jestem w domu.

– Tak, tak, ten tego… Nie przyjdę dziś…

– Ale ja wszystko przygotowałam, powiększyłam zdjęcia. – W jej głosie słychać było zawód.

– To dobrze. Dziś nie dojdę, za bardzo wieje. Drugi raz nie chciałbym się narażać. – Markuszewski ściszył głos.

Marcie zrobiło się głupio. Nie pomyślała o tym, że staruszek ma za sobą ciężki dzień i że miałby kłopoty z poruszaniem się. Wiatr wprawdzie zmalał, ale nadal nie sprzyjał spacerom.

– Rozumiem, jasne.

– A, halo jeszcze! – krzyknął nerwowo Markusz. – Dziękuję wam. – I rozłączył się.

# ROZDZIAŁ 12

Dopiero trzecie pianie koguta wyrwało Martę z otępienia. Od kilkunastu minut tkwiła bezczynnie, wpatrując się w ekran komputera i zapełnione tekstem arkusze edytora. Siedziała zdrętwiała i zmarznięta nad pustymi szklankami po herbacie oraz cuchnącą, po brzegi wypełnioną popielniczką. Złamała zasadę i paliła w domu, a nie przy oknie. W dupie z tym. Mrówcze trio też musi kiedyś odpocząć.

Po wizycie u Silnego nie mogła znaleźć sobie miejsca. Przejrzała ponownie zdjęcia, notatki i pozbierała myśli. Była skonsternowana. Wszystkie zgromadzone dotychczas informacje prowadziły do jednego smutnego wniosku: w mieście panowała klątwa. Jej nieudolne śledztwo nie doprowadziło do żadnej innej konkluzji. Przez chwilę miała niepokojące przeczucie, że może to być robota jakiegoś miejscowego seryjnego zabójcy, ale na razie nic na to nie wskazywało. Przecież Markuszewski z pewnością by na to wpadł. Była naiwna. Za każdym razem chodziło o wypadek, jakby rzeczywiście działał jakiś cholerny urok.

I tak napisała reportaż. Nie dała jasnej odpowiedzi, co było przyczyną gnębiących miasteczko nieszczęść,

198

a jedynie opowiedziała o mieszkańcach i ich zachowaniach. Niech czytelnik sam wyciągnie wnioski. Pominęła jedynie historię Alessy. Nie chciała w ten sposób informować Mille o jej istnieniu, poza tym to już nie miało znaczenia. Zmęczona i zrezygnowana zastanawiała się, co ma dalej robić. Znowu ze wszystkim została sama. Bez motywacji i chęci do działania. Poza tym jakie ma prawo wtrącać się w tutejsze sprawy i burzyć ten świat? Żadnego.

To musiało być tępe, bezwładne uderzenie. Ocknęła się z głową na stole. Dotknęła czoła i wyczuła rosnący guz. Szybko podbiegła do szafki po zimny nóż i przyłożyła go do bolącego miejsca. Nie pamięta, kiedy zasnęła, ale teraz z pewnością zbliżało się południe, ponieważ słońce przyjemnie oświetlało kuchenny stół. Cień żaluzji przybrał kształt kratki. Z nożem przy czole spojrzała na blat. Kratka. Jak więzienny symbol.

W domu rozległa się nieznana jej melodyjka. Na pewno nie był to dźwięk telefonu. Wyjrzała przez okno. Za bramą stało dwóch mężczyzn. Nacisnęła guzik i uchyliła drzwi.

– Coś pani jest? – spytał młodszy z nich, gdy stanęli na schodach. Wyglądali na zaniepokojonych.

– Dlaczego? – niemal prychnęła. Dość miała policjantów, nawet po cywilnemu.

– Trzyma pani nóż, skierowany ostrzem w naszą stronę… – Starszy wskazał na narzędzie.

– A, nie, to na guza. – Rozbawiła ją ta sytuacja. – Słucham panów. – Uśmiechnęła się i odłożyła nóż.

Przed nią stali mężczyźni w takich samych czarnych prochowcach w stylu retro i w okularach przeciwsłonecznych odsuniętych na czubki głów. Młodszy, rudy, z dopiero kiełkującą brodą i starannie przylizaną grzywką. Starszy, siwiejący, uczesany identycznie, także z brodą, ale gęstą i popielatą.

– Pozwoli pani, że przedstawię naszego pana burmistrza. – Młodszy usłużnie wskazał ręką na kolegę. – Aleksander Ceyn we własnej osobie.

– Miło mi, Witecka. – Marta podała rękę obydwu mężczyznom.

Starszy mocno uścisnął dłoń i chwilę ją przytrzymał, młodszy ujął ją delikatnie i dosłownie na moment, po czym odsunął się w ukłonie. Stanął za burmistrzem.

– Droga pani… – Burmistrz mówił powoli, jakby cyzelował każde słowo.

– Ale ja wciąż nie wiem, kim jest pana młodszy kolega. – Marta zbiła z tropu obydwu urzędników.

– Eee… – Machnął ręką. – To być może mój następca, Konstanty Ceyn. Jak pani widzi, to jeszcze młokos, dużo się musi nauczyć. – Burmistrz nawet nie patrzył na młodego. – Chciałbym, aby za jakiś czas przejął po mnie schedę, ale kto go wybierze, jak nic nie będzie umiał? No to teraz społecznie się przyucza! – Ceyn próbował żartować.

Marty nie rozbawił ten żart, więc urzędnik spoważniał.

– Zbieżność nazwisk chyba nie jest przypadkowa? – spytała złośliwie. Irytował ją ten gość, który kazał synowi wystawiać go na piedestał i zapewne we wszystkim się na nim wzorować, przez co młodszy wyglądał jak nie z tej epoki.

– Nie, nie, jestem jego ojcem, to oczywiste. Ale nie o tym chcielibyśmy rozmawiać. Sprawa jest delikatna, możemy wejść? – spytał stary Ceyn, choć właściwie był już wewnątrz, w środku.

Witecka szerzej otworzyła drzwi. Skulony syn podreptał za ojcem.

– Przykro mi, ale nie zaproponuję śniadania, bo trochę się spieszę. – Marta chciała być obcesowa. Wkurzyło ją, że facet zachowywał się, jakby był u siebie.

Młody przestępował z nogi na nogę, nerwowo ściskając trzymaną w ręce skórzaną teczkę.

– Gdyby nie ta sytuacja – starszy zatoczył rękami koło – inaczej byśmy rozmawiali…

Marta poczuła dreszcz na plecach. Była zmęczona i nie miała najmniejszej ochoty wysłuchiwać pogróżek.

– Pan burmistrz chciał przez to po-po-powiedzieć – młodszy wychynął zza pleców ojca – że chętnie zaprosilibyśmy panią do siebie, ale, no cóż, nic ma jak dostarczyć pani u-u-u-urzędowego zaproszenia. – Konstanty przyglądził grzywkę. Gdy skończył zdanie, wyraźnie odetchnął.

– No właśnie, nie jest tu pani zameldowana, ale my w ogóle nie w tej sprawie. – Burmistrz próbował załagodzić sytuację.

Wzruszyła ramionami. Nie minęły trzy miesiące, więc były to puste groźby.

– Panowie, przejdźcie do meritum. – Czuła, że guz na jej czole ciągle rośnie. Okropnie bolała ją głowa.

– Jak pani wie – starszy najpierw odchrząknął – w wyniku nieszczęśliwego wypadku straciliśmy wielce szanowaną osobę w tej społeczności, a z naszej dokumentacji wynika, że jest pani dziennikarką.

– Ciekawe – prychnęła.

– Co takiego? – Burmistrz uniósł brew.

– Wiecie już, że to był wypadek. – Marta zmrużyła oczy.

Młody całkiem schował się za ojca.

– Ja innej opcji nie zakładam. – Aleksander Ceyn wyprostował się i zesztywniał.

Burmistrz był postawnym mężczyzną i choć pewnie chciał budzić respekt, to jedynie rozśmieszył Martę.

– Zresztą to wszystko jedno. – Machnęła ręką.

Obydwaj panowie spojrzeli po sobie.

– No i – stary poprawił krawat – obecnie nasze dzieci nie mają nauczycielki. A skoro pani już tu jest… – Burmistrz szukał słów. – No to może…

– Ja nie jestem nauczycielką – nieomal krzyknęła.

– Ale podobno – młody wyciągnął z teczki jakiś wydruk, na którym dojrzała policyjne logo – stu-stu-stu-diowała pani po-po-polonistykę. – Konstanty z trudem dokończył zdanie. Jąkanie z pewnością wiele go kosztowało.

– No tak. – Uśmiechnęła się. Już zapomniała o pierwszych, niedokończonych studiach. – Ale to nie jest to samo. Pan burmistrz potrafi chyba odróżnić polonistykę od pedagogiki. – Parsknęła śmiechem.

– Oczywiście, sam wiele lat temu tu uczyłem, tak zaczynałem, ale teraz, zanim znajdziemy kogoś odpowiedniego, to… Chyba pani najlepiej rozumie… – Burmistrz skończył zdanie konspiracyjnym szeptem, jakby pozwolił jej dostąpić zaszczytu poznania lokalnej tajemnicy.

– To bez sensu. – Nie zamierzała tłumaczyć się urzędnikom ze swoich planów. Postanowiła wyjechać z miasteczka, ale najpierw chciała o tym pogadać z Jankiem.

– Przypominam, że ma pani zakaz opuszczania miasta.
– Stary podrapał się po brodzie.

– Do czasu zakończenia śledztwa, a to, jak mniemam, nastąpi za chwilę. – Miała już dość. Głowa niemal pękała jej z bólu, a treść żołądka podjechała prawie do samego gardła. – Źle się czuję i chyba lepiej będzie, jak panowie już stąd pójdą.

– Pani Marto kochana… – Stary zmiękł; raczej nie był przyzwyczajony do takiego traktowania, o czym wyraźnie świadczyła postawa syna. – Przecież pani wie, w jakiej jesteśmy sytuacji. Nie mamy lepszego kandydata na to stanowisko. Ksiądz trunkowy, lekarz za stary, a i ja już nie mam cierpliwości do dzieci. Szkoda mi tych maluchów, to dopiero początek roku, a już mają takie przeżycia. Ich świat musi jak najszybciej wrócić na stare tory. Nasz zresztą też.

Witecka słuchała w milczeniu. Stary miał trochę racji, ale nie wiedziała, co ma robić. Cała ta sytuacja wydawała się jej niedorzeczna. Nawet w takim zapomnianym i odciętym od świata miasteczku nauczycielem nie może zostać ktokolwiek. Są jakieś kuratoria, ministerstwa… Zmarszczyła czoło, nie wyobrażała sobie, jak miałoby to wyglądać.

– Ale to chyba nie jest zgodne z prawem? – zapytała w zamyśleniu.

– Droga pani, biorę to na siebie. – Burmistrz położył rękę na sercu, jak piłkarz w trakcie hymnu. – Spotkajmy się u mnie w urzędzie, omówimy wszystkie szczegóły. To przecież tymczasowe rozwiązanie…

– Zastanowię się, dobrze? – odpowiedziała łagodniej. Marzyła o tym, żeby wreszcie zostawili ją samą.

– Tak, tak, idziemy i już pani nie przeszkadzamy. To moja wizytówka, proszę zadzwonić po niedzieli, dobrze? Bardzo na panią liczę. Na razie nie mamy tu miejsca dla nikogo nowego, sama to pani wie najlepiej. – Burmistrz postawił kołnierz swojego płaszcza, dopiął guziki.

– Prawdę mówiąc, mam dość tego tematu. – Otworzyła drzwi na oścież. – Ale dobrze, dam znać.

– Do widzenia. – Młody, schyliwszy głowę, przepuścił ojca przodem.

Marta kątem oka zauważyła, że mężczyźni w bramie mijają się z majstrem. Robotnik ściągnął czapkę, przywitał się w głębokim ukłonie, nie patrząc staremu w oczy. Ciekawy widok.

– Witecka, żyjesz jednak! – Głos Szajnerta brzmiał jak łamanie styropianu, rozsadzał Marcie głowę. Z trudem utrzymała słuchawkę przy uchu.

– Właśnie wysłałam mejla z tekstem – odparła pospiesznie, a siedzący przy swoim komputerze Dyzio pokazał kciuk na znak, że plik wreszcie wyszedł. Choć nie był ciężki, a zdjęcia zostały skompresowane, dłuższy czas nie mógł wydostać się ze skrzynki nadawczej.

– A łyżka na to: niemożliwe! – Szajnert zagwizdał.

Wyłączyła telefon, była bliska zwymiotowania. Na szczęście nie zadzwonił ponownie. Pogłaskała głowę pieska, by zadyndała. Działało to na nią uspokajająco.

– I co tam? – Dyzio zagadnął ją cienkim głosem.

Dłuższą chwilę siedziała przy komputerze w milczeniu.

– Źle się czuję – westchnęła. Schowała głowę w dłoniach.

– Może ziółek zaparzę?

– Kochany jesteś, ale muszę iść. – Wstała pospiesznie, aż monitor zadrżał na stoliku.

– A dokąd? – Dyzio odprowadził ją do drzwi.

– Nie wiem. – Wzruszyła ramionami.

– A jednak diabeł panią przysłał. – Ksiądz Andrzej niezbyt miło powitał Witecką w drzwiach zakrystii. Siedział nad jakimiś papierami i nawet nie raczył podnieść wzroku.

– Jeśli już, to nie diabeł, a Kaśka Piecowa. – Dziennikarka stała oparta o odrapaną, metalową framugę.

Zakrystia przypominała jej te wszystkie, które kolejno zaliczała z matką, by przekonać księży o prawdziwości jej objawień. Skromne meble z płyt pilśniowych, na drzwiach szafy rozwieszone sutanny, komże i szaty liturgiczne.

Ksiądz drgnął, ale nie oderwał się od lektury.

– To znaczy, że pani wszystko wie i że świadomie uśmierciła nauczycielkę? Gratuluję. – Uniósł wreszcie głowę.

– W takim razie mamy podobne osiągnięcia. Bohaterski Francesco zginął niedługo po tym, jak ksiądz tu przybył. A może ksiądz nie wiedział o klątwie, co? Ja się dowiedziałam po kilku dniach, a ksiądz zapewne po kilku godzinach, choćby w konfesjonale, czy nie tak?

– Tajemnica spowiedzi, czy coś pani to mówi? – Proboszcz uderzył papierami w stół. – Czego pani ode mnie chce? – Skrzywił się, jakby rozbolały go wszystkie zęby.

205

– Potrzebuję pomocy w odnalezieniu odpowiedzi na jedno pytanie: co tak naprawdę tu się dzieje. Myślę, że może to być dobre dla nas dwojga.

– Dla pani może tak, bo wyrzuty sumienia ma pani świeże i można je zdrapać jak strup. Dla mnie są jak blizny, których nie da się usunąć. – Ksiądz wstał i wyjął z szafy piersiówkę. Pociągnął dwa łyki.

– Wie pan, co podobno napisała Frida Kahlo? „Piłam, bo chciałam utopić swoje smutki, ale teraz te cholerstwa nauczyły się pływać". U księdza już dawno nie toną.

– I co z tego? Szkodzę komuś? Nie wypełniam obowiązków? Kim pani jest, by mnie pouczać, co? – proboszcz krzyczał, przemierzając pokój od biurka do drzwi.

– Lepiej, żebym zwariował?

– Proszę się uspokoić.

– Dobrze już. – Przystanął i machnął ręką. – Chce pani, bym jej pomógł, a niby jak?

– Proszę udostępnić mi księgi parafialne. – Witecka zdobyła się na stanowczość.

– Co?

– Chcę zobaczyć wszystkie księgi metrykalne z tej parafii, najlepiej od roku tysiąc osiemsetnego.

– Ja za chwilę zwariuję! Powinna pani wiedzieć, że wszystko jest przechowywane w archiwum państwowym, my prowadzimy sprawy bieżące. Poza tym takie dane nigdy nie są kompletne, różnie je zapisywano. – Ksiądz usiadł z powrotem przy biurku.

– Ja wiem, że czasem omyłkowo wpisy robiono nie w księdze urodzeń, lecz w księdze chrztów, ale można chyba do tego zajrzeć. Nie chcę danych sprzed pięciu wieków! – Stanęła nad proboszczem wkurzona.

– Nie mam! Proszę jechać do miasta i sobie poszukać. Obecnych zapisów nie mogę pokazać, bo...

– Bo?

– Jest ochrona danych osobowych, na przykład?

– O, to ja jeszcze dziś napiszę do GIODO, żeby sprawdzili, czy wszyscy parafianie podpisali odpowiednie oświadczenia. Andrzeju, tak się będziemy teraz bawić i straszyć? – Marta zrzuciła na podłogę torbę i kurtkę.

Westchnął głęboko. Ominął ją i podszedł do szafy, uchylił drzwiczki, ale spojrzał tylko w głąb, machnął ręką i zamknął mebel na klucz.

– No dobrze. Jak rozumiem, chce pani policzyć tutejszą ludność, ale te dane nie są rzetelne. Pani na przykład nie ma w żadnej księdze... Liczenie ludzi w księgach... to był konik starego proboszcza, byłego księdza Ryszarda.

– Byłego? – Marta miała wrażenie, że się przesłyszała. Wbiła wzrok w rozmówcę. Ten wzruszył ramionami i bezradnie rozłożył ręce.

– To w końcu nie tajemnica – westchnął. – Mój poprzednik na własną prośbę przeszedł do stanu świeckiego. Jak twierdził, chciał żyć w zgodzie ze swoim sumieniem. Ale tu naprawdę nic pani nie wywęszy. – Duchowny złożył dłonie jak do modlitwy. – Po szczegóły odsyłam do zainteresowanego. Niestety dziś myśli, że wciąż jest księdzem. I lepiej tak się do niego zwracać, żeby go niepotrzebnie nie denerwować.

Marta milczała, a proboszcz kontynuował:

– Staruszek wciąż ma sporo kopii i danych, które mogą panią zainteresować. Poza tym, jak mniemam, nie chodzi pani o obecny stan zaludnienia?

– No pewnie, że nie. – Wzruszyła ramionami. – Teraz to wystarczy przejść się po domach. Chodzi mi o to, od kiedy utrzymuje się tysiąc i czy rzeczywiście jest to taka właśnie liczba.

– No cóż, przed panią różne niespodzianki, ale sama pani tego chce. – Proboszcz łypnął okiem na szafkę z piersiówką i wytarł chusteczką kąciki ust, w których zebrała się ślina.

– Gdzie znajdę starego księdza? – Dziennikarka nie mogła oderwać wzroku od poruszającej się grdyki księdza. Najwyraźniej marzył, aby jak najszybciej stamtąd wyszła.

– Trzy ulice za rynkiem, w stronę lasu, za stolarnią. Opiekuje się nim siostra.

– Dzięki. – Zebrała z podłogi swoje rzeczy.

– Tylko musi pani o czymś wiedzieć. Ksiądz Ryszard, mówiąc kolokwialnie… zwariował. W pewnym momencie nawet msze przestał odprawiać. Nic, tylko liczył i liczył…

– To przynajmniej dane będą prawdziwe. – Marta uśmiechnęła się i schowała pod czapką rude, niesforne włosy. Była coraz bardziej podekscytowana perspektywą działań.

– Przez dwadzieścia lat codziennie odszyfrowywał dane, grzebał w tych księgach, jakby świat poza nimi nie istniał. To mozolna praca, bo większość wpisów jest nieczytelna.

– A ksiądz chociaż wie, co mu wyszło z tych obliczeń?

– Nie wiem, czy można wierzyć w to, co mówi. Powtarzam, że jest z nim źle. Niech pani już idzie. – Proboszcz schował głowę w dłoniach.

Witecka stała w drzwiach.

– Jeszcze jedno – zagadnęła – ksiądz jest tu od wielu lat, prawda?

– Yhm.

– I ile ksiądz policzył osób?

– A skąd pani wie, że liczyłem? – Odrzucił głowę.

– Ja bym policzyła. – Popatrzyła na niego i skierowała się do wyjścia. W drzwiach jeszcze odwróciła głowę. – Dziękuję. – Uśmiechnęła się do duchownego. – I proszę pamiętać, nie toną!

Zarzuciła torbę i zdecydowanym krokiem wyszła przed kościół. Dopóki Janek nie wróci, ona sprawdzi kościelne dane, które przez wiele lat były jedynym rzetelnym źródłem informacji. Przed wyjazdem chciała mieć pewność, że dotarła do wszystkich.

Nagle coś mignęło jej w blasku słońca. Zmrużyła oczy i na murze, tuż przy bramie wejściowej, zobaczyła białą kartkę. Podeszła bliżej. Nekrolog.

*Informujemy, że w najbliższą sobotę odbędzie się uroczystość pogrzebowa naszej koleżanki **Magdaleny Gołczyńskiej**, lat 28. Zapraszamy na godzinę 10.00.*
*Burmistrz Aleksander Ceyn i pracownicy*

Przeczytała treść kilka razy i zrobiła zdjęcie. Pierwszy raz spotkała się z tym, że tak sucho pisano o pogrzebie.

Informacja brzmiała jak zaproszenie na koncert forte-pianowy, nie miała stosownego żałobnego nacechowania, żadnych wyrazów współczucia ani „kochających" czy „pogrążonych w bólu" w podpisie. Smutny widok.

Witecka szła w zamyśleniu przez miasto, nie zwracając uwagi na mijających ją ludzi, choć mieszkańcy pozdrawiali ją, kłaniali się jej, niektóre dzieci przystawały, by się jej przyjrzeć. Czasem nawet ktoś z okna domu głośniej krzyknął „dzień dobry", ale ona zdawała się tego nie dostrzegać.

Dopiero przy stolarni zauważyła na drodze starego Lajna. Teść Włoszki, ubrany jak zwykle w dobrze skrojony garnitur, elegancki płaszcz i wypolerowane buty, uchylił czapki. Uśmiechnęła się do niego. Nigdy nie poznała swojego dziadka, ale dokładnie tak go sobie wyobrażała.

– Dzień dobry, panie Czesławie. Chciałabym odwiedzić starego proboszcza. – Podeszła i podała mu rękę na powitanie, a Lajn delikatnie ją pocałował.

– A po cóż droga pani tam idzie? To, zdaje się, strata czasu.

– Wiem, wiem, jestem gotowa. – Pokiwała głową.

– No cóż, pani decyzja. – Uśmiechnął się, pokazując cały garnitur równych, zdrowych zębów. – Dalej za naszą stolarnią jest ścieżka. – Wskazał ręką bliżej nieokreśloną przestrzeń. – Prowadzi pod las. I tam jest taki mały, drewniany domek, dobra robota, mógłby być w doskonałym stanie, gdyby zrobić remont…

– Dziękuję, trafię. Miłego popołudnia. – Marta przerwała zachwyty Lajna nad sztuką stolarską.

Leśna droga wyłożona drobnymi kamieniami prowadziła pod sam dom księdza Ryszarda. Gospodarstwo, otoczone niskim płotem z połamanymi sztachetami, nie wyglądało najlepiej. Na podwórzu, między porzuconymi zabawkami, w pień była wbita siekiera, a dziurawe wiadro dyndało na łańcuchu przy studni. Wokół grzebało kilka kur. Szczęśliwie Marta nie słyszała ujadania psa.

Ponieważ przy wiszącej na jednym zawiasie furtce nie znalazła dzwonka, zaczęła nawoływać: „Halo! Proszę księdza!", ale nikt jej nie odpowiadał ani nie pojawił się na posesji. Z zawstydzeniem przedostała się do środka.

Dom, kiedyś pewnie zadbany i przytulny, był właściwie ruiną. Dachówki mocno przerzedzone, okna z obdrapaną białą farbą, brudne szyby i uchylone drzwi ze sznurkiem zamiast klamki. Ten widok przygnębił Martę i niemal zniechęcił do dalszych odwiedzin. Tymczasem z domu wybiegły kolejne gdaczące kury, a tuż za nimi przepędzająca je starsza kobieta.

– A poszły mi stąd, cholery jedne. Już!

Witecka stała nieruchomo. Kobieta na jej widok schowała pod chustę kosmyki siwych włosów. Zmarszczki na jej twarzy tworzyły gęstą sieć, na nosie miała grube okulary w męskich, popękanych oprawkach. Choć okryła się dużą, połataną jesionką, wyraźnie było widać, jak bardzo jest wychudzona.

– Dzień dobry! – zawołała Marta.

– Czego się drze? – Kobieta odpowiedziała całkiem spokojnie. Mrużyła oczy i poprawiała spadające okulary.

– Przepraszam, myślałam…

– Że jak stara, to i głucha, tak? Czego chce?

– Nazywam się Marta Witecka, jestem dziennikarką i właściwie niedługo wyjeżdżam…

– Tak? – Kobieta spytała niedowierzająco, znów poprawiła okulary.

– Tak myślę. Ale przed wyjazdem chciałabym porozmawiać z księdzem Ryszardem. Zastałam go?

– A pewnie, że zastała, co miała nie zastać. Ryyysieeeek! – zawołała w głąb domu, jednocześnie przyciągając sznurkiem drzwi do siebie. – Ta od nauczycielki przylazła. Wpuścić?

Z oddali doszedł jakiś pomruk.

– Nie słyszę, pierunie jeden. Stara jestem, to i głucha, a ty jak dzieciak gęgasz. Wejdzie. – Kobieta uchyliła drzwi i zaprosiła Martę do sieni.

Dom wewnątrz wyglądał jak kurnik. Wszędzie porozrzucane źdźbła słomy, zamiast podłogi klepisko, gdzieniegdzie waliły się stare, połamane krzesła. Na środku kuchni stało wielkie łoże okryte pierzyną, zaraz obok piec i kuchenka na węgiel. Na końcu Marta zauważyła kolorową kotarę. Po kilku chwilach wyszedł zza niej ksiądz Ryszard. Wyglądał tak samo jak kobieta, która ją wpuściła. Siwe włosy, pomarszczona twarz. Był bardzo szczupły. Zamiast jesionki miał na sobie wysłużoną sutannę, ale bez koloratki.

– Józia, oddaj mi okulary! – poprosił kobietę i wyciągnął rękę.

– Niese. – Jego siostra znowu schowała włosy pod chustką. – Dobrze, że my bliźniaki, takie same ślepe, to i jedne patrzydła wystarczą. – Pokazała w uśmiechu czarne zęby.

Marta stała pośrodku i właściwie zastanawiała się, czy nie uciec.

– Zapraszam panią. – Były proboszcz, już w okularach, odsłonił kotarę, za którą ukazał się ciemny pokój wypełniony zalegającymi na półkach książkami i dokumentami, które zajmowały całą przestrzeń. Pośrodku stał stary, poprzecierany i zapadnięty zielony fotel.

Smród stęchlizny, wilgoci, kurzu i pożółkłych papierów wydawał się nie do wytrzymania. Jedyne okno było szczelnie zalepione taśmą, co całkowicie odcinało dostęp świeżego powietrza. Marcie zrobiło się niedobrze. Z trudem powstrzymując odruch wymiotny, przyglądała się izbie, księgom i dokumentom. W tym bałaganie bała się zrobić choćby jeden krok.

Gospodarz nagle uklęknął na obydwa kolana, spuścił głowę, a dłonie złożył do modlitwy, jak dziecko podczas pierwszej komunii. Zaczął szeptać. Witecka znieruchomiała. Rzeczywiście, ksiądz Andrzej miał rację, że ze starym proboszczem coś jest nie tak. Postanowiła w miarę bezszelestnie wycofać się zarówno z cuchnącego pomieszczenia, jak i z rozmowy z byłym duchownym, ale ten, nie drgnąwszy nawet, niespodziewanie podniósł głos:

– Teraz nie wolno wychodzić! Przyszła do nas, musimy jej wysłuchać!

Marta natychmiast skojarzyła dziwne zachowanie księdza ze swoimi objawieniami. Sama potrafiła rzucić się na podłogę w połowie zdania matki i się modlić. Jak tylko widziała, że jej oczy zwężają się, oddech przyspiesza, a nozdrza powiększają, w nadziei na ratunek wyobrażała sobie Matkę Boską, a ciało odbierało te sygnały jako znak do pozycji modlącej. Od czasu pierwszej komunii umiała powstrzymywać wściekłość matki. Wykorzystywała w tym celu religię, której ona fanatycznie się oddawała. Późniejsze lata terapii pozwoliły Marcie nazwać strachy i lęki z dzieciństwa po imieniu i uporać się z nimi na tyle, by bez strachu odbierać podobne zachowania u innych.

– Uśmiecha się czy jest niespokojna? – spytała łagodnym głosem.

Ksiądz Ryszard z pewnością potrzebował pomocy, a wizyta obcej osoby dodatkowo go zestresowała. Z przerażeniem spojrzał na Martę, która dodała:

– Matka Boska, prawda?

– Panienko Przenajświętsza! Widzi ją pani? – Przerwał modlitwę, jednym sprawnym ruchem podniósł się z kolan i podbiegł na środek pokoju.

– Nie, ale wierzę, że ksiądz ją widzi. – Witecka patrzyła na niego spokojnie.

– Ja nie jestem wariatem! – odpowiedział piskliwie i uderzył dłonią w zielony fotel, z którego natychmiast uniosła się chmura kurzu.

– Wcale tego nie powiedziałam. Ja też kiedyś widywałam Matkę Boską…

– A co, pewnie żyje panienka w grzechu i Matka Boża przestała do niej przychodzić! – Stary znów uderzył w mebel. Wyraźnie nie mógł się uspokoić. – Po co pani tu przyszła? Chcecie mnie znowu tam wysłać, tak? – Skulił się i ukucnął, próbując schować się za oparcie.

– „A teraz zginam kolana mego serca, prosząc, Panie, o dobroć Twoją. Zgrzeszyłem, Panie, zgrzeszyłem, i uznaję moją nieprawość. Błagam Cię, Panie, odpuść mi, odpuść mi, nie zgub mnie wraz z moimi nieprawościami, nie skazuj mnie na wieczne nieszczęścia. Ty zbawisz mnie, niegodnego, według Twego wielkiego miłosierdzia. A ja będę Cię zawsze chwalił, przez wszystkie dni mego życia, gdyż Ciebie chwalą wszystkie moce niebieskie, i Tobie chwała na wieki wieków. Amen". – Marta z trudem przypomniała sobie i zacytowała fragment modlitwy Manassesa, apokryfu Starego Testamentu. Kiedyś znała na pamięć mniej popularne modlitwy. Na ich podstawie budowała swoje, udając, że pochodzą z objawień.

Stary wychylił głowę nad krawędź fotela i patrzył badawczo na swojego gościa.

– Skąd pani zna apokryfy? – spytał, energicznie prostując się zza fotela. Lekko się uśmiechał, choć jeszcze nerwowo drgała mu dolna szczęka.

– Jestem z tego samego świata, a nie od nich. – Dziennikarka brodą wskazała przestrzeń za zaklejonym oknem.

– No to chwała Bogu. – Były proboszcz głośno odetchnął, wyszedł zza zielonej fortecy i usiadł wygodnie w fotelu. – W czym mogę pomóc?

– Nazywam się Marta Witecka i piszę artykuły o małych miejscowościach – powiedziała niemal na jednym wydechu. Chciała być delikatna, by ponownie go nie wystraszyć. – Przysyła mnie tutaj proboszcz z Mille, ksiądz Andrzej.

– Ten pijaczyna? – Ryszard przybrał pozę mędrca; oparł brodę na dłoni, uwydatniając dolną szczękę. – A czego on chce ode mnie?

– Nie on, tylko ja. – Marta uśmiechnęła się do byłego duchownego.

Stary wyraźnie złagodniał i uspokoił się.

– Interesuję się religią, różnymi dokumentami…

– Apokryfów nie mam. – Bezradnie wzruszył ramionami.

– Mnie interesują także księgi parafialne, szczególnie te stare.

– Ale ja… – zaczął cicho ksiądz Ryszard, po czym kilka razy zdjął i założył okulary, przecierał oczy, nerwowo składał dłonie i klaskał w nie głośno co jakiś czas.

– Spokojnie, ja wiem, że są tutaj kopie, chciałabym je przejrzeć, może mógłby mi ksiądz coś podpowiedzieć? – Ukucnęła przy nogach byłego proboszcza. Ten uśmiechnął się tylko i pogłaskał ją po głowie jak małą dziewczynkę. Obydwojgu sprawiło to nieoczekiwaną przyjemność. Po krótkiej chwili usiadła na stosie książek obok fotela.

– Drogie dziecko, księgi parafialne dzielimy na… – zaczął Ryszard łagodnym tonem.

– Proszę księdza, proszę mi je po prostu pokazać.

– Tak, tak, dobry pomysł. – Z łatwością wstał i podszedł do jasnej, pilśniowej szafy. Z piskiem uchylił drzwi i wyjął kilka dokumentów. – To jest na przykład sumariusz z osiemnastego wieku, cudeńko! – Ksiądz czule pogładził pożółkłe kartki. Szczęśliwie były to kopie i Marta bez lęku zaczęła je przeglądać. – Tu były zapisywane wszystkie osoby ochrzczone i zawarte małżeństwa – dodał z uśmiechem.

– A jeśli ktoś nie był ochrzczony?

– Nie ma takiej możliwości. – Ryszard szybko uciął temat.

– A jak dziecko umarło przy porodzie?

– Chrzciliśmy i tak. Nie można nieochrzczonych w ziemi świętej chować. Ale tu jest najwięcej. – Sięgnął po gruby plik zniszczonych kartek.

– Księga metrykalna, tak? – Marta zaczęła ją przeglądać. Niewiele dało się z niej odczytać. Z pewnością policzenie ludzi zajęłoby jej kilka lat. Porównanie danych, wykluczenie pomyłek, odczytanie zamazanych wpisów to praca benedyktyńska, na którą nie miała ani czasu, ani ochoty.

Ryszard zauważył jej nieobecne spojrzenie. Od dłuższej chwili nie słuchała go i nie przeglądała papierów.

– To bez sensu – westchnęła – proszę to schować. – Znowu zrobiło jej się słabo.

– Ale co się stało, dziecko drogie? Pobladłaś bardzo. – Były proboszcz wyraźnie się zaniepokoił.

– Pójdę już.

– Ale tu jest mnóstwo ciekawych danych, zobacz, zostań jeszcze. – Zaczął wyciągać kolejne dokumenty.

– Proszę księdza… – Marta chciała być delikatna, ale miała już dość tego miejsca. – Widzę, że szybko nie znajdę odpowiedzi.

– Na jakie pytanie?

– Ile jest teraz osób w Mille – odpowiedziała cichym, zrezygnowanym głosem, wskazując na księgi.

Nagle usłyszeli hałas i przez kotarę wdarło się stadko gdaczących kur, a tuż za nimi siostra proboszcza, z miotłą. Krzyczała i biegała za ptakami, rozdeptując i przewracając porozkładane książki. W powietrzu unosiły się pióra, kartki i źdźbła słomy w tumanach kurzu.

Po kilku chwilach ponownie zostali sami. Emocje i kurz powoli opadały. Gospodarz wyglądał jak zatrzymany w stop-klatce, stał bez ruchu z papierami w rękach. Marta podniosła swoją torbę i zaczęła kierować się do wyjścia.

– Ja wiem, ile jest – wyszeptał.

– Ze mną tysiąc, tak?

– Tak wszyscy mówią. I tak myślą, że jest. Ale to nie-prawda, tylko mnie już nikt tu nie słucha. Siedziałem nad tymi wszystkimi papierzyskami całe życie. – Pokazał zagracony pokój. – Dokładnie sprawdziłem od czasów Piecowej, zapis po zapisie. Można od tego zwariować. – Stary proboszcz zaczął się głośno śmiać.

Marta stanęła w progu, przytrzymując kotarę.

– No to ile?

– Ostatnie dwadzieścia lat to moje zapisy. Wszyscy są ochrzczeni, a każdy pogrzeb odnotowany. Według tych ksiąg, jak odejmiemy tę nauczycielkę, jest nas dziewięć-set dziewięćdziesiąt dziewięcioro, a ściślej tyle osób jest razem z panią. Więc chyba klątwy nie ma i spokojnie może pani tu zostać, a nawet urodzić dziecko! – Ryszard uśmiechał się szeroko, odkrywając pojedyncze zęby.

– Ech… Przecież wszyscy się tu ciągle liczą, więc jak to możliwe? – spytała z niedowierzaniem.

– Niezbadane są wyroki boskie! – Były proboszcz znowu spojrzał w sufit i przeżegnał się. – Jak przerwę miałem w służbie Panu Bogu, to dane brałem z Wyk, a ostatnie biorę od Andrzejka; jego działanie też jest niezbadane. – Były proboszcz znowu szeroko się uśmiechnął.

– Dziękuję. – Marta westchnęła ciężko. – Pójdę już.

Miała wrażenie, że ksiądz Ryszard popadł w jakiś dziwny stan, utrudniający dalszą rzeczową komunikację.


Od podmuchu świeżego powietrza zakręciło jej się w głowie. Usiadła na dużym kamieniu przy leśnej drodze prowadzącej do stolarni. Nie wiedziała, co o tym wszystkim myśleć. Były proboszcz rzeczywiście nie sprawiał wrażenia osoby do końca zdrowej psychicznie, ale z pewnością można było wierzyć w jego analizy i pasję do starych dokumentów. Jeśli ma rację, to biorąc pod uwagę ukrywane istnienie Alessy, w Mille było teraz dokładnie tysiąc osób, a nie tysiąc jeden, jak twierdziła Włoszka. Marta poczuła, jak żołądek podchodzi jej do gardła, i po kilku minutach zwymiotowała.

W kieszeni zaczął jej wibrować telefon. Nie miała ochoty z nikim rozmawiać.

– Gdzie ty się podziewałaś? – Janek wypadł z domu, gdy tylko pojawiła się na posesji. – Dzwonię jak wariat, dlaczego nie odbierasz? Dobrze się czujesz?

– Nie. Chodźmy do środka. – Ominęła go łukiem, jakby stał tam od dawna, a nie właśnie wyszedł z tutejszego aresztu.

W domu panował poranny bałagan, na stole wciąż stały pełne popielniczki, śmierdziało papierosami. Otworzyła na oścież okno i nie zdejmując kurtki, ciężko opadła na kanapę.

– Co się dzieje, kochanie? – Usiadł obok i wziął ją za rękę.

– Mam dość, ja tu zwariuję – odpowiedziała cicho. – Chcę stąd wyjechać.

– Teraz, tak po prostu?

– Jak tylko skończą śledztwo i Malina pozwoli mi opuścić miasteczko. Przerosły mnie te klątwy, twoje tajemnice i sekrety. Samochód jest pewnie naprawiony, nic tu po mnie.

219

– Spoko. Jak chcesz. – Janek poczerwieniał na twarzy.

– A ty?

– Co ja? Jak zdecydowałaś, tak zrobisz. Chcesz piwa? – Wstał i podszedł do lodówki. Był zdenerwowany, choć za wszelką cenę próbował to ukryć. Pił alkohol z puszki dużymi łykami, w końcu wyszedł na ganek i zapalił papierosa. Po chwili Marta usłyszała, że rozmawia z kimś przez telefon. Pomyślała, że może z tą fryzjerką Luśką. Przeszył ją nieprzyjemny dreszcz. Ale co ją to obchodzi? Przecież nie ma prawa być zazdrosna. Do licha, przecież nie jest!

– Dobrze. Poskładajmy fakty. – Usłyszała głos Janka i trzaśnięcie drzwiami. Otworzyła oczy. Zdrętwiała jej ręka, musiała usnąć w półleżącej pozycji. Skrzywiła się z bólu.

– O co ci chodzi? – Masowała rękę.

– Gdzie jest twój zapał? Gdzie chęć doprowadzenia sprawy do końca? To ma być śledztwo dziennikarskie, takie bez wyjaśnienia?

– Janek, tu nie ma czego wyjaśniać. Od wielu lat jest was tysiąc. Ludzie umierają, rodzą się, pobierają, wyjeżdżają.

– Jak w każdym mieście. – Wzruszył ramionami.

– Ale nie w każdym panuje klątwa…

– W którą nie wierzysz i chciałaś to udowodnić. To przecież zabobony! – przedrzeźniał ją.

– Ciągle uważam, że to dziwne, ale nic z tym nie mogę zrobić, nie mogę, rozumiesz? Wszystko i wszyscy są przeciwko mnie. Fakty są takie, że liczba mieszkańców sama się reguluje.

– No i?

– No i nie umiem wykazać, że jest inaczej, rozumiesz? Nie umiem wam wszystkim udowodnić, że jesteście stuknięci. – Marta wiedziała, że przesadziła. Ogarnęło ją zniechęcenie.

– Rozumiem… A nie możesz zwyczajnie pogodzić się z tym, że tak jest, i po prostu żyć dalej? Po co się zadręczasz? – spytał spokojnym głosem.

Znieruchomiała, paliły ją policzki, głowa pękała jej z bólu. Z trudem powstrzymywała łzy. Niestety, ten facet miał rację. Zawsze potrzebowała dawki silnych emocji, by funkcjonować, wciąż czegoś się doszukiwać, udowadniać, starać się, być dzielna. Kiedy poziom adrenaliny opadał, czuła się niepotrzebna i zbędna, dokładnie tak jak teraz.

# ROZDZIAŁ 13

Obudziła się pierwsza i poczuła na plecach równy oddech Janka. Miała ochotę go pocałować i na myśl o tym tylko się uśmiechnęła. Znakomicie rozumieli się w łóżku. Chyba z nikim nie miała takich orgazmów. W tych wszystkich babskich czasopismach piszą, że im silniejsze uczucie, tym pełniejsza rozkosz. Śmiechu warte, jak z jej największą studencką miłością, Michałem. Czekała na niego godzinami, marzyła o jego dłoniach na piersiach, o jego języku na swoim ciele, o nim. Michał. To z nim planowała wziąć ślub. Ale nic z tego nie wyszło. Ślub zarezerwował dla innej. Rozśmieszyły ją te młodzieńcze wspomnienia.

– O, poprawił ci się nastrój – wyszeptał Janek, całując ją w ucho.

– To chyba kiepski znak, biorąc pod uwagę dzisiejszy pogrzeb.

– Wprost przeciwnie. Należymy do ocalonych. Radość jest jak najbardziej uzasadniona. – Janek wstał. Chodził nago po mieszkaniu, nastawił ekspres, wszystko wracało do normy.

– Słuchaj, a czy oni mnie nie zlinczują? Przecież wszyscy tu uważają, że nauczycielka zginęła przeze mnie.

– No, teoretycznie tak, ale nie mogą ci nic zrobić, nie mogą cię na przykład zabić.

– Wielkie dzięki, ale pobić to już tak? – Marta spięła włosy gumką i usiadła na łóżku.

– Rzeczywiście ktoś mógłby się o to pokusić, zdarzały się takie przypadki. Ale teraz jesteś kryta, bo Ceyn cię wyznaczył na tymczasowe zastępstwo. Jeśli się zgodzisz, nie będą obawiali się, że przybędzie ktoś jeszcze. To w sumie nawet logiczne.

Ekspres zapiszczał, sygnalizując koniec pracy.

– A może nie powinnam tam dzisiaj iść? Dla nich jestem zabójcą, brr! – Martę przeszył dreszcz. Wiedziała, że to głupie, ale ludzie mają prawo myśleć po swojemu.

– Przeciwnie, powinnaś iść i pokazać im, że jest inaczej. Być może w tłumie pojawi się zabójca! – Kowal zaczął się śmiać.

– Ech, mówisz to wszystko tak spokojnie. Niebywałe. Aha, ja nie mam żadnych pogrzebowych ciuchów. – Skrzywiła się, przyjmując filiżankę pachnącej kawy.

– Co ty, u nas to nie jest smutna uroczystość. To raczej wesoły pochód. Nie ubieramy się na czarno, nie smucimy. Żyjemy! – Janek ostatnie zdanie wypowiedział, jakby śpiewał.

– Jezu, jak festyn jakiś. A co z Klaudiuszem? On też ma się cieszyć i przyjść w hawajskiej koszuli?

– Nie przesadzajmy. Bliscy zawsze cierpią, ale nie wymagajmy tego od całego miasteczka. Nigdy nie jest tak, że wszyscy są pogrążeni w bólu i nie mogą normalnie funkcjonować. Na wielu pogrzebach rano smucimy się, ubrani w ciemne ciuchy, wieczorem bawimy się w najlepsze, a po kilku dniach nie pamiętamy. Po co ta fikcja?

– Czekaj, ale nikt pogrzebu nie traktuje jak wesołej imprezy. – Marta podniosła kolana i wylała odrobinę kawy na spodek.

– Bo w niewielu miejscach ludzie cieszą się, że przeżyli. To silniejsze niż udawany smutek. – Uśmiechnął się, jakby powiedział najlepszy dowcip.

– Nie mieści mi się to w głowie. – Upiła trochę kawy. W sumie czekało ją ciekawe doświadczenie.

Dochodziła dziesiąta. Janek, ubrany jak zwykle w kurtkę pilotkę, dżinsy i czerwoną czapkę bejsbolówkę, czekał na podwórku, paląc papierosa. Marta, mimo porannej rozmowy, włożyła ciuchy w stonowanych kolorach: szary sweter i ciemne dżinsy. Inna sprawa, że właściwie nie miała zbyt dużego wyboru, w końcu pakowała się tylko na kilkudniowy wyjazd i nie przewidziała udziału w pogrzebie. Przeglądając zawartość swojej niewielkiej torby, doszła do wniosku, że musi zajrzeć do Warszawy.

Czarna, elegancka limuzyna ze złotymi napisami: „Hades, Gabriel Bogacz, Mille, Rynek 66", stała centralnie przed wejściem do kościoła. Większość mieszkańców musiała omijać samochód, ale wszyscy robili to ze spokojem i zrozumieniem. Wymieniali uprzejmości z uśmiechniętym szoferem w białej płóciennej liberii.

Wyjątkowo od kilku dni nie padało i na niebie nie było chmur. Kobiety wystawiały twarze, by złapać ostatnie promienie słońca, rozbawieni mężczyźni głośno dyskutowali, pokazując sobic nawzajem najnowsze modele telefonów komórkowych, a starsze dzieci zajadały się watą cukrową, którą serwował Oster z automatu na kółkach. Maluchy biegały z kolorowymi wiatraczkami i puszczały bańki mydlane. Pod kościołem stanęło kilka straganów, był gwar i śmiech. Marta mocniej chwyciła Janka pod ramię. Miała wrażenie, że jest na jakimś odpuście. Stanęli pod pomnikiem i czekali na pierwsze dzwony. Chciała wejść na końcu i niezauważenie przeczekać mszę w bocznej nawie.

Gdy wreszcie usłyszeli bicie dzwonów, ludzie z pewnym ociąganiem weszli do środka. Msza była krótka. Za skromną trumną, niesioną przez pracowników Hadesu, szybko wyszedł Ceyn z synem, obydwaj w czarnych prochowcach, a także Gabricl Bogacz z żoną i dziećmi. Podobno zawsze jest blisko, by dopilnować, czy wszystko idzie zgodnie z planem. Większość żałobników uśmiechała się i pozdruwiała wzajemnie.

Witecka ze swojego ukrycia dostrzegła tylko kilka wyróżniających się osób: synka Bogaczów, Klaudiusza i księdza Ryszarda. Jako nieliczni stali skupieni, wyciszeni i pogrążeni w modlitwie.

Nagle rozbrzmiały pierwsze takty muzyki – uderzenia w talerze, dźwięki trąbki i skrzypiec, a przed samochodem ustawiła się sześcioosobowa orkiestra Bogacza. Marta miała nadzieję, żc w drodze na cmentarz nastrój wreszcie będzie podniosły, ale zamiast spodziewanych *Ave Maria* czy *Arii na strunie* Bacha z instrumentów popłynęła skoczna muzyka w rytmie disco polo, a rozbawiony i rozkołysany tłum ruszył za samochodem z trumną.

– Chyba za moment zwariuję, nie idę na cmentarz. Ja tego dłużej nie udźwignę – jęknęła.

– Uciekamy stąd! – Janek uchylił ciężkie drzwi kościoła i wyszli na zewnątrz.

Choć dźwięki orkiestry stawały się mniej wyraźnie, wesoły, kolorowy kondukt pogrzebowy jeszcze się nie skończył.

– Sporo ludzi przyszło. – Marta, zasłaniając oczy przed słońcem, obserwowała ten dziwaczny pochód.

– Wszyscy. Na pogrzeby zawsze przychodzi całe miasteczko. – Wzruszył ramionami.

– A na śluby pewnie tylko świadkowie – prychnęła.

– Właśnie tak, bo to nic dobrego nie wróży, więc po co w tym uczestniczyć? – Janek objął ją i ruszyli w stronę domu.

– Odwrócony świat. Tak powinnam zatytułować swój reportaż, a nie…

– Czekaj, opisałaś nas? – Przystanął i zdjął czapkę. Zrobiło mu się gorąco, wytarł pot z czoła.

– A co? Nie mogłam?

– Nie powinnaś tego robić. Piszesz do poczytnej gazety, a nam tutaj nie są potrzebni turyści. – Kopnął kamień, aż ten poturlał się pod pomnik papieża. Gdy zderzył się z figurą, pękł na pół.

– Janek, no co ty… – wyszeptała, patrząc na roztrzaskane połówki.

– Proszę, zadzwoń i wstrzymaj druk. – Wyjął swoją komórkę i podał ją Marcie.

– A wywiad z Maliną? – Próbowała ocalić choćby fragment swojej pracy.

– Nie ma mowy, przecież to kretyn i z pewnością kogoś zaciekawi. – Janek był śmiertelnie poważny i zdenerwowany.

– Ale ty nawet tego nie przeczytałeś, jakim prawem decydujesz o tym, co mam robić? – krzyknęła. Była wściekła.

– Ty ciągle nic nie rozumiesz, prawda? Chodźmy stąd, nie rób cyrku. – Zdecydowanie złapał oszołomioną Martę za ramiona i poprowadził przed sobą w stronę domu. Za pocztą zwolnił uścisk i zapalił kolejnego papierosa.

– Zwariowałeś, kurwa? – wrzasnęła, masując obolały łokieć.

– Martuś, powiedz mi, czy ty nie rozumiesz, że każdy obcy jest tu zagrożeniem? Nie boisz się, że umrzesz, jak ktoś tu osiądzie? Nie możesz ściągać na nas takiego niebezpieczeństwa.

– Przestań już. – Miała dość. Zachowywał się jak opętany.

– Sama widzisz, że jest klątwa. Ile ten wariat proboszcz Ryszard nas naliczył, co? Śmiali się z niego, a ja wiem, że ma rację. Całe życie wertował te księgi, liczył i analizował. Od śmierci Piecowej.

– Rozmawiałeś z nim? – Witecka zwolniła kroku.

– Tak, ale… – Nerwowo poprawił czapkę. – Sam nie wiem… Wiesz co, ja nie mam siły do tego tematu, jestem kurewsko zmęczony. Chodźmy do domu. – Otworzył furtkę.

Usiadła na schodach. Janek dopalał papierosa, siedząc niżej, tyłem do niej.

– Kiedy z nim rozmawiałeś, opowiedz. – Położyła dłonie na jego karku.

227

– Już nie był księdzem, choć nikt z nas do dziś inaczej na niego nie powie. To było po śmierci Aldonki. Nie wierzyłem, tak jak i ty nie mogłaś uwierzyć. Nie chciałem się pogodzić z tym, że zabiłem własną siostrę przez jakieś czary sprzed wieków.

– I co?

– Trochę mnie ten kurnik przeraził, ale siedziałem całymi dniami i oglądałem te papiery. Przez wiele lat było nas tysiąc. Równo. Liczyłem nazwiska ochrzczonych i pogrzebanych. Ale w ostatnim czasie coś się nie zgadzało, a staruszek nie umie do tego dojść. Straciłem cierpliwość. Historia mówi sama za siebie.

– No tak, to trwa już ponad dwieście lat. – Marta pogładziła Janka po szyi. – Może się coś pomylić.

– Wycofasz ten tekst… – Janek ni to stwierdził, ni zapytał, nie zmieniając tonu.

– Zobaczę – odparła. Nie dopowiedziała, że tak naprawdę jej decyzja zależała od tego, czy postanowi tu jeszcze trochę zostać, czy — jak tylko zakończą śledztwo i dostanie pozwolenie na wyjazd — zabierze się z Mille w kilka minut. Poza tym do kolejnego numeru zostało jeszcze trochę czasu. Plus redakcja i korekta. Mogą być spokojni.

– Jedziemy za miasto, sprawdzimy wóz? – Chciała choćby na chwilę porzucić te rozmyślania.

– Zawsze tak uciekasz? – Janek odwrócił się do niej, zgasiwszy niedopałek.

Zawsze – pomyślała – ale jesteś pierwszą osobą, która mnie na tym przyłapała.

228

Peugeot sprawował się znakomicie. Z łatwością pokonywał piaszczyste drogi dookoła Mille; wreszcie nic w nim nie terkotało, a kierownica nie stawiała żadnego oporu. Janek siedział na miejscu pasażera, od czasu do czasu pokazywał jakieś miejsca, opowiadał o nich. Gdzieniegdzie się zatrzymywali, pstrykali fotki. Spędzili miłe popołudnie. Marta poczuła, że ten bezpośredni facet stał się jej bliski i że tak naprawdę nie spieszy jej się do pustego domu w Warszawie.

Gdy wracali do Mille, robiło się już szaro, widoczność znacznie zmalała. Kocie łby wyraźnie dały znać o ostatniej prostej. Marta się uśmiechnęła. Tak niedawno wjeżdżała do tej miejscowości z myślą o jednorazowym noclegu.

Nagle w świetle reflektorów zobaczyła skuloną, drobną postać, która wyłoniła się jakby znikąd. Wyhamowała w ostatniej chwili. Zakapturzona postać ani drgnęła.

– Co to ma znaczyć?! – Janek wyskoczył.

Marta w światłach samochodu rozpoznała przerażoną twarz księdza Ryszarda. Wysiadła.

– Nic się księdzu nie stało? – Podbiegła.

– To jego siostra, Józia. – Kowal pokręcił głową.

Staruszka w ciemnej jesionce na nieoświetlonej drodze była kompletnie niewidoczna.

– A Józia, a kto? – wreszcie się odezwała. – Okularów ni mam i nic nie widzę.

– Podwieziemy panią. – Marta zapraszała do samochodu.

– Nie, ja tym diabłom nie wierzę. – Józia zmrużyła oczy. – Pójdę powoli, jak szłam. – Poprawiła chustkę.

229

– A dlaczego idziecie złą stroną drogi? Pani Józiu, tam będzie pani widziała, czy coś jedzie! – Kowal wskazał przeciwne pobocze i wziąwszy staruszkę pod ramię, przeprowadził na właściwą stronę.

Kobieta machnęła ręką i ruszyła przed siebie w stronę miasteczka.

– U Piecowej pewnie była. – Janek pokręcił głową i trzasnął drzwiami.

Marta patrzyła na oddalającą się staruszkę.

– Co, nie jedziesz?

– Mam! – wykrzyknęła. – Chodzi się lewą stroną drogi, prawda?

– Dobrze się czujesz? – Janek był rozbawiony. – No, lewą.

– A nauczyciele tym bardziej o tym wiedzą, bo muszą prowadzać wycieczki… – Witecka mówiła szybko i gwałtownie gestykulowała. Łamał jej się głos, a w gardle wyrosła jej nagle wielka gula.

– No raczej, o co… Marta, co znowu? – Kowal westchnął ciężko.

– Coś tu się nie zgadza, ale nie wiem co. Posłuchaj… – Marta włączyła światła awaryjne i lampkę nad lusterkiem. – Gołczyńska leżała pod krzyżem twarzą do ziemi. Możemy się domyślać, że dostała w plecy.

– No i? – Janek był poirytowany.

– Jeśli przyjmiemy, że wiedziała, którą stroną się chodzi, to nie mogła tam zostać potrącona od tyłu, z pewnością szła lewą stroną. Coś tu nie gra, cholera, muszę zajrzeć do zdjęć. – Uruchomiła silnik i z piskiem opon ruszyła do miasteczka.

– Spałaś w ogóle? – Janek, przeciągając się, usiadł w bokserkach przy kuchennym stole. Marta miała rozłożone notatki, ponownie oglądała wszystkie zdjęcia z miejsca wypadku. Był środek nocy, a mimo to nie czuła zmęczenia.

– Miałam rację, zobacz – odpowiedziała i odchyliła ekran monitora. – Nauczycielka leży po złej stronie, a tu, przy głowie, jest jej but. Dziwne.

– No i co z tego? – Kowal przecierał oczy.

– To nie był wypadek. Tylko z kim ja mam o tym pogadać? – Wpatrywała się w niego pytającym wzrokiem.

– Jutro pomyślimy, chodź spać. – Wstał i delikatnie pocałował Martę w szyję.

Zamknęła laptop.

# ROZDZIAŁ 14

– Już się za tobą stęskniłam. – Włoszka, wycierając ręce w fartuch, wybiegła zza baru. Przytuliła Martę.

– Słuchaj, jest przełom. Pomóż mi namówić Markusza. – Witecka usiadła na swoim hokerze. W „Rzymie" jeszcze nikogo nie było.

– Ten pijaczyna nic nie kojarzy. – Sophia machnęła ręką. – Wczoraj bełkotał równo. Coś mu się na tym pogrzebie uroiło.

– Chyba na festynie – prychnęła Marta.

– Przestań, za krótko tu jesteś, żeby rozumieć, co czujemy. – Barmanka wydęła usta, poprawiła włosy i kołnierzyk koszuli.

– Masz rację, nie oceniam, po prostu nie dałam rady. – Marta zrozumiała, że mogła urazić Sophię.

– Jak ludzie się dowiedzą, że jest nas więcej, zobaczysz, co się będzie działo – dodała Włoszka z ledwo wyczuwalną pretensją.

– Nie jest nas więcej. – Marta ściszyła głos i w tym samym momencie uświadomiła sobie, że myśli o tej społeczności jak o swojej.

– Jest Alessa... – wyszeptała Sophia.

– Wiem, wiem. Z kościelnych zapisów wynika, że jest nas dziewięćset dziewięćdziesiąt dziewięcioro. Z Alessą tysiąc... Trzeba tylko znaleźć jakieś sprytne wytłumaczenie i sprawnie wprowadzić twoją córkę do otoczenia... Tylko że... coś tu ciągle nie gra. – Witecka kręciła głową, marszcząc brwi. Nic do siebie nie pasowało, no, może oprócz tego, że jeśli ksiądz miał rację i Alessa pokazałaby się światu, to byłoby równo tysiąc mieszkańców. Tylko czy w takim razie jest ta klątwa, czy nie? Dziennikarka nie przestawała zadręczać się tym pytaniem.

– Taa... – Włoszka machnęła ścierką i zniknęła na zapleczu.

Wreszcie w barze zaczęli pojawiać się pierwsi goście i barmanka zajęła się ich obsługą. Do Marty odnosiła się grzecznie, ale i z dystansem. Gdy stanęła za barem, by nalać piwa, Witecka spytała:

– Sophia, co jest?

– Nic. – Włoszka wzruszyła ramionami.

– W takim razie nic tu po mnie. – Marta wstała. Miała dość tej sytuacji. Co prawda doskonale rozumiała mechanizmy obronne przyjaciółki, ale nie chciała być ofiarą jej zdenerwowania.

– Markusz idzie. – Sophia odchyliła głowę i powitała w drzwiach starego milicjanta. – To co zwykle?

– A lać! – Stary uchylił kapelusza i przywitał się z pozostałymi gośćmi. Usiadł przy swoim stoliku, ale po chwili dosiadła się do niego Marta.

– Ja wiem, że ma pan to wszystko gdzieś – zaczęła.

Markusz powiesił płaszcz na poręczy krzesła i zdjął ciężkie kalosze.

– Potrzebuję tylko rady.

– No. – Milicjant poprawił koszulę i wygodnie się rozsiadł.

– Nauczycielkę ktoś zabił.

– Też mi nowina. – Zaśmiał się.

– Ale to nie był wypadek. Proszę spojrzeć. – Otworzyła laptop.

Markuszewski sięgnął do kieszeni płaszcza po okulary i nachylił się do monitora.

– Skąd ty, dziecko, masz takie zdjęcia? – spytał, nie odrywając wzroku od ekranu.

– Mam ich więcej. Tu widać, że nauczycielka została potrącona od tyłu przez samochód jadący od strony miasteczka.

– No tak.

– To by znaczyło, że szła prawą stroną drogi…

– Nie powinna była, ale jest to możliwe. – Milicjant poprawił posklejane okulary.

– Moim zdaniem ktoś przeniósł zwłoki – szepnęła, ponieważ w barze zrobiło się cicho.

– I prawdopodobnie ją znał. – Markuszewski mówił wolniej.

– Skąd pan to wie? – Marta aż podniosła się na krześle.

– Gołczyńska leżała twarzą do ziemi. To takie charakterystyczne dla ofiar zabójców, którzy je znali. Po prostu mordercy nie chcą po śmierci patrzeć im w oczy. Cholera – stary pokiwał głową – co prawda czterdzieści osiem godzin minęło…

– A co to ma do rzeczy?

– Prawdopodobieństwo znalezienia sprawcy cały czas maleje, ale widzę, że nie odpuszczasz. – Markusz zdjął okulary i przycisnął odrywającą się taśmę klejącą.

– Czekałam na pana…

– Wiem, ale za bardzo wiało. Nie dałem rady dojść. – Próbował się uśmiechnąć. – No, co tu jeszcze masz?

– Stary wytarł okulary rękawem koszuli, wyciągnął z kieszeni pomięty brulion i zatemperowany ołówek. Odsunął wypełniony kieliszek wódki i śliniąc swój pisak, zaczął notować.

– Koniecznie muszę zajrzeć do akt. I do sekcji zwłok. – Podrapał się po siwej brodzie. – A ty na jutro obejrzyj wszystkie szczegóły na fotografiach z miejsca wypadku.

– A może tam pójdziemy? – zaproponowała ochoczo. Czuła, jak rośnie jej poziom adrenaliny.

– Tak, tak. Jutro omówimy wszystko na naradzie, ale nie tutaj. – Markusz zamknął zeszyt.

– Nareszcie nie jestem sama – wyszeptała, chowając laptop, a stary pokiwał głową.

Włoszka już zamykała i wychodzili jako ostatni. Na blacie został nietknięty kieliszek, w którym przy potrąceniu stolika ciągle drżała wódka.

Na rynku gasły ostatnie światła, cichły odgłosy z telewizorów. Prawie całe miasteczko już spało. Słyszeli stukot obcasów Włoszki. Odprowadziwszy ją wzrokiem, dostrzegli starego Lajna w drzwiach stolarni. Czekał na synową.

– To jak się umawiamy? – Marta była podekscytowana.

– To nie randka. Zadzwonię. Kłaniam się. – Markusz uchylił kapelusza i rozeszli się w swoje strony.

Prawie biegła do domu. Stary okazał się doświadczonym detektywem, od którego sporo mogłaby się nauczyć. Choć nie miała pojęcia, na czym będzie polegać ich współpraca, cieszyła się na wspólne rozwiązywanie tej zagadki. Wreszcie nie była sama.

Janek spał. Położyła się obok, tak by go nie obudzić. Nie mogła zasnąć, sięgnęła po telefon. Był tam jeden SMS: „Przelew zrobiony. Pozdrawiam, gdziekolwiek jesteś. PATRYCJA EM".

Marta jeszcze raz przeczytała wiadomość. Jej lokatorka niezmiennie od wielu lat potwierdzała opłatę za mieszkanie, ale nigdy jej nie pozdrawiała. I jeszcze to „gdziekolwiek jesteś"… A co by się stało, gdybym nagle zniknęła z tamtego świata?, myślała, zastanawiając się nad potencjalnym przebiegiem zdarzeń. Nic by się nie stało. Kompletnie nic.

Usnęła, wpatrując się w mrówczą orkiestrę, która oświetlona blaskiem księżyca prezentowała się jak na scenie kameralnej.

– Co będziesz robić? – Janek przyszedł do salonu, ciągle myjąc zęby. Zerknął na zegarek, który jak zwykle wieczorem zostawił na stole w kuchni.

– Czekam na telefon od Markusza – odpowiedziała, nie przerywając oglądania zdjęć z wypadku. Robiła zbliżenia, choć do końca nie miała pojęcia, czego szuka i co może być nietypowe. Niewiele w życiu widziała zdjęć z wypadków.

– Tak? A co się stało, że stary dał się namówić? – Janek wytarł ręką brodę, po której ściekała mu pasta.

– Kompletnie nie rozumiem tego rytuału. – Marta z lekkim obrzydzeniem patrzyła na skapującą, pienistą ciecz. – Chodzenie po domu i plucie. Dobrze ci się rozmawia?

– Oho, czas się ewakuować. – Odwrócił się na pięcie i poszedł do łazienki. Gdy wrócił po dłuższej chwili, zastał ją w niezmienionej pozycji, z tak samo przekrzywioną głową i nosem przy monitorze.

– No i to też jest dziwne – powiedziała, gdy tylko usiadł obok przy stole.

– Co, Sherlocku? – Zaśmiał się, przekręcił monitor i przyjrzał się zdjęciu. – Ja tu nic nie widzę. Leżą zwłoki, zakrwawione w pasie, do tego taśma i błyski policyjnych kogutów.

– A dlaczego ona jest w samym swetrze? – spytała, nie odrywając wzroku od fotografii. – Przecież wtedy było zimno, szczególnie rano. Nie wyszłaby bez płaszcza. Więc albo ktoś go zabrał, albo uciekała i gdzieś zostawiła, bo przeszkadzał jej w biegu. Musimy pilnie przeszukać teren. Kiedy ten stary zadzwoni? – Marta odruchowo sięgnęła po komórkę i sprawdziła, czy bateria jest naładowana.

– Ho, ho, widzę, że planujesz szeroko zakrojoną akcję policyjną. Martuś, ty zejdź na ziemię, myślisz, że policjanci na to nie wpadli, że nie przeszukali tego lasu?

– Nie wiem, ale nie zaszkodzi sprawdzić – odpowiedziała nieco nadąsana. Z pewnością miał trochę racji, ale tutejszy komisarz i nieznośnie panosząca się wiara w klątwę nie dawały żadnych gwarancji logicznego działania.

– Idę do warsztatu, wiesz, jakbyś mnie na przykład potrzebowała – rzucił w drzwiach, czym rozbawił Martę. Ten facet miał poczucie humoru i fajny dystans.

Wyświetlacz komórki zaczął migać, ale telefon nie wydał żadnego dźwięku, a na ekranie pojawiła się informacja: „1 nieodebrane połączenie". Niestety numer był zastrzeżony, więc nie mogła oddzwonić. Po chwili to samo. W końcu odebrała i usłyszała jakieś trzaski.

– Halo, słyszysz mnie? Halo! – nawoływał Markuszewski ze zniecierpliwieniem w głosie. – Dłużej nie będę się z tym mordować. Spotkajmy się przy krzyżu. Już tam idę – stękał.

Nie wyłączył telefonu, więc Witecka usłyszała, jak krząta się, zbiera jakieś rzeczy, coś mu upada. Wyobraziła sobie tego bezradnego staruszka, który wbrew powszechnej opinii ciągle logicznie myślał. Uśmiechnęła się. Nagle w słuchawce zabrzmiało walenie do drzwi.

– Idę, idę… – Dźwięk był słaby, z pewnością stary oddalał się od telefonu. – Co chcesz? – Z trudem odróżniła inny męski głos, zdecydowanie wzburzony, ale nie dało się zrozumieć słów. Po chwili Markusz powiedział chyba nad samą słuchawką: – Ostatni raz. Nie mów mi, co mam robić. I idź już wreszcie. – Po czym nastąpił głuchy, tępy stuk. – A leż tam, nie będę się schylał.

Marta zawstydziła się z powodu tego przypadkowego podsłuchu. Choć powinna się wyłączyć, nie potrafiła tego zrobić, jakby miała nadzieję poznać starego bliżej.

W kilka minut dotarła w umówione miejsce. Już z daleka zauważyła go, jak zwykle w kapeluszu, gumiakach i czarnym płaszczu. Markuszewski chodził wokół krzyża, potem powoli klęknął na kolano, przyglądał się otoczeniu. Przeszył ją dreszcz podniecenia. Dochodziło południe, słoneczny dzień stwarzał doskonałe warunki na rozpoznanie terenu.

– I co tu mamy? – spytał, nawet się nie witając, jakby nie chciał się rozpraszać albo uznał, że są już zespołem i szkoda czasu na grzeczności.

– Była bez płaszcza i…

– Nie znaleźli go – przerwał jej, machając ręką, po czym dodał ciszej: – Czytałem akta. Ani w okolicy, ani u żadnego z podejrzanych.

– O, a byli jacyś inni podejrzani? – zaciekawiła się.

– Jasne, ale teraz przyglądaj się. Co widzisz?

– Prawdę mówiąc, nic. – Wzruszyła ramionami.

– Miałaś rację z przeniesieniem ciała. Buty Magdy leżały przy głowie, musiała je zgubić, gdy ją ciągnął…

– Albo ciągnęła – dodała.

– E, nie. Zadrapania na piętach nie były głębokie. Krótko ją wlókł. Dla mnie mężczyzna, no, ostatecznie silna babka. – Markusz zaśmiał się mimowolnie. – Pytanie, skąd ją ciągnął. Albo z samochodu, bo ślad po ciągnięciu szybko się urywa, albo zginęła tu, po drugiej stronie ulicy. I szła jak należy. Co jeszcze jest na tych twoich zdjęciach?

Marta sięgnęła po smartfona. Zgrała wszystkie fotki, by móc się im przyjrzeć na miejscu zdarzenia.

– No, jestem pod wrażeniem. – Milicjant uśmiechnął się, ale nie zajrzał do komórki. I tak by na takim małym ekranie niczego nie dostrzegł.

– Zauważyłam, że jest jeden but…

– E, kretyn Malina, gdy chodził wokół ciała i odgradzał miejsce od gapiów, kopnął w ten but. – Milicjant machnął ręką.

– A może on to zrobił celowo? – Witecka ściszyła głos.

– Może tak być. Musimy to wziąć pod uwagę. – Stary wyciągnął brulion i coś zanotował. Po chwili, już w milczeniu, przyglądał się kolejnym fragmentom drogi. Nad czymś się zastanawiał.

– Chodźmy do ciebie, ale nie będziemy szli razem przez całe miasto. Janek pewnie w warsztacie, to nie będzie nam przeszkadzał.

– Nie powinien.

– Rozdzielamy się, będę po południu. No już, uciekaj. – Markuszewski pogonił ją jak nauczyciel na wycieczce szkolnej.

Witecka ruszyła po kocich łbach. Otuliła się parką. Choć dzień był słoneczny, ciągle miała dreszcze. Nie odpowiedziała na zadane rano pytanie Janka, bo nie znała odpowiedzi; nie wiedziała, dlaczego Markuszewski podjął się wspólnego działania. Może po prostu miał już dość samotnego borykania się z klątwą, która zawsze była tutaj najlepszym wytłumaczeniem i obroną. Na pewno nie było mu łatwo przedrzeć się przez te uprzedzenia. Marta była tutaj nowa, nie ustępowała. Może właśnie to ostatecznie go przekonało?

Z zamyślenia wytrącił ją gromki śmiech. Z plebanii wychodzili Ceyn z synem, a odprowadzający ich ksiądz Andrzej poklepywał burmistrza po plecach. Panowie zdawali się być w dobrych nastrojach, mimo że od pogrzebu minęły zaledwie dwa dni. Janek miał rację, tu nie ma pseudożałoby. Przy furtce panowie podali sobie ręce, jakby udało im się ubić jakiś interes. Pewnie domykali sprawę pogrzebu, bo dosłyszała, jak burmistrz mówi na odchodne:

– No to do następnego razu, tylko Bóg raczy wiedzieć, kiedy nastąpi, a niezbadane są wyroki boskie...

– Dzień dobry – Marta zatrzymała mężczyzn w przejściu. Zdjęła kaptur.

Ksiądz Andrzej oparł się o metalową bramkę.

– No, witamy, witamy. – Burmistrz uchylił kapelusza i lekko skinął głową. – A skąd panienka wraca? – Kończąc pytanie, spojrzał w głąb ulicy. Szczęśliwie stary Markuszewski zdążył skręcić i zniknąć z pola widzenia.

– Raczej pani – poprawiła go Marta. – Mam dla panów odpowiedź.

Ksiądz Andrzej uśmiechnął się i klepnął młodego Ceyna w plecy.

– Tak? – Burmistrz podrapał się po brodzie, a jego syn zrobił dokładnie to samo. – To umówmy się na spotkanie w urzędzie. Może... – Urzędnik wyjął smartfona i stuknął w ekran... Może przyjść pani do nas jeszcze dzisiaj? Zaraz zadzwonię do Jakuba. Myślę, że to nie będzie problem...

– Ja też tak myślę. – Ksiądz Andrzej odkaszlnął. – Pani Bonarowa ma się wciąż całkiem nieźle.

– O co chodzi? O kim mówicie? – Witecka patrzyła na rozmówców, ale oni wymieniali tylko porozumiewawcze spojrzenia.

– Na naszym spotkaniu musi pojawić się pani bezpośredni przełożony, dyrektor placówki. Tu jest tylko filia, co ma swoje dobre i złe strony… – Ceyn schował telefon i poprawił kapelusz, próbując ukryć uśmiech.

– Za dwie godziny czekamy na panią w gabinecie, okej? – zaproponował, zerkając na księdza Andrzeja.

– Tylko że ja nie mam… – Marta chciała dodać coś na temat uprawnień, ale zorientowała się, że to nie jest czas ani miejsce na takie rozmowy.

Stary Ceyn położył palec na ustach i lekkim krokiem odszedł. Za nim potruchtał syn. Ksiądz oparł się na furtce. Gdy nią bujał, wydawała nieprzyjemny pisk.

Marta chciała mieć wszystkie ustalenia jak najszybciej za sobą. Tak naprawdę nie zależało jej na tych biurokratycznych formalnościach. Wiedziała, że Ceyn ma duże możliwości, ale nie nadstawi karku, gdyby coś miało się źle skończyć. Poza tym pomyślała, że zatrudnienie w szkole zaprocentuje regularniejszym trybem życia.

Spacerowała po okolicy, odkłaniając się życzliwym przechodniom, zaglądała na podwórza, w okna domów. Czuła się potrzebna i na swoim miejscu. A może uda im się z Markuszem rozwiązać tę zagadkę i będzie mogła pomóc tym wszystkim ludziom?

Dwie godziny minęły niepostrzeżenie. Wróciła pod urząd pocztowy, gdzie za dużą skrzynką pocztową siedział skulony młody Ceyn. Na jej widok wyrzucił niedopałek papierosa.

– Witam, witam. – Konstanty, nieco speszony, podał Marcie rękę, próbując uprzednio wytrzeć dłoń o spodnie.

– Ojciec nie pozwala panu palić? – spytała, uśmiechając się i wskazując tlącego się papierosa. – Proszę skończyć, ja mu przecież nic nie powiem.

– E tam, pani go nie zna. – Młody machnął ręką.

– Chodźmy do gabinetu. Właśnie miałcm po panią iść, ale widziałem, że wraca pani z miasta...

– Śledził mnie pan? – Przystanęła.

– A bo tu trzeba kogoś śledzić? – prychnął chłopak.

Weszli do budynku poczty. Stanęli w drcwnianym korytarzu, a w głębi Marta dojrzała dwa okienka, wagę i kilka worków. Panowała cisza i spokój, w powietrzu unosiły się drobinki kurzu.

– My na piętro. – Ceyn wskazał schody i przepuścił Martę przed sobą.

Po kilku stopniach miała wrażcnic, że znaleźli się w innej rzeczywistości. Marmurowe ściany, szklane drzwi z wideopodglądem, a na tablicy kilka tabliczck umieszczonych jedna pod drugą: „Urząd Miejski w Mille", „Filia ZUS w Mille", „Pierwszy Urząd Skarbowy w Mille".

Ccyn wstukał kod i drzwi bezszelestnie się otworzyły. Poczuła zapach świeżo mielonej kawy wymieszany z wonią waniliowego odświeżacza powietrza. Na krwistoczerwonym dywanic na korytarzu nie dostrzegła ani jednej plamy czy choćby pyłku.

– Pan burmistrz przyjmuje na wprost. – Ceyn wskazał ręką największe metalowe drzwi.

Minęli cztery pokoje opatrzone tabliczkami.

– Cały ZUS w jednym pokoju – stwierdziła ze zdumieniem.

– A co pani myśli, tu jest największy porządek. W samej Warszawie mogliby się uczyć od nas organizacji. – Chłopak wyprostował się jeszcze bardziej, przyłożył kartę i metalowe drzwi lekko drgnęły, a potem bezgłośnie się rozchyliły. Tuż za nimi stał burmistrz, ubrany w czarny, niemodny garnitur i błyszczące lakierki. Kompletnie nie pasował do tego miejsca.

– No, dobrze się spisałeś. – Stary Ceyn poklepał Konstantego po plecach. – A teraz poproś panią Kasię o trzy kawy. Zapraszam do mnie – zwrócił się do Witeckiej i otworzył kolejne drzwi.

W gabinecie siedział bardzo szczupły i wysoki mężczyzna, który na ich widok wstał i podszedł do Marty.

– Jakub Bonnar, dzień dobry. – Pocałował ją w rękę.

– Dzień dobry – odpowiedziała, przyglądając mu się uważnie. Miała ochotę natychmiast wytrzeć dłoń, bo pocałunek był nad wyraz soczysty. Domyśliła się, że ten łysy facet z okularami w drucianych oprawkach, ubrany w dżinsy i marynarkę w pepitkę, to rzeczony dyrektor szkoły.

Jakub Bonnar zdjął okulary, potarł nos i usiadł w jednym ze skórzanych foteli. Chyba pociły mu się ręce, ponieważ stale wycierał je o spodnie.

– No to część oficjalną mamy za sobą. – Burmistrz poluzował krawat i rozpiął marynarkę. – Kuba jest dyrektorem szkoły w Wykach, mającej filię w Mille.

– No dobrze – przerwała Marta – to dlaczego nie przyśle pan tu kogoś ze swojej placówki?

– Sprawa nie jest taka prosta. Nie mam tak od ręki nikogo, tam też są dzieci… – Jakub Bonnar mówił tak

244

cicho, że Witecka ledwo go słyszała. – Oczywiście wkrótce kogoś tu przyślę…

– Ale nie na stałe! – niespodziewanie wtrącił się Ceyn.

– Oczywiście, moja matka ma się wciąż całkiem dobrze… – Bonnar ściszył głos do granicy słyszalności, po czym nieco głośniej dodał: – Potrzebuję na to trochę czasu. Widzi pani, chodzi o takie krótkie zastępstwo, powiedziałbym nie do końca oficjalne, bez umowy. – Dyrektor z lękiem spojrzał na burmistrza.

– A jak się ktoś o tym dowie? Nie wiem, z kuratorium czy innego urzędu? – Marta nieco oszołomiona zerkała na obydwu mężczyzn.

– Od kogo ma się dowiedzieć? – Ceyn spoważniał i omiótł wzrokiem gabinet, tak jakby nikogo tam nie było. – Kuba, stary Barańczak ma jeszcze ten stołek? – zwrócił się w końcu do dyrektora.

– Tak, zostały mu dwa lata do emerytury. – Dyrektor odpowiedział tak samo cicho jak poprzednio. – Jeszcze trochę możemy…

– Ale ja nie mam żadnych uprawnień, nawet nie wiem, co powinnam robić z tymi dzieciakami. – Marta czuła, że przeciąga strunę, ale robiła to celowo.

– O tym wszystkim pogadamy jutro rano w szkole. – Burmistrz machnął ręką. – Chyba umie pani czytać i pisać, co? – Ceyn zaśmiał się, ale nikt mu nie zawtórował.

– To mamy załatwiony temat. – Dyrektor wstał. – Powtarzam, że to jest sytuacja wyjątkowa, nowa nauczycielka pojawi się niebawem, można powiedzieć, że już jest w drodze.

Jakub Bonnar trzęsącą się ręką zapiął marynarkę. Marta doskonale rozumiała, że facet źle się czuje w tej sytuacji, w przeciwieństwie do Ceyna.

– Ale jest jeszcze coś – powiedziała dobitnie i wyprostowała się jak struna. – Chciałabym, by do tego czasu w szkole pomagał mi ksiądz Ryszard.

– O tym nie było mowy! – Ceyn uderzył ręką w stół i znowu porozumiewawczo spojrzał na dyrektora.

– Poza tym to jest były ksiądz, zgoda na nauczanie w jego przypadku będzie zdecydowanie trudniejsza do zdobycia… – Jakub Bonnar usiadł z powrotem.

– Naprawdę? – Marta przechyliła głowę. – Nawet dla was? Sama nie mam tyle czasu i ochoty – odpowiedziała w sumie zgodnie z prawdą. Zależało jej na tym, by zbliżyć się do dzieci, poznać tutejsze środowisko i poszukać potencjalnego mordercy, a ksiądz Ryszard mógłby ją odciążyć w obowiązkach, które siłą rzeczy na nią spadną. Ta myśl przyszła jej do głowy nieoczekiwanie, ale spodobała się na tyle, że postanowiła postawić ten warunek.

– A Rysiek o tym wie? Zgodził się? – Ceyn skończył zdanie z powątpiewaniem w głosie i teatralnie uniósł brew.

– Myślę, że zdobycie jego zgody nie będzie dla pana trudne – odrzekła, nie ukrywając ironii.

Bonnar wstał, poprawił okulary i stojąc w drzwiach, powiedział:

– Musimy iść z programem, nie można dłużej czekać. No, ale nic tu po mnie. Pani Marto, przyjadę na pasowanie. Wszelkie szczegóły przedstawi pani kolega. – Wskazał na burmistrza i cicho wymknął się z pokoju.

– Niezłą ma pan tu twierdzę – zauważyła, rozsiadając się wygodniej w fotelu.

Gabinet urządzony w nowoczesnym stylu był imponujący, biurko ze szklanym blatem, kilka metalowych szafek, płaski telewizor, skórzane fotele.

– No, a teraz do rzeczy! – Burmistrz odchrząknął.

– Ta sprawa zostaje tylko między nami. Nie wolno ci tego nigdy wykorzystać. Wiem, że jesteś dziennikarką, dlatego uczulam.

– Grozisz mi? – Witecka przełknęła ślinę.

Ceyn nawet nie starał się być uprzejmy.

– Ostrzegam. Po prostu. Nie zaczynaj ze mną.

– Nie bardzo rozumiem. – Poczuła podchodzący do przełyku strach.

– Bardzo dobrze rozumiesz. – Nabrał powietrza, a jego źrenice mocno się zwęźyły. – Do tego stanowiska przysługuje mieszkanie, jest w budynku szkoły...

– Nie potrzebuję go – przerwała mu.

Burmistrz wstał, przeszedł się po pokoju, wyjrzał przez okno i zdjął marynarkę. Wreszcie poluzował krawat i usiadł z powrotem na swoim miejscu. Nagle złagodniał. Był jak doktor Jekyll i pan Hyde.

– Dziś i jutro pani nie potrzebuje, ale skąd pani wie, co będzie za kilka miesięcy? – Urzędnik zaśmiał się, ale śmiech szybko przeszedł w kaszel.

– Miesięcy? – Marta spojrzała na niego. – Jak rozumiem, szukacie już kogoś na moje miejsce, mam być tylko na chwilowe zastępstwo.

– A, tak mi się powiedziało. – Ceyn machnął ręką.

– Poszukamy. Na razie, wie pani, sytuacja musi się

uspokoić. Zaczynamy jutro o dziesiątej. – Ton tej wypowiedzi nie pozostawiał wątpliwości, kto tu o wszystkim decyduje.

Witecka miała mętlik w głowie. Z jednej strony nie chciała się wycofywać, z drugiej – sposób postępowania Ceyna mocno ją zaniepokoił i trochę wystraszył. Nie tak to miało wyglądać. Natychmiast poczuła dokuczliwe swędzenie z tyłu głowy, ale w tym momencie wszedł Konstanty z dwiema kawami. Zapanowała cisza. Gdy trzęsącą się ręką podawał ojcu filiżankę, wylał kilka kropel na biurko. Natychmiast wytarł je kciukiem i oblizał palec.

Burmistrz uśmiechnął się łagodnie.

– A tu, jak mówiłem, są klucze. – Wyjął z szuflady dwa małe kluczyki od zamka typu yale. – Proszę się rozgościć, droga pani, i czuć się jak u siebie w domu. – Jego zaproszenie brzmiało jak „nie radzę ze mną zadzierać".

– Nie sądzę, bym zechciała skorzystać. – Wzruszyła ramionami. – Ale ma pan rację, nie wiadomo, co będzie za kilka miesięcy. Gdzie mam podpisać?

– Ufamy sobie, prawda? – Ceyn zagryzł wargę i odchylił się na fotelu.

Pomyślała, że w tak zagęszczonej atmosferze żadna rozmowa nie mogła przebiegać w naturalny sposób.

Wreszcie znalazła się na drodze prowadzącej do domu Janka. Gdy wyszła z gabinetu, nieco się uspokoiła i odetchnęła głębiej. Ściskając w dłoni żółte klucze, dotarła do furtki.


Portret Aldonki przyciągał jej wzrok za każdym razem, gdy obok niego przechodziła. Nie umiała wytłumaczyć sobie, dlaczego tak się dzieje. Może siostra Janka chciała jej coś przekazać? Marta potrząsnęła głową i po chwili wróciła do milczącego Markusza.

– Tutaj mam wszystkie zdjęcia z wypadku. Proszę zobaczyć. – Odchyliła ekran monitora. Powiększyła fotografie, by stary bez problemu dojrzał szczegóły.

– No, widzisz – Markuszewski zmrużył oczy – na pierwszym zdjęciu obydwa buty leżą nad głową nauczycielki, a to znaczy, że ktoś układał ciało, by wyglądało na potrącone od drugiej strony.

– Aha – przytaknęła.

– He, he, a tu nawet złapałaś, jak Malina kopie but. – Milicjant uśmiechnął się, pokazując resztki ciemnych zębów.

– A niech pan powie…

– Jaki pan? Jesteśmy teraz zespołem. Nie ma czasu na panowanie. – Stary pokiwał głową i poprawił okulary; notował kolejne uwagi w rozłożonym przed laptopem brulionie.

– No to w tej sytuacji proponuję bruderszaft. – Witecka wstała i sięgnęła po nalewkę.

– Herbatą, w pracy nie pijemy, to podstawowa zasada. – Markuszewski puścił do niej oko.

I kto to mówi, pomyślała, ale ucieszyła ją ta propozycja. Tak naprawdę nie miała ochoty na alkohol.

Stary spokojnie oglądał wszystkie zdjęcia, które zrobiła w Mille. Czasem o coś dopytywał, kilkakrotnie zapisywał kolejne wnioski w notatniku.

Marta czuła się trochę odsunięta, bo nie dzielił się z nią żadnymi przemyśleniami, nie szukali wspólnie odpowiedzi, nie zastanawiali się nad podejrzanymi ani motywem. Nie tak sobie wyobrażała to wspólne śledztwo. Siedząc bezczynnie, dała SMS-em znać Jankowi o wizycie gościa.

Po kilku godzinach Bolesław Markuszewski zdjął okulary i przetarł zmęczone oczy. Marta wypełniła kolejny dzban aromatyczną herbatą i spokojnie czekała. Stary nalał pół szklanki plujki, bo tak określił liściastego dilmaha.

– No to tak. Zgadzamy się co do jednego, że to nie był wypadek.

– A tym samym musimy wykluczyć tę całą klątwę. – Witecka wsparła się na łokciach.

– Nie tak szybko. Musimy rozpatrzyć dwie sytuacje… – Markusz przedzielił kartkę brulionu na pół, rysując nierówną linię. – Albo że sprawca jest z Mille, albo że spoza miasta, czyli to ktoś przypadkowy.

Marta westchnęła, ale dopytała z rezygnacją w głosie:

– A kogoś podejrzewamy?

– Wspólnie zajmiemy się prawą stroną. – Markusz postukał w zeszyt z tabelką. – Bo zakładamy, że sprawca znał ofiarę. Do jutra czekam na twoje typy. Razem zastanowimy się nad motywem i sposobem przesłuchiwania. Pamiętaj, że nie mamy wolnej ręki. – Popatrzył na nią znacząco.

– Przez dzieciaki w szkole będę mieć dostęp do rodziców – podpowiedziała.

Milicjant zdjął okulary, przeczesał ręką siwe włosy.

– A więc przyjęłaś propozycję Ceyna?

– No tak, bo… – zmieszała się. Trochę się bała reakcji starego.

– W sumie to… – Markusz włożył ołówek do ust i zaczął go nadgryzać; przymknął oczy i dokończył dopiero po chwili: – ...dobry pomysł. Po pierwsze, będziesz swoja, a po drugie, nikogo nie zdziwią twoje rozmowy z ludźmi. A, no i skoro jesteś spikerką, to będziesz umiała wyciągnąć od nich, co trzeba.

– Dziennikarką raczej, a nie spikerką. – Martę rozbawiło to porównanie.

– I rzecz najważniejsza. – Stary wstał, zbierając brulion. – Temu twojemu pary z gęby o tym, co robimy. – Pogroził jej palcem.

Kiwnęła posłusznie głową. Nie była tym zdziwiona, w końcu Janek znajdował się na liście podejrzanych. Choć kompletnie nie wierzyła w jego udział w tym zajściu, to doskonale rozumiała obawy Markusza. Miała tylko nadzieję, że stary podobnie zachowa się w stosunku do swojego syna.

– Rozejrzę się po szkole – powiedziała w przedpokoju, gdy Bolesław wkładał płaszcz i mocował się z gumiakami.

Gdy wreszcie je wciągnął, wystękał zasapany:

– Pogrzebię w papierach Maliny, jutro ma wyjazdówkę. Bez wyników z sekcji zwłok niewiele zrobimy. Do jutra, przyjdę po południu! – Głęboko naciągnął kapelusz i postawił kołnierz.

Zapadł już zmrok i znowu wiał silny wiatr, ale stary bez trudu dostał się do furtki. Światła z warsztatu łagodnie oświetlały podwórko. Marta stała na ganku i odprowadzała wspólnika wzrokiem, aż zginął w ciemnościach.

Kilka minut później usłyszała szczęk otwieranego zamka i brzęczenie kluczy. Janek usiadł na krześle i nalał sobie herbaty z dzbanka. Był bardzo zmęczony. Na twarzy pogłębiły mu się zmarszczki, a miejsce pogodnego uśmiechu zajęła wąska linia. Po szyi spływały mu kropelki potu. Oddychał ciężko, milczał. Wyciągnął z kieszeni gumkę recepturkę i związał włosy na czubku głowy, czym ją rozśmieszył.

– Chodź pod prysznic, zrobię ci masaż. – Usiadła mu na kolanach i pogładziła wystające spod gumki włosy.

Zamruczał, marzył o odpoczynku i relaksie.

– Chętnie, bo męczę się z tym zamówieniem. Nie może być nawet pół odprysku, a wszystkie spawy mają być niewidoczne.

– A co robisz? – Marta przytuliła się do dłoni Janka.

– Bramę zewnętrzną, wypełnioną kaliami. Wiesz, żeby się odpowiednio kojarzyło…

– Z czym?

– No, z trupami. Robię dla takiego grubego Niemca, właściciela zakładu pogrzebowego.

– A projektowałeś coś dla Bogacza? – podchwyciła temat. – On ma sporo takich metalowych ogrodzeń.

– Tak, jasne, ale nie chciał ładnie, tylko efektownie. – Kowal się zaśmiał. – Uznałem to za wyzwanie i postanowiłem nie nawiązywać do najbardziej oczywistych symboli śmierci i przemijania.

– Takich jak trupia czaszka? – podała pierwsze skojarzenie.

– No tak, albo zegar. Zaproponowałem mu skrzypce. – Janek przymknął oczy.

– Piękny instrument, do tego kojarzony z muzyką pogrzebową.

– E, nie o to mi chodziło. – Kowal pogłaskał ją po głowie, jakby była małą dziewczynką. – Myślałem o chwili. Muzyka, która wychodzi spod smyczka, z chwilą wybrzmienia ostatniej nuty przestaje istnieć. Przemija jak nasze życie, które kończymy u bogatego Bogacza.

– Jest chyba najbogatszy w okolicy i chce to pokazać. W sumie ten zakład to dobry biznes.

– Muszą być trupy, inaczej nie ma zarobku. On jest tu poumawiany z każdym, z księdzem, burmistrzem, policjantem. No i z władzami okolic. Monopolista. – Janek wzruszył ramionami. Nie chciał dłużej o tym rozmawiać.

Zadzwoniła komórka Marty. *Entertainment*. Zrobiło jej się słabo. Szajnert raczej nigdy nie dzwonił osobiście, tym bardziej wieczorami. Nie wróżyło to nic dobrego, natychmiast poczuła ostre swędzenie z tyłu głowy. Znowu zerwała ledwo zagojone strupy.

– Witecka, żarty sobie stroisz? – Naczelny trochę seplenił.

– Bo?

– Co ty przysyłasz? Co to, kurwa, ma być?

– Napisałam o tym, co się tu dzieje. Uważam, że to dobry tekst. – Marta potrząsnęła głową, podczas gdy Janek wpatrywał się w nią milcząco. – Nawet bardzo dobry – dodała pewnie.

– Nie przeczę, dobrze napisane – Szajnert chrząknął – ale co to ma być za temat? To nie są czasy inkwizycji, żebyś mi zajmowała strony czarami...

– Klątwą, ściślej mówiąc – przerwała mu ze śmiechem. Pierwszy raz miała kompletnie gdzieś, co powie szef. Była swobodna i harda. Nareszcie.

– Wszystko jedno. Zabobon to zabobon. Kogo to interesuje?

– Proszę skasować ten tekst – wyrzuciła z siebie pewnym głosem.

Janek zmrużył oczy i zaczął uważniej jej się przyglądać.

– Co? Musisz go jakoś podrasować… albo… wymyśl coś jeszcze, dodaj jakąś tragedię… – Szajnert zaczął się plątać. Nie spodziewał się takiej reakcji. Cenił, a właściwie tolerował jedynie pokorę u swoich dziennikarzy.

– Mówię poważnie. To jest dopiero początek, za wcześnie, by o tym pisać. Wrócę, jak tekst będzie gotowy, a teraz zrzucamy temat. I do widzenia. – Wyłączyła telefon, zostawiając po drugiej stronie zaskoczonego naczelnego.

Jasne, że jak skończy pisać, to przypomni o sobie, ale niekoniecznie w tej redakcji. Wreszcie może sama decydować o sobie i nie musi naginać się do niczyjej rzeczywistości. Cudowne uczucie.

# ROZDZIAŁ 15

Tak musi pachnieć starość, mieszanką woni naftaliny, wilgoci i zmęczonego ciała. Zapach jest z pewnością trudny do usunięcia, ponieważ gromadzi się przez wiele lat, ale może być przyjemny, gdy kojarzy się z jowialnym, miłym dziadkiem.

Marta stała w świetlicy szkolnej w oczekiwaniu na decyzję księdza Ryszarda, który co prawda przyszedł na prośbę burmistrza, ale nie przystał na propozycję nauczania. Odgadła jego obecność właśnie po nieznośnie panoszącym się, kwaśnym zapachu.

Oglądała zeszyty, porozrzucane książki. Sala od dnia śmierci nauczycielki stała pusta i wyglądała dokładnie tak jak wtedy, gdy Witecka spędziła w niej noc. Nawet czerwony ręcznik frotté, który dostała od Magdy i umieściła na kaloryferze, wciąż tam wisiał. Uśmiechnęła się.

Wreszcie po kilkunastu minutach do świetlicy wszedł Ceyn, a za nim przydreptał ksiądz Ryszard. Marta nadal trzymała w rękach czerwony ręcznik.

– No to jesteśmy dogadani, prawda? – powiedział gromkim głosem burmistrz, aż stary ksiądz drgnął.

– Chwilowo tak. – Ksiądz pokiwał głową. – Ale sam nie wiem, co ja tu robię…

– Znowu Ryszard zaczyna? – Ceyn wyraźnie tracił cierpliwość.

– Nie, nie. – Stary machnął ręką. – Już się z panią dogadamy. – Kiwnął głową do Marty, jakby dawał jej jakiś znak, a ona mu przytaknęła.

– No to ja już się nie wtrącam. Dziś pójdzie informacja, że od jutra dzieci wracają na lekcje. Tu macie program dla najmłodszych klas. – Burmistrz sięgnął do teczki i wyjął pogniecione dokumenty, po czym uchylił kapelusza i pospiesznie opuszczając salę, dodał: – Wiecie, gdzie mnie szukać. Do widzenia!

Marta z księdzem Ryszardem spojrzeli po sobie z nieukrywaną obawą.

– No i co my zrobimy? – Staruszek z trudem usiadł na drewnianym, skrzypiącym krześle.

– Spokojnie, to stan przejściowy. – Uśmiechnęła się do niego.

– Mam nadzieję, bo to nie wygląda dobrze. – Wziął do ręki pomięte arkusze zostawione przez Ceyna, założył swoje posklejane rogowe okulary i zaczął czytać na głos: – *Edukacja wczesnoszkolna, program nauczania klas I–III*. Co my tu mamy… edukacja polonistyczna, edukacja muzyczna… oho! Nauczanie liter to będzie dla pani… Ja mogę wziąć na siebie edukację muzyczną, jeszcze kilka kolęd pamiętam. – Zaczął się śmiać, a Marta mu zawtórowała i zajrzała przez ramię do dokumentów.

– Dobrze, to ja wezmę jeszcze edukację społeczną i zajęcia komputerowe, a ksiądz plastykę, przyrodę i matematykę.

– W co ja się wpakowałem… – Staruszek pokręcił głową, odłożył papiery i zdjął okulary, po czym schował twarz w dłoniach.

– Ależ proszę księdza, proszę spojrzeć, to jest dość dobrze opracowane. – Witecka nie dawała za wygraną. Kartkując program nauczania, odczytywała kolejne skrypty lekcji i wskazówki dla nauczycieli.

– Ale mnie nie o to chodzi, jakoś im zaśpiewam kolędę. – Ryszard machnął ręką. – Jestem tak blisko rozwikłania naszej miejscowej zagadki. Nie mogę tracić czasu na te dzieciaki.

– Ale to już trwa zbyt długo – szepnęła cicho. Wiedziała od Janka, że ksiądz niezmiennie tak twierdził od kilkunastu lat. Ciągle był blisko rozwiązania, a każdorazowe grzebanie w księgach parafialnych burzyło jego poprzednią koncepcję. Teraz to chyba Ceyn wiedział najlepiej, w końcu to on jako jedyny rejestrował wszystkich.

– Jest dziewięćset dziewięćdziesiąt dziewięć osób, tak? – Ksiądz mówił jak mały chłopiec.

Marcie zaschło w gardle.

– Ja wiem, że tysiąc, ale skoro z obliczeń tak wynika… – przytaknęła. Nie chciała burzyć jego teorii, bo zwykle wyprowadzało to staruszka z równowagi.

– To znaczy, że ktoś kogoś ukrywa. – Ksiądz rozpiął jesionkę i kilka guzików sutanny. – I jeśli się to wyda, gdy przyjdzie nowe życie, to… – Zrobił w powietrzu znak krzyża.

– Dlaczego od razu ukrywa? Przecież krótkoterminowo może być więcej mieszkańców. – Marta chciała uspokoić starego proboszcza.

– Kilka miesięcy jest dozwolone… Ale nie lat, a według mnie trwa to od… – Ksiądz wyjął z kieszeni mały kalendarzyk w czerwonej, plastikowej okładce – od jakichś sześciu lat. Zwykle jest jeden na jeden. Od razu się zastępują, ale był kiedyś jakiś przełom i nie umiem go wyjaśnić. Co pani na to?

Marta zamarła. Dokładnie tyle lat miała mała Alessa, córka Włoszki. Proboszcz Ryszard po wielu latach doliczył się obecnego stanu i prawda może pozwoliłaby mu wyjść z tego obłędu, ale ona nie mogła mu jej zdradzić. Jeszcze nie teraz.

– Myślę, że jestem tu po to, żeby to miasteczko wreszcie zaczęło normalnie funkcjonować. Nic nie dzieje się przypadkiem, po prostu musiałam tu trafić… – przerwała, bo ją samą zaskoczyła ta myśl, gdy wypowiedziała ją głośno. Nagle uwierzyła w swoje słowa.

– Nie ma mocnego na klątwę. – Ksiądz schował kalendarzyk i znieruchomiał. Wpatrywał się w okno, po chwili z trudem uklęknął i pochylił głowę. Kilka razy uderzył się w pierś, zaczął mamrotać.

Marta westchnęła, znowu to samo. Odczekała kilka minut, pozwoliła księdzu zobaczyć jego objawienie. Wreszcie zmęczony usiadł z powrotem na swoim krześle.

– Dlaczego ksiądz się zgodził prowadzić ze mną tę szkołę? – spytała, gdy ponownie nawiązał z nią kontakt.

– To przez Ceyna – wyszeptał proboszcz. – Da mi za to drewno na opał, ciepłe obiady w urzędzie dla mnie i dla

Józi i trochę ciepłych ubrań. Zima idzie, niestety. Muszę skorzystać, ale zgodziłem się tylko do końca roku.

– Tak?

– Tak, ale jedzenie obiecał bezterminowo.

Marta uśmiechnęła się. Ceyn nie jest z pewnością bohaterem w swoim miasteczku, ale dość szybko zrozumiał zasady jej gry i się do niej włączył. Były ksiądz z siostrą godnie przeżyją zimę, a są zbyt dumni, by przyjmować darmową pomoc.

Po kilku kolejnych analizach programu nauczania mieli gotowy plan zajęć i konspekty kilku lekcji. Wbrew pozorom wciągnęli się i pod koniec spotkania wracali do wcześniejszych ustaleń, by poszukać atrakcyjniejszych rozwiązań. Przejrzeli dziennik i notatki nauczycielki. Z jej zapisków wynikało, że klasa pierwsza szykowała się do pasowania na ucznia. To ważne wydarzenie dla małych żaków, dlatego postanowili zorganizować miłą uroczystość i w ten sposób zbliżyć się do uczniów i ich rodziców. Szczęśliwie była ich garstka.

– No to zaczynamy razem, a potem każdy do swoich zajęć. – Ksiądz Ryszard uśmiechał się i chował w ramionach jak zawstydzony maluch, czym rozczulił Martę.

Ustalili plan działań, scenariusz pasowania i w przyjemnych nastrojach pożegnali się na szkolnym korytarzu. Byli kolegami z pracy.

Przed wyjściem dyskretnie uchyliła okna i zorientowała się, że szkoła bezpośrednio sąsiadowała z willą Bogacza. Jego płot zaciemniał obydwie sale lekcyjne.

– Jesteś w barze? – Marta spytała drżącym głosem. Dygotała na całym ciele. Przeszywający wiatr z każdą sekundą narastał i całkiem przemarzły jej ręce. Marzyła, by szybko się gdzieś schować.

– Tak, przychodź, ale na krótko. – Włoszka szybko odłożyła słuchawkę.

Choć dziewczyna poczuła się nieswojo, postanowiła spotkać się z Sophią.

– Miła to ty nie jesteś – powiedziała na dzień dobry, gdy Włoszka pokazała się za barem.

– Dziś mam rezerwację na całe popołudnie, uwijam się jak w zupie… – Ominęła Martę i zaczęła nakrywać stoliki.

– Raczej w ukropie. – Witecka poprawiła przyjaciółkę, jednocześnie podając jej kolejne części zastawy. Nim się spostrzegły, obydwie przygotowywały salę.

W trakcie szykowania Marta dowiedziała się, że bar wynajął Malina. Postanowił zorganizować kolację i zaprosił „tych policjantów od wypadku i prokuratora".

– Sam jest, to kto mu przygotuje i poda? – spytała Sophia, wycierając kieliszki.

Marta nie odpowiedziała. Bardzo chciałaby poznać przebieg tej kolacji i usłyszeć jakieś ustalenia grupy dochodzeniowo-śledczej. Niewątpliwie będą rozmawiać o wypadku Magdy Gołczyńskiej.

– A jak ty tu sobie sama poradzisz? – spytała Włoszkę.

– O, nie, nie! – Sophia uniosła wzrok zza baru. – W tym czasie mogę być tylko ja. To ich warunek. Jeszcze pomidory pokrój, *si*?

– *Si, si*, ale opowiesz mi, co ustalili? Muszę to wiedzieć!

Włoszka westchnęła. Podciągnęła opadające rękawy koszuli za łokcie, rozpięła guzik przy kołnierzyku.

– Wiem, wiem i mam nadzieję, że nie narażam się na darmo.

Zabrzmiało to poważnie, a nawet trochę groźnie. Sophia nie wróciła do tematu Alessy, ale Marta wiedziała, że tamto wyznanie dużo kosztowało przyjaciółkę. W pierwszym odruchu chciała zapewnić ją o swoim zaangażowaniu w sprawę, ale uznała, że mimo najszczerszych chęci jest jeszcze za wcześnie, by cokolwiek obiecywać.

– A może zostawię ci dyktafon? – spytała cicho, gdy wkładała kurtkę i szykowała się do wyjścia.

– Nie ma mowy. – Włoszka pokręciła głową. – Ale postaram się dużo zapamiętać. Zaufaj mi, okej?

– Dobrze, dobrze, musiałam spróbować. – Witecka przytuliła się do Włoszki. Jej włosy pachniały bazylią i słońcem, którego od dawna nie było w Mille.

– Wiem, wiem, uciekaj już. – Barmanka pogładziła Martę po policzku. Jesteśmy drużyną, pamiętaj!

Ciepły, serdeczny głos Sophii brzmiał jej w głowie, gdy przemierzała rynek. Życie w miasteczku toczyło się bez większych zmian. Silny siedział w sklepie, z grymasem na twarzy obsługiwał klientów, w oknach kwiaciarni pojawiły się nowe kolory, przed pocztą stało kilka dyskutujących kobiet.

– O, pani nauczycielka. – Jedna z nich, wysoka, smukła blondynka w kraciastym płaszczu, pochyliła lekko głowę w jej stronę.

– Dzień dobry. – Witecka przystanęła. – Jutro o dziesiątej wznawiamy lekcje.

– Podobno ten wariat Krzyżanowski też będzie – prychnęła druga z grupy, także blondynka, ale niższa, o grubszym głosie.

– Tak, razem będziemy prowadzić zajęcia, dopóki z Wyk nie przyjedzie ktoś na stałe – odpowiedziała Marta. Kobiety zaniemówiły, wysoka blondynka zakryła usta.

– Mam nadzieję, że lepsze, bo ta Gołczyńska to się kompletnie do dzieciaków nie nadawała. W sumie to mnie nie dziwi, co ją spotkało – dodała smukła blondynka, robiąc pospiesznie znak krzyża.

– Spokojnie – odezwała się wreszcie trzecia z nich, przysadzista brunetka z małym pieskiem. – Dajmy im szansę. Nasze dzieci już czekają. Moje nazwisko Kapuścińska, a w pierwszej klasie jest mój syn Tomaszek – mówiła szybko.

Marta patrzyła na twarze swoich rozmówczyń, które były jak pieczęcie ich charakterów. Kobiety jedno miały wspólne – lubiły się wtrącać w nie swoje sprawy, tak jakby nie było dla nich nic świętego. Najwyraźniej za cel postawiły sobie odsłanianie słabych punktów obmawianych osób, w tym wypadku poprzedniej nauczycielki. Tylko dlaczego teraz?

Nie miała ochoty słuchać już trajkotania matek. Spojrzała na nie najbardziej wyniośle, jak umiała, i w milczeniu oddaliła się w stronę domu Janka. Kobiety zamilkły z niedowierzaniem na twarzach. Miała nadzieję, że zrobiło im się głupio z powodu obgadywania zmarłej.

– Halo, halo – usłyszała za sobą nawoływanie. W krzakach siedział Markuszewski, ukryty pod głęboko naciągniętym kapeluszem.

– Co pan tu robi? – Podeszła i z trudem wyciągnęła starego z jego kryjówki.

– Czekam, byliśmy umówieni. To niesubordynacja. – Milicjant pokręcił głową. – Nie mogę się tu pokazywać. Robotnicy, kowal, wszyscy się tu kręcą.

– Spokojnie. – Marta uśmiechnęła się, zamykając za sobą furtkę. – Sami swoi.

– Nikt nie może się dowiedzieć o naszych działaniach operacyjnych. Kiedy wreszcie zrozumiesz, że to nie jest amerykański film? Musimy ustalić system wczesnego powiadamiania. – Markuszewski był bardzo niezadowolony. Gdy weszli do korytarza i zatrzasnęła za nim drzwi, odetchnął głęboko.

– Chyba komunikacji – poprawiła go. – Proszę się nie gniewać, ale nie byliśmy umówieni na konkretną godzinę. Poza tym mam ważne dane.

– Jakie? Melduj!

– Dziś wieczorem w „Rzymie" jest spotkanie grupy dochodzeniowo-śledczej. Prawdopodobnie będą omawiać śledztwo.

– Raczej jego umorzenie z powodu niewykrycia sprawców – stęknął, mocując się z gumiakami. Były oblepione błotem i liśćmi.

– Tak wcześnie? – Nie chciało jej się w to wierzyć.

– Ano właśnie… Potem dołączy Ceyn i tyle… – Milicjant ponownie stęknął, wieszając kapelusz.

– Ale zaraz – Witecka mówiła gorączkowo – przecież my nie jesteśmy w jakimś alternatywnym świecie!

Stary zdjął okulary, poprawił taśmę i spojrzał na Martę.

– Przecież – kontynuowała – oni komuś podlegają… Nikt się tym nie zainteresuje? W środku Polski ginie człowiek i po prostu umarza się śledztwo?

Markusz dalej patrzył tępym wzrokiem, w końcu westchnął i odpowiedział:

– U nas będzie umorzone, tu nikt nikogo nie będzie szukać. Jeśli już, to może dla przyzwoitości śledztwo przejmie komenda wojewódzka, bo policja zakłada, że sprawcą był ktoś z zewnątrz. Ale też pewnie umorzą… – Machnął ręką.

– Sophia wszystko mi opowie, jesteśmy umówione. – Dziennikarka wyprostowała się, dumna ze swojego planu.

– Dobra robota! – Markusz zdjął jesionkę. – Zaczynajmy już.

Usiadł na tym samym krześle, co wczoraj, spod koszuli wyciągnął pomięte papiery i zaczął rozprostowywać kartki w brulionie.

– Mam tu kilka kandydatur – zaczął, gdy Marta wreszcie dosiadła się obok. Otworzył brulion na stronie z tabelką. Wypełniona była tylko jedna część, ta z mieszkańcami Mille.

– Mam takie typy… – odchrząknął, pokazując notatki spisane koślawym pismem. – Kolejność przypadkowa: Jan, Klauduś, burmistrz Ceyn, Gabriel Bogacz, Piotr Malina, ksiądz Andrzej, ojciec albo matka jakiegoś dziecka, Adam Malczewski…

– A kto to jest? – przerwała mu Marta.

– Facet w wełnianej czapce, dostawca i drobny złodziejaszek. To jest lista, którą opracowałem wieczorem. Każda z tych osób mogła mieć motyw.

Markuszewski powoli omówił wszystkich podejrzanych. Marta z niemałym zachwytem słuchała jego wnikliwych analiz.

– Dla nas najtrudniejsze do przyjęcia są dwie kandydatury – kowala i Klaudusia; obydwaj mogli mieć motyw. Po pierwsze, ten twój mógł chcieć zrobić dla ciebie miejsce…

– Bez przesady – prychnęła, ale niezrażony ciągnął dalej:

– No i wiemy, że jechał tamtędy mniej więcej o godzinie, o której doszło do wypadku.

– A Silny? – Marta chciała natychmiast przekonać się, na ile sprawiedliwie Markusz oceniał podejrzanych.

– No tak. – Potarł czoło, wygładzając bruzdy. – Być może jej nie kochał i nie umiał się z nią rozstać. Magda miała trudny charakter, a ich związkowi daleko było do sielanki. Klauduś, szczególnie ostatnio, bardzo zmarkotniał, jakby coś go trapiło. No nic, idźmy dalej.

– Malina nie wymaga komentarza. – Marta wskazała palcem nazwisko komisarza.

– No właśnie, psiakrew. Ale mamy jeszcze pana, wójta i plebana. – Milicjant drżącą ręką zakreślił kółkiem trzy osoby: księdza Andrzeja, Ceyna i Bogacza.

– Niezłe porównanie. A jaki oni mogli mieć wspólny motyw?

– Pieniądze, to proste. Za trupa każdy z nich dostaje kasę, państwową, dodajmy. – Markusz rozpiął guzik koszuli. – Gorąco tu – wysapał.

– Ale dlaczego akurat nauczycielka? – Witecka przyglądała się tabelce.

– Pewnie przypadek. No i trochę humanitaryzmu, bo nikogo nie osierociła. – Stary zaczął się śmiać, po czym zakasłał, jakby brakowało mu powietrza.

– „Rodzice" – przeczytała, gdy już się uspokoił.

– Tu mam znak zapytania, bo nie wiem, komu mogła się narazić, ale to będzie twoje zadanie. – Stary zakreślił hasło w kółko i dopisał literkę „M".

– Adam Malczewski, co o nim wiemy?

– Szantażował Klaudiusza. Nie znam jeszcze szczegółów, ale wiem, że nauczycielka też była w to jakoś wciągnięta, tylko nie wiem jeszcze jak. – Przy tym nazwisku Markuszewski dopisał: „ja".

– Sporo jak na takie małe miasteczko. – Marta westchnęła ciężko i rozpakowała paczkę ptasiego mleczka. Wyjęła dwie kostki. Natychmiast musiała zjeść coś słodkiego.

Stary spojrzał, zmarszczył brwi, nabrał powietrza, jakby chciał coś powiedzieć, ale odezwał się dopiero po dłuższej chwili:

– Ale to jeszcze nie wszystko. Mam wyniki sekcji zwłok. Nie wygląda to dobrze. – Z pomiętej gazety wyjął opieczętowane pismo. Poprawił okulary i zaczął czytać wybrane fragmenty: – „Bezpośrednią przyczyną śmierci były rozległe obrażenia wewnętrzne". Tu... nieważne, opis zmiażdżonej miednicy, to pominę... – Markusz poślinił palce i przerzucił kartkę. Drżenie rąk się nasilało, więc położył dokument z wynikiem sekcji na stole. – „Plamy opadowe wskazują, że uderzenie nastąpiło z przodu, w okolicy brzucha. Denatka upadła na plecy, a nie tak, jak ją znaleziono".

– Stąd to krwawienie w pasie. – Marta niemal wyszeptała. Pierwszy raz miała do czynienia z takim dokumentem.

– Tak, na przeniesienie wskazują także otarcia na piętach... – Markuszewski czytał kolejne wnioski lekarza medycyny sądowej. Po kilku minutach dodał: – „W organizmie znaleziono ślady substancji...", e, to już nieważne. – Złożył kartkę i schował z powrotem między strony pomiętej gazety.

– To znaczy, że to z całą pewnością nie był wypadek. – Marta niemal zdrętwiała.

– Tak, to morderstwo. Według mnie została uderzona w brzuch lub potrącona przez samochód. Nie wiemy, czy ją śledzono, czy był to przypadek. – Milicjant podrapał się po brodzie. – Musimy porozmawiać z podejrzanymi, dowiedzieć się, co robili w dniu wypadku. Z sekcji zwłok wynika, że zginęła między drugą a szóstą.

– Dobrze – przytaknęła. – No i musimy szukać jakichś świadków, może ktoś widział auto.

– I tu dochodzimy do sedna. – Milicjant przerzucił kartkę i wskazał kolejne nazwiska. – Tu wypisałem osoby posiadające samochód. Nie ma ich dużo, każdy dostał jakiś mandat. – Stary zaczął się śmiać. – Malina w drogówce nie próżnował.

– I każdy jest podejrzany? – spytała z rezygnacją.

– Nie, tylko ten, kto znał nauczycielkę; ułożenie ciała twarzą do ziemi jest charakterystyczne dla ofiar znających swoich zabójców. Dranie nie są w stanie patrzeć im w twarz.

– Tu się wszyscy znają – jęknęła.

– Spokojnie, mam kilka typów. – Markuszewski postukał ołówkiem w kartkę z brulionu. – Ale wspólnie musimy kwalifikować ich dalej. No to tak: Lajnowie – cała trójka, doktor Rogowski, piekarz Oster, fryzjerka Lusia, majster i Dyzio.

– Ee, ale typy… – Witecka wzruszyła ramionami. – Może jedynie fryzjerka by pasowała.

– No, ja też trochę wątpię, żeby to były te osoby, ale zarówno ci z pierwszej listy, jak i z drugiej mają samochody i w noc wypadku byli w Mille. Auto ma też ojciec Dyzia, ale nie było go w mieście. Czytałem jego zeznanie z przesłuchania. Choć coś mi tu nie gra, Malina chyba popieprzył godziny. Nie zaszkodzi sprawdzić starego Pająka. Przyzwoity gość, nie sądzę, żeby mógł mieć z tym coś wspólnego, ale porządek musi być.

– Mamy oglądać samochody? Akurat ten Janka nie ma żadnego uszkodzenia…

– Nie przypuszczam, żeby na wozie były jakieś ślady po zderzeniu. Nikt nie powiedział, że została potrącona przez samochód.

– No to co mamy sprawdzić? – Marta znów westchnęła. Mimo najszczerszych chęci obawiała się działań na taką skalę.

– Protektor opony. – Markusz, śliniąc palce, wygrzebał kartkę ze zdjęciem śladów opony samochodowej. – Zabójca zostawił to na piasku i na trawie tuż przy wjeździe na zamkową drogę. Resztę starannie zatuszował, tu są pozacierane ślady. – Wskazał kolejny fragment zdjęcia.

– Ale temu małemu skubańcowi zrobiłem odlew, trzymam go w domu. Dla ciebie mam wydrukowane zdjęcie. Szczęśliwie w aktach były dwa…

Marta zaniemówiła, była pod wrażeniem pracy starego milicjanta. Jego wnioski i zaangażowanie w śledztwo, a także okazywane jej zaufanie sprawiły, że przeszył ją dreszcz podniecenia, a poziom adrenaliny przyjemnie wzrastał.

Markusz położył na stole zdjęcic śladów.

– W pierwszej kolejności sprawdzamy opony wszystkich właścicieli samochodów, którzy mogli mieć motyw. Przy okazji sobie z nimi porozmawiamy. Podzielimy się robotą.

Bolesław czknął i oblizał wargi. Tak mu się zaczęły trząść ręce, że nie mógł utrzymać ołówka, w kącikach ust zebrała się spora dawka śliny, a czoło pokryły kropelki potu.

Co się dzieje? Potrzebujesz lekarstwa? Doktora? – Witecka wstała zza stołu.

– Muszę się napić – wyszeptał, zasłaniając usta.

Szybko podała mu wody. Stary z trudem chwycił szklankę, ale nie mógł utrzymać jej w dłoni. Woda wylewała się na rozłożone na stole dokumenty, w tym na zdjęcie śladów opon. Marta natychmiast chwyciła papiery i osuszyła, pocierając nimi o swoje spodnie. Markuszewski po chwili pomógł sobie drugą ręką i wreszcie się napił. Czknął znowu i próbował się uśmiechnąć, ale wyszedł mu tylko nieprzyjemny grymas.

– Panie Bolesławie. – Podała mu zwilżony zimną wodą ręcznik i zrobiła mu kompres. – Co się stało?

– Najgorszy dzień... – Stary westchnął. – Trzeci... Chyba bez klina nie dam rady... – Naciągnął ręcznik na twarz.

Miała ochotę podać mu drinka, ale wiedziała, że nie może tego zaproponować.

Po kilkunastu minutach Markusz postanowił zakończyć spotkanie. Był wyczerpany, a do tego zrobiło mu się niedobrze. Właściwie w milczeniu, nie ustalając nic dalej, zebrał dokumenty, ubrał się i o mało co nie upadając na schodach, opuścił podwórko Janka. Zostawił jedynie pochlapane zdjęcie protektora opon.

Złote litery, posypane kolorowym brokatem, rozświetlały ciemne tło dyplomu. To był najprostszy sposób, by nieco ubarwić znaleziony w szkole wzór świadectwa pasowania na ucznia. Marta rozdmuchiwała kolorowy pyłek na ostatnim nazwisku dziecka, gdy wszedł Janek. Był zmęczony, brudne włosy niedbale związał na czubku głowy. Oparł się o framugę, nie zdejmując kurtki.

– Wyglądasz jak Mohikanin. – Uśmiechnęła się na jego widok, ale on nie zareagował. Zmrużył oczy i pokiwał głową, jakby rozmawiał sam ze sobą. – Co ci jest? – Marta, siedząc wciąż przy zagraconym kuchennym stole, podnosiła dyplomy, porównując je ze sobą.

– Tak patrzę na ciebie i zastanawiam się... jak można cię skrzywdzić? – Mówił wolno, dziwnym, lodowatym głosem.

Powoli odłożyła brokatowe dyplomy. Z trudem głośno przełknęła ślinę, ale w gardle wyrosła jej wielka klucha.

Poczuła silne mrowienie w nogach, a każda próba ruchu sprawiała jej potworny ból.

– Janek… – wyszeptała, wciąż siedząc bez ruchu, choć miała ochotę uciec jak najdalej.

– Zastanawiam się tylko – mówił wciąż w dziwny sposób, jakby cyzelował słowa – jak mam cię powstrzymać…

– Jezu, przerażasz mnie. – Uderzała się w uda. Marzyła o tym, by krew zaczęła w nich wreszcie normalnie płynąć.

– Widzisz… – Zbliżył się i usiadł przy stole, tuż obok niej, i wziął ją za ręce. Miał lodowate dłonie, ale po nieobecnym wzroku i dziwnym głosie nic już nie pozostało.

– Bo Ceyn jest naprawdę groźnym przeciwnikiem.

– O co ci chodzi? – Uspokoiła się trochę, a drętwienie zaczęło ustępować. – Jesteś jakiś dziwny…

Ukląkł, położył jej głowę na kolanach i objął ją w pasie.

– Dzwonił do mnie.

– Po co? Zwariowałeś? – Rozplotła mu włosy i gładziła go po głowie. Odetchnęła z ulgą.

– Z ostrzeżeniem. A dokładniej – z pierwszym ostrzeżeniem. Nie będzie już z tobą więcej na ten temat rozmawiał.

– To są jakieś żarty. Nie jestem twoją własnością, a poza tym co on nam może zrobić, Janek? – Roześmiała się, ale nie wyszło jej to tak naturalnie i swobodnie, jak by chciała.

– Niestety bardzo dużo. Jak cię zobaczyłem nad tymi dyplomami – kowal podniósł się i wziął do ręki posypany brokatem papier – jak szykujesz dla tych maluchów miłe powitanie, to pomyślałem, że to niemożliwe, by ktoś cię mógł skrzywdzić. Ale obiecałem mu, że w nic się nie będziesz mieszać, umowa stoi?

– Nie mogę ci tego obiecać – westchnęła. – Ale zapewniam cię, że będę dyskretna, okej?

– Pamiętaj, że ostrzegałem. Tutaj każdy mu o wszystkim donosi. – Janek pogroził jej palcem.

– Ty też? – Spojrzała mu prosto w twarz.

Uciekł wzrokiem, po czym się odwrócił.

– Ty też? – powtórzyła pytanie.

– Raczej nie… – odpowiedział cicho. – Ale każdy, nawet ja, ma wobec niego jakiś dług wdzięczności. Takie życie. – Rozłożył ręce.

– Ja nie mam i nie zamierzam mieć! – krzyknęła i wreszcie udało jej się wstać. W tym momencie podjęła decyzję, że nie będzie rozmawiać z Jankiem na temat śledztwa, Markuszewskiego i ich wspólnych działań. Pomyślała o nauczycielskim mieszkaniu przy szkole; może być jej potrzebne szybciej, niż przypuszczała.

Gdy Janek usnął, wyciągnęła z dokumentów nieco podniszczone zdjęcie śladów opon zostawionych na piasku i trawie. Były prawie niewidoczne. Miała nadzieję, że odlew Markusza okaże się dużo lepszy. Przypomniała sobie listę podejrzanych z brulionu starego: wszyscy Lajnowie, to znaczy, że Włoszka też. Potrząsnęła głową. Za dużo było podejrzanych, a za mało faktów i konkretnych rozwiązań. Poczuła zmęczenie i nieuzasadnioną irytację. W ogóle ostatnio coraz częściej miała wahania nastroju i nie umiała tego kontrolować. To zły znak.

# ROZDZIAŁ 16

W szkolnej świetlicy zebrały się wszystkie dzieci i ich rodzice. Co prawda było ich zaledwie kilkanaścioro, ale każde odświętnie ubrane i uśmiechnięte. Marta odwzajemniała pozdrowienia. Starała się wyglądać jak pani nauczycielka i choć jej strój pozostawiał wiele do życzenia, próbowała nadrobić swoim zachowaniem, stonowanym i życzliwym. Ksiądz Ryszard, mimo pierwotnego zagubienia, szybko znalazł swoje miejsce. Usiadł w małych ławkach razem z dziećmi.

Chwilę potem do sali wszedł dyrektor Jakub Bonnar, ubrany w szary garnitur. Rozdawał uśmiechy, był naturalny i odprężony. Wygłosił krótkie przemówienie. Przedstawił Martę tak, jak gdyby znał ją od kilku lat, a także zachwalał jej rzekome sukcesy na polu nauczania. W końcu usiadł i oddał jej głos.

– Dzisiejszy dzień chcielibyśmy poświęcić maluchom. Zaraz nastąpi uroczyste pasowanie, a starsi koledzy przyjmą was w poczet uczniów.

Kiedy zaczęła przemawiać, zapadła cisza. Wszystkie pary oczu skierowały się wprost na nią. Gdy minął

273

początkowy stres, odetchnęła, jakby właśnie pozbyła się kilku zbędnych kilogramów.

Uroczystość przebiegała w miłej atmosferze, dzieci z zaangażowaniem powtarzały słowa uczniowskiej przysięgi, naprędce wymyślonej przez księdza Ryszarda, chętnie fotografowały się z dyrektorem, który po niedługim czasie opuścił uroczystość.

Pozostał już tylko poczęstunek, przygotowany przez cukiernię Ostera. Zrobiło się rodzinnie i spokojnie.

Nagle drzwi otworzyły się z hukiem. Stanęła w nich Bogaczowa z synkiem. Kobieta wepchnęła chłopca na środek, sama w milczeniu usiadła na miejscu dla rodziców. Marta dostrzegła, że kobieta ma na sobie brudny płaszcz. Na beżowej tkaninie doskonale widoczne były ślady deszczu, ziemi i opon, ale ona sama nie zwracała na to najmniejszej uwagi. Kilkakrotnie poprawiając pasek, upewniała się, czy płaszcz dokładnie ją okrywa. Marta zamknęła oczy. Zrozumiała, że nieprzypadkowo zwłoki nauczycielki znaleziono w samym swetrze. Z pewnością na płaszczu bądź kurtce nauczycielki było sporo śladów, skoro zabójca go zabrał.

Po zakończeniu zajęć, gdy roześmiane dzieci wybiegły z brokatowymi dyplomami w rękach, a ksiądz Ryszard razem ze swoją siostrą poszli na ciepły posiłek do urzędu, Marta wreszcie została sama. Ściskała w ręku mały, złoty klucz i stojąc przed drzwiami służbowego mieszkania, zastanawiała się, czy powinna wejść do środka. Już praktycznie wskoczyła w koleiny życia nauczycielki, jakby to wszystko było gdzieś zaplanowane, ale wahała się, czy posuwać się dalej.

Po dłuższej chwili odwróciła się na pięcie i postanowiła posprzątać klasę. Gdy dostawiała ostatnie krzesła, usłyszała dziwne chrobotanie za drzwiami, jakby ktoś się wstydził albo bał zastukać mocniej, a może po prostu był mały i nie sięgał do klamki.

Uśmiechnęła się do siebie, przecież teraz będą tu przychodzić dzieci, z którymi musi nauczyć się funkcjonować. Chwilowo, co prawda, ale to dla niej zupełnie nowa rzeczywistość. Nigdy dotąd nie była dla nikogo ukochaną ciocią, nikt jej się nie zwierzał z trudów macierzyństwa, nikt nie prosił o radę ani pomoc. Teraz z całą siłą dotarło do niej, że ta zgoda na prowadzenie lekcji była przedwczesna i zbyt ryzykowna. Idiotyczny pomysł. Przez całe swoje życie nie miała kontaktu z dziećmi, a teraz ma się nimi zajmować. Westchnęła ciężko. Chrobotanie powtórzyło się.

Poprawiła włosy i otworzyła drzwi, lecz nikt za nimi nie stał. Wyjrzała w głąb podwórza, tam też nikogo nie zauważyła. Z lekkim zniecierpliwieniem wróciła do środka, ale gdy miała już zamknąć drzwi, ktoś z dużą siłą je popchnął. Z trudem zachowała równowagę.

– Co to ma znaczyć? – syknęła.

Przed nią stała Bogaczowa, która ściągnęła kaptur i potrząsnęła głową. Po chwili zamknęła drzwi na zasuwę i mocno zaciągnęła łańcuch. Widać doskonale znała te zabezpieczenia.

– Co pani wyprawia? – zdenerwowała się Witecka.

– No przecież on wszystko widzi! – Bogaczowa wskazała głową na zewnątrz, po czym szczelnie zakryła się brudnym płaszczem.

275

– Ktoś panią śledzi? Proszę do klasy. – Nauczycielka postanowiła zachować spokój, choć przestraszyło ją to wtargnięcie.

– Nie musi, Gabryś ma doskonały widok, ale szczęśliwie jest trochę krzaków. – Kobieta odkaszlnęła.

– To znaczy pani mąż, tak? – spytała Marta, prowadząc ją do klasy.

Usiadły przy biurku. Bogaczowa poluzowała płaszcz. Była wychudzona i drżała. Witecka zwróciła uwagę na jej nienaganny manicure, wypielęgnowaną skórę, długie, zgrabne palce i delikatną obrączkę z białego złota na serdecznym palcu. Spod warstwy matującego kremu na obydwu nadgarstkach przebijały siniaki, wyglądające jak bransoletki.

– No, oczywiście. Mój mąż, mój wspaniały mąż. – Kobieta podniosła głos i po chwili, przestraszona, zakryła usta.

Witecka siedziała nieruchomo, choć z jej plecaka od dłuższej chwili rozbrzmiewał dzwonek komórki. Skoczna melodia z piosenki *Felicità*, żartobliwie przypisana Włoszce, kompletnie nie pasowała do tej sytuacji. Gdy wreszcie telefon ucichł, Marta spytała najłagodniej, jak umiała:

– A co panią do mnie sprowadza?

– Jest pani nauczycielką, prawda? – Bogaczowa poprawiła włosy, odsłaniając kark, na którym widać było kilka zadrapań i świeżych, czerwonych pręg.

Witecka przytaknęła, nie odrywając wzroku od jej szyi. Miała najgorsze przeczucia i nie wiedziała, jak powinna zachować się w tej sytuacji.

– Mój mąż lubi wykształcone kobiety. – Jolanta Bogacz wyprostowała się, wysuwając piersi do przodu. – Ja na przykład skończyłam prawo. I co mi z tego przyszło? – Zaczęła się śmiać. – Trupy obsługuję. Ale nie, nie tak, jak pani myśli. Prawnie ich obsługuję. ZUS, renty, spadki, nieruchomości...

– Testamenty... – wyrwało się Marcie.

– Oczywiście. I pani też doradzam go spisać. Najlepiej u mnie, zaraz znajdę wizytówkę... – Zaczęła przeszukiwać kieszenie.

– Nie ma potrzeby. Mój testament jest zdeponowany u zaprzyjaźnionego prawnika, a poza tym mam nadzieję, że szybko nie umrę.

Żona przedsiębiorcy pogrzebowego przestała grzebać w kieszeniach i zmrużyła oczy.

– Ja właśnie w tej sprawie.

– Słucham? – Marta niemal wstała z krzesła.

Bogaczowa złożyła ręce na stole, po czym spokojnym i opanowanym głosem, niczym prawnik z telenoweli, zaczęła mówić.

– Uważam, że powinnam panią ostrzec. Nie wolno pani zadawać się z moim mężem...

– Pani wybaczy, ale mnie to nie interesuje. – Witecka wstała na znak zakończonej rozmowy, ale jej rozmówczyni nie zwróciła na to większej uwagi i ciągnęła dalej.

– On jest po prostu bardzo niebezpieczny. Jeśli nie chce pani skończyć jak ta nauczycielka... – prychnęła – to lepiej mnie posłuchać.

– Mówimy o pani Magdzie Gołczyńskiej, prawdopodobnie potrąconej przez samochód, tak? – Marta uchyliła okno, zrobiło jej się duszno.

– No jasne, zaraz zamkną śledztwo z powodu niewykrycia sprawcy. A ja wiem, że on brał w tym czynny
udział. I co, będziemy czekać, aż dojdzie do kolejnego
wypadku? – Bogaczowa przekrzywiła głowę; wielki złoty
kolczyk w kształcie koła przylegał do jej policzka.

– Jeśli coś pani wie, to powinna to zgłosić. – Marta
wzruszyła ramionami.

– Właśnie to robię – niemal wyszeptała jej rozmówczyni.

– Ale na policję, pani Jolu. – Witecka uśmiechnęła
się do kobiety. – Nie do mnie.

– Niech pani nie żartuje. On jest naprawdę bardzo
niebezpieczny. Ten romans wymknął im się spod kontroli.

– Komu? Pani mężowi i nauczycielce? Przecież...

– Gdyby doszło do rozwodu z jego winy, ja dostaję
wszystko. Kilka dni przed jej śmiercią nakryłam ich tu,
w tym barłogu. – Bogaczowa wskazała nauczycielskie
mieszkanie.

– Dlaczego mi pani to wszystko mówi?

– Tłumaczyłam na początku. Ma słabość do wykształ-
conych kobiet. Uwielbia im służyć, a że czasem nam się
oberwie... – Rozmówczyni Marty zaśmiała się. – Niech
pani nie udaje takiej pruderyjnej, bo jeszcze się okaże, że
posuwacie się tylko po bożemu, przy zgaszonym świetle...

– Dobrze. Dziękuję za ostrzeżenie, choć niepotrzebnie
się pani fatygowała. Nie romansuję z żonatymi mężczyznami.

– Tamta też tak mówiła i dziś jej nie ma. – Bogaczowa
rozłożyła ręce i pokręciła głową.

– I twierdzi pani, że zamordował ją pani mąż.

– Tak. A pani by było szkoda... Pójdę już. – Jolanta Bogacz wstała, poprawiając brudny płaszcz. Sprawnie otworzyła zamki, zwolniła łańcuch. Uchyliła lekko drzwi, ale jeszcze odwróciła głowę i szepnęła: – Aha, na policji wszystkiego się wyprę.

Trzasnęła drzwiami. Marta podeszła do okna i zobaczyła, jak kobieta zwinnie chowa się w krzakach.

Zamknęła okna w klasie i po chwili wybrała numer Markuszewskiego. Po kilku próbach zrezygnowała. Obsługa komórki nie była mocną stroną starego. Popatrzyła na wyświetlacz, dłuższą chwilę przeglądała listę kontaktów. Mimo narastającego niepokoju nie chciała dzwonić do Janka. Zapaliła papierosa w małej kuchence, ale z powodu braku wentylacji dość szybko zrobiło jej się duszno. Dym nieprzyjemnie drapał ją w gardle, dlatego pospiesznie zgasiła niedopałek w kuchennym zlewie, pod strumieniem wody.

– No, wreszcie odebrałaś. – Włoszka wyraźnie ucieszyła się, słysząc głos Marty.

– Tak, bo mi ta *Felicità* spokoju nie dawała. – Marta próbowała żartować, by uspokoić się po wizycie Bogaczowej.

– Co? Nieważne, miałaś być godzinę temu. Zaraz przyjdą chłopcy i nie będzie jak pogadać.

Znowu próbowała dodzwonić się do Markuszewskiego, ale tak jak poprzednio nie odebrał. Pomyślała, że trudno jest angażować się w śledztwo, nie mając kontaktu ze starym. Sama za mało wiedziała i wciąż za słabo znała mieszkańców, by wyciągać wnioski z ich zachowania, a niespodziewana wizyta żony właściciela firmy pogrzebowej mocno ją poruszyła.

Ostrożnie zamknęła drzwi, ciągle mając obawy, że z krzaków znów wyskoczy Jolanta Bogacz. Naciągnęła mocniej kaptur i ruszyła do „Rzymu".

Po kilku krokach rozluźniła się i uśmiechnęła, bo poczuła, że jest u siebie. Nie umiała znaleźć lepszego określenia oddającego jej nastrój. Idąc przez rynek, zastanawiała się, czy spotka kogoś znajomego, czy przy cukierni Ostera znowu będzie pachniało drożdżówkami, a w kwiaciarni pojawi się nowa dekoracja, a może czy przy stoliku będzie pił kawę lekarz, jak to ma w zwyczaju. Czy to możliwe, że tak bardzo wsiąkła w tę społeczność? Choć do tej pory niejednokrotnie zdarzało się, że zostawała w terenie kilkanaście dni, to nigdy i nigdzie nie czuła się tak jak tu. Mille miało z pewnością jakąś niezwykłą moc przyciągania. Nic dziwnego, że wyjazd stąd był dla mieszkańców ostatecznością. Marta przypuszczała, że poczucie wspólnoty daje im strach i adrenalina, która podskakuje wraz z pojawieniem się każdej nowej osoby. Przeżywane razem lęki scalają tę społeczność i sprawiają, że ludzie identyfikują się z miejscem zamieszkania. Z ich miejscem. To taki rodzaj własności, której nikt obcy nie jest w stanie odebrać żadnymi postanowieniami, ustawami ani decyzjami. Można by zarzucić mieszkańcom strach przed zmianami, ale czy te zawsze są na lepsze?

Odgłos stłumionego stukania dobiegający zza płotu Lajnów oraz zapach świeżo heblowanego drewna przyjemnie ją rozluźniły. Próbowała wyobrazić sobie, nad czym pracują, gdy nagle z zamyślenia wyrwał ją znajomy dźwięk dzwonka. *Entertainment.* Szajnert.

Poczuła rosnącą gulę w gardle i ścisk w żołądku. Nic nie zostało z nastroju, w jakim znajdowała się jeszcze przed chwilą.

– Dobrze, przerzucimy ten tekst do kolejnego numeru. – Głos Szajnerta drżał. – Dałem go komuś do przeczytania. Wygląda na to, że ma potencjał, słyszysz?

– O, dzień dobry. – Marta przystanęła. Ból żołądka stawał się nie do zniesienia.

– No to podrasuj i bierzemy. Dostaniesz premię, bo reportaż jest rzeczywiście, hm... dobry. Myślę, że to spore odkrycie. Sprawdziłem. Nikt nigdy nie napisał o Mille. W Internecie nie ma o nich ani jednego artykułu. – Szajnert wyraźnie się rozkręcał. – Będziemy pierwsi!

– Panie redaktorze, proszę mi najpierw przclać wynagrodzenie za dwa ostatnie... – Witecka przełknęła ślinę i starała się oddychać przez nos, bo to podobno uspokaja.

– O, to znowu coś sekretarce umknęło... – Naczelny się zmieszał.

– Nie sądzę, rachunek czeka na pana podpis. Jak zwykle.

Wyłączyła telefon. Poczuła całą sobą, że reportaż musiał być dobry, bo to prawdopodobnie zdarzyło się pierwszy raz w historii redakcji, gdy Szajnert kogoś pochwalił. Może jak wszystko wyjaśni i opisze, to odważy się wysłać ten tekst na konkurs?

Nim schowała komórkę do kieszeni, zapiszczał dźwięk SMS-a. Spojrzała na wyświetlacz i z lękiem nacisnęła ikonkę. „Dobrze, że piszesz o tym, co znaczy

MILLE po łacinie. Nie każdy wie, że to tysiąc. Dobra robota! Wchodzimy w nowe millennium. Rozwijasz się, młoda. Sz".

Niemożliwe... Marta niemal zachwiała się na nogach. Zirytowana protekcjonalnym tonem SMS-a, musiała w końcu przyznać, że Szajnert w punkt odczytał jej intencje. Przecież właśnie o tym pomyślała, przekraczając po raz pierwszy granice miasteczka. Oddychała głęboko, próbując się uspokoić. Musi myśleć racjonalnie.

Po kilku minutach dotarła do „Rzymu". Nim weszła do środka, popatrzyła na włączony niebieski neon, mimo że jeszcze było widno. To dzięki niemu pierwszej nocy znalazła nocleg. Tu wszystko się zaczęło.

Nagle z hukiem otworzyły się drzwi i ze środka wypadła fryzjerka Lusia, jak zwykle cała w różach. Zdawała się nikogo nie zauważać. Potrąciwszy zamyśloną Martę, wybiegła na ścieżkę.

– Co jej się stało?

– A, nic. Tak naprawdę to ta dziewczyna jest biedna – westchnęła Włoszka.

– Hm. – Marta usiadła na swoim ulubionym hokerze. – A dlaczego?

– Nie ma szczęścia, jest sama na świecie. – Sophia była szczerze zasmucona.

Marta miała wrażenie, że przyjaciółka mówi trochę o sobie.

– A rodzina?

– Jej jedyny dziadek umarł pół roku temu...

– Jezu, kolejny trup w szafie.

– Nie w szafie, tylko w domu, w łóżku. Dopiero co Luśka przyjechała uczyć się fachu, a już umarł. Nie zdążył jej za wiele pokazać. Będzie zamykać ten salon, bo ludzie boją się do niej chodzić.

– A co mu się stało? Czyżby miał wypadek? – Marta nie mogła powstrzymać się od złośliwości.

– Zwariowałaś? Chory był. Rana mu się nie goiła, gangrena, i po chłopinie. Przygarnął ją i zaraz potem umarł.

– Pewnie Luśka myśli, że to jej wina? – Marta nalała sobie wody ze stojącego na barze dzbanka.

– A jak ma myśleć? Najpierw codziennie dojeżdżała, bo nie wolno jej tu było mieszkać. Potem golibroda dostał pozwolenie, bo kiedyś wygonił swoją córkę z małą Lusią, a teraz chciał małej wynagrodzić krzywdy. Ale nikt nie przypuszczał, że sam zrobi jej miejsce. I jak ona ma żyć bez wyrzutów sumienia?

– Sama nie wiem. – Witecka wypiła wodę duszkiem. – I co, przyszła ci się zwierzać?

– Nie, chce się przekwalifikować i mam ją nauczyć gotować. Ale na dwie knajpy to tu miejsca nie ma.

– Lepiej niech się doszkoli we fryzjerstwie, bo to jedyny salon. Może sama do niej pójdę? – Marta rozpuściła włosy. Choć od lat czesała się w ten sam sposób, to przez sekundę pomyślała o zmianie wyglądu. Przy okazji mogłaby porozmawiać z tą dziewczyną, w końcu jest na Markuszowej liście podejrzanych.

– Może ją przekonasz, ale coś mi się wydaje, że ona cię nie lubi. – Sophia znacząco pokręciła głową.

– Coś wymyślę. – Martę dotknęło stwierdzenie Włoszki. Choć wiedziała o awersji Luśki, to jednak zabolało ją, gdy przyjaciółka potwierdziła jej przypuszczenia. Ostatnio jakoś dziwnie zaczęło jej zależeć na ludzkiej sympatii.

Sophia zniknęła w kuchni. Marta wciąż rozmyślała o fryzjerce i obserwowała świat za szarym od kurzu barowym oknem, ledwie przepuszczającym ostatnie promienie słońca.

Zapadał zmierzch. Przed sklepem dojrzała Silnego, stał tam i palił papierosa. Miała wrażenie, że jej się przyglądał. Choć dzieliły ich odległość i brudne szyby, to czuła na sobie jego wzrok. Odwróciła głowę.

Po chwili wyszła Włoszka, trzymając w ręku telefon komórkowy i jakieś kable, które próbowała rozplątać.

– Nagrałam to dla ciebie, ale nigdy się do tego nie przyznam – zaczęła bardzo stanowczym tonem. – Dam ci to teraz do odsłuchania i zaraz skasuję. Chcesz, to chodź na zaplecze, tam będzie spokojniej.

– Sophia… – Witecka była zaskoczona. – Nie przypuszczałam…

– Czasem może być słabo słychać, bo mój telefon jest stary i nie ma tych najnowszych aplikacji.

– Jasne, jesteś genialna. – Marta wstała i weszła za bar. – Masz nawet słuchawki!

– Uciekaj, bo zaraz przyjdą goście. Aha, i ja tego nie słuchałam. Jak wszystko podałam, siedziałam na zapleczu. No, ale jedzenie to im bardzo smakowało. – Barmanka uśmiechnęła się szeroko.

– Już, już, wezmę tylko coś do notowania. Dziękuję ci.

– Jeszcze nie wiemy, co tam jest. – Sophia spoważniała. – Boję się tego. – Wskazała na komórkę.

– A co masz na myśli? – Marta przystanęła w drzwiach.

– Boję się, że jesteś za słaba, żeby to wszystko zatrzymać. A oni są za silni.

– Spokojnie, wiem, co robię, uwierz mi.

– Staram się. – Przyjaciółka odwróciła głowę w stronę okna, dając sygnał, że rozmowa została zakończona.

# ROZDZIAŁ 17

– *Ho, ho, jak pięknie pachnie.* – Komisarz Malina aż zapiszczał. – *Nie powstydzimy się naszej włoskiej kuchni! I naszej kobiety…*

*(…)*

– *Witam, witam!* – rozległ się głos Maliny, gdy w tle otworzyły się drzwi. – *Znowu się widzimy.*

– *Najpierw jedzenie, potem trupy* – odezwał się prokurator Jacek. – *Przywiozłem Zygę, komisarza z miasta. Poznajcie się, chłopcy, ale bez czułości.* – Mężczyzna zaczął się śmiać.

– *A Olek wie?* – zapiszczał Malina.

– *Kim jest Olek?* – odezwał się trzeci głos, prawdopodobnie należący do Zygi.

– *No, burmistrz Ceyn.* – Tym razem Malina próbował mówić grubszym głosem.

– *A jak ci się, Piotrunia, wydaje, co?* – Prokurator starał się zapiszczeć, naśladując Malinę.

*(…)*

– *No to pojedli my, popili, pora pogadać…* – Zyga przerwał i czknął, po czym bardzo głośno mu się odbiło. Panowie się roześmiali.

– Zamykam śledztwo prokuratorskie. W postępowaniu przygotowawczym nic od was nie dostałem. – Prokurator westchnął i wypił jakiś napój.

– A to nie jest za wcześnie? – spytał Malina.

– No, oficjalnie to zamknę za trzy miesiące, z powodu niewykrycia sprawców.

– E, coś byśmy jeszcze wycisnęli – znów zapiszczał Malina. – Mam jakieś typy.

– Malina, już dałeś mi te swoje typy. Na przykład kowal. Na cztery osiem siedział, i po chuj.

– Eee, to nie było takie oczywiste. – Policjant zaczął się bronić. – Za dużo zbiegów okoliczności. Jechał o tej porze i już raz zabił. Gdyby nie dochtór, toby się go przyskrzyniło.

– Alibi ma niepodważalne. Rogowski potwierdził, że najpierw wystawił mu zaświadczenie o… – w tle zaszeleściły kartki. – O tym, że może latać. No tak… A potem zabrał się z nim za miasto, do pacjentki, tak? – Prokurator wyraźnie tracił cierpliwość.

– A ten hazardzista… Malczewski? Niby nie nasz, a codziennie tu jest, samochodem przywozi Silnemu towar… – Malina nie ustępował.

– Widzę w papierach, że niejaki komisarz Piotr Malina przeprowadził oględziny samochodu. Żadnych śladów uderzenia, inny protektor opon…

– I też ma alibi. Potwierdził to… Klaudiusz Markuszewski; panowie grali razem na automatach całą noc. Ta relacja coś mi śmierdzi, ale obydwaj są bez zarzutu. Byli widziani w… – znowu zaszeleściły kartki – w „Vegas"? Ale nazwa…

– Prokurator westchnął.

– *Tak, tak* – Malina jakby sobie coś przypomniał – *oficjalnie nic na nikogo nie mamy. Jest za to sporo przesłuchań, więc robota wykonana.* Co prawda Chojnacka przegięła z tą sekcją i wyniki są mocno zastanawiające, ale trudno się mówi.

– *I tak ma być.* – Prokurator cmoknął. – *Źle ci z tym?*

– *Wiatru w polu nie będziemy szukać* – wtrącił Zyga.
– *Kobitka pochowana, pieniądze zapłacone, wszystko jak należy. Tamci przejmą na trochę, nikt stąd, to trzeba będzie poszukiwania ogólnopolskie zrobić...* – Marta usłyszała wybuchy śmiechu. Bez trudu rozpoznała wszystkich zebranych. Malina zaczął nawet wydawać jakieś dziwne chrumkanie, a Zyga kasłał i spluwał, po czym dodał: – *A my możemy dalej u siebie rządzić...*

– *Dzień dobry!* – powiedział policjant na dźwięk otwieranych drzwi. Wszyscy ucichli jakby na znak dyrygenta.

– *Zaraz się okaże, czy dobry.* – Ceyn niby żartował, ale w tonie jego głosu słychać było wymaganie posłuszeństwa.

*(...)*

– *A ta nowa jak się sprawuje?* – Prokurator mówił coraz wolniej.

– *Na razie zgodnie z planem* – odpowiedział Ceyn.
– *Trochę szpera, ale zaraz będzie nasza i da sobie spokój. Złodziej sąsiada nie okradnie, jak to mówią!*

– *Nie jestem pewny* – dodał cicho Malina. – *Ona nigdy nie będzie nasza... Jak wiele osób. A niektóre już nie żyją.*

– *Co ty, Malina, upiłeś się?* – zacharczał Zyga.

– *W miasteczku zdarzają się wypadki, to normalne, jak w każdym innym miejscu.* – Ceyn mówił tonem nieznoszącym sprzeciwu.

– *Ale tylko tu tak się na tym zarabia.* – Malina znowu czknął.

– *Nie rozumiem komisarza.* – Ceyn się niecierpliwił.

– *Chyba czas, by poszedł odpocząć.*

*(...)*

– *Saszka, a co ten mały tak nagle wypalił?* – spytał Zyga, gdy ustał rumor, a drzwi trzasnęły z hukiem.

– *Ma kryzys, potrzebuje sukcesu* – odpowiedział Ceyn.

– *Wódka go nie interesuje, ambicje ma przeciwnie proporcjonalne do wzrostu. No, ale to chyba dość oczywisty kompleks.*

Wszyscy zaczęli się śmiać. Po chwili dało się słyszeć odgłosy ustawiania naczyń i drobne kroki Włoszki.

*(...)*

– *Tamten był lepszy* – westchnął prokurator.– *Czasem miał nawet ciekawe przemyślenia i postępowania rzetelniej prowadził. Żyje jeszcze czy się zapił?*

– *Markusz? Żyje, ale ciągle ma żal. Nie lubi mnie, ale jest za słaby, by z tym cokolwiek zrobić. Zresztą kto mu tu pomoże?* – Ceyn próbował wyśmiać Markuszewskiego, ale zapadła cisza.

– *No to chlup w ten głupi dziób.* – Chwilowe milczenie przerwał Zyga. Rozległ się brzęk uderzanych kieliszków.

Marta wróciła na salę w kiepskim nastroju. Właściwie niczego nowego się nie dowiedziała, ale zafrapowały ją informacje, które odczytała między słowami, jak uwaga, że zachowuje się zgodnie z planem. Co to mogło oznaczać?

Woń wanilii i piżma unosząca się ze świec zapacho-
wych, stolik przykryty czerwonym obrusem z organzy,
posypany płatkami róż, romantyczna, włoska muzyka
w tle. To wszystko zastała, wychodząc z zaplecza.

Włoszka kończyła układać gałązki pomidorów, a pa-
rująca bruschetta z pomidorami i rozpływającą się gor-
gonzolą, ułożona na lawendowym talerzu, wyglądała
i pachniała obłędnie. Wystarczyło przymknąć oczy, a bar
„Rzym" zamieniał się w najlepszą włoską restaurację.

– Ale tu pięknie…

– Specjalne zamówienie, podoba ci się? – Barmanka
poprawiła jeszcze obrus.

– Bardzo, a co tu się będzie działo?

– Chłopcy mają jakieś święto… Co miesiąc jedzą takie
kolacje. No i pozostali to szanują.

– Czyli nie doczekam się Markusza? – spytała Witecka
nieco zrezygnowanym tonem.

– Oj, nie sądzę. Widziałam go dziś w ośrodku, źle
z nim chyba… – Sophia uderzyła kantem dłoni w szyję.

– Kurwa, no. Odsłuchałam nagranie. – Marta podała
Włoszce sprzęt. – Nie chcesz wiedzieć, co tam jest?

– Chcę, ale jutro porozmawiamy, dobrze? – Przyjaciółka niedbale wrzuciła komórkę do kieszeni fartucha,
a po chwili rozległ się dzwonek piekarnika i pospieszyła
do kuchni. – Przyjdź, to spokojnie wszystko omówimy,
*ciao*!

– Jedzenie na pierwszym miejscu, ja zwariuję. – Witecka wzruszyła ramionami, na co Włoszka tylko się
uśmiechnęła. – *Ciao*!

Niechętnie opuszczała „Rzym". Wiedziała, że ryzykuje, ale mimo to ruszyła do Markusza. Za dużo mają do obgadania, czas wreszcie podjąć jakieś działania, nie mogą czekać. Nagła wizyta Bogaczowej wymagała omówienia, nagranie też powinni przeanalizować. Właściwie tylko stary zrozumie, o co im dokładnie chodzi. To wszystko zbyt wolno się dzieje. Zaczęła tracić cierpliwość.

Gdy doszła w okolice komisariatu, zmieniła plan. Może to jednak zbyt ryzykowne? Zawsze mogę się naciąć na Malinę, pomyślała i ominęła bramę prowadzącą do domu starego. Przystanęła na chwilę i sięgnęła po telefon. Za drugim razem odebrał.

– Nareszcie! – krzyknęła do słuchawki.

– Gdzie jesteś? – usłyszała zaspany głos starego.

– Właściwie pod pana domem…

– Wykluczone. Idź do szkoły. Będę tam za kilka minut.

Nim otworzyła drzwi, znowu niepewnie rozejrzała się dokoła. Trochę wkurzała się na siebie z powodu tych lęków. W szkolnym przedpokoju poczuła się nagle zmęczona. Zasłoniła kotarami okna, po czym znalazła w kuchni jakąś kawę i nim przyszedł Markusz, nasypała jej do dwóch szklanek na spodkach i zalała wrzątkiem. Fusy leniwie opadały na dno. Obserwowała ten spokojny ruch, tak jak wtedy, gdy mama miała wrócić ze szkolnego zebrania.

Była wtedy w czwartej klasie podstawówki i choć nie miała najmniejszych problemów z polskim, nie chciała odpowiadać na pytania nauczycielki. Pani Zięba była wyjątkowo niesprawiedliwą suką. Za kolorową włóczkę

291

największym cymbałom stawiała piątki, ale ona nie dostała od matki nic, czym zadowoliłaby nauczycielkę.

– To jest polski czy plastyka? – Matka kręciła głową, gdy córka odważyła się poprosić o jakąś łapówkę. – Lepiej poczytaj książkę.

– Albo może coś napiszę?

– Ty? Nie sądzę… To już lepiej pomódl się ze mną. – Matka patrzyła tym swoim dziwnym wzrokiem i mocniej zaciskała palce.

Marta pisała wtedy całą noc w brulionie z tłustymi plamami na okładce. Wymyśliła baśń, w której głównymi bohaterami były kwiaty, a poprzez ich naturę charakteryzowała bohaterów. Była babcia Dalia, książę Irys i panna Róża.

Na lekcji nauczycielka ze sporą niechęcią wzięła zeszyt i następnego dnia oddała go z wpisaną oceną. „Niedostateczny. Praca niesamodzielna".

– Witecka, powiedz mamie, żeby zgłosiła się do Ossolineum, a ty się weź do nauki, bo ciotką* zostaniesz! – Ziębowa zaśmiała się, czym rozbawiła całą klasę.

Marta milczała i właśnie wtedy postanowiła nie odzywać się na lekcjach polskiego ani słowem. W ciągu miesiąca dostała kilka dwój, a w dniu zebrania kolejne dwie.

Pomyślała, że sypana kawa zalana wrzątkiem, a potem, gdy wszystkie fusy opadną, posłodzona trzema łyżeczkami cukru, to będzie dla mamy najlepszy prezent, gdy wróci z zebrania. Siedziała przy kuchennym stole, z brodą opartą o blat, i obserwowała wirujące farfocle, ale gdy tylko

* Ciotka – w szkolnym żargonie woźna.

usłyszała za drzwiami pospieszne kroki matki, wiedziała, że nie zdąży, kawa nie będzie gotowa.

– Jak możesz mi to robić? – Witecka z impetem otworzyła drzwi. – Jak możesz?

– Ale ona mnie nie lubi. – Dziewczyna z trudem hamowała łzy.

– Czy ja ci mówiłam, że masz mieć same piątki? Pytam się! – Matka zaczęła charczeć, zmrużyła oczy i sięgnęła po wojskowy pas z najgrubszą sprzączką.

– Pan Jezus wystawia nas na próbę – zaczęła Marta, ale wiedziała, że jest już za późno; matka była w takim stanie, że nie docierały do niej żadne objawienia. – Prosi nas, byśmy mu pokazały, jak mocna jest nasza miłość… – Głos Marty stawał się coraz bardziej piskliwy.

– Pokażę ci, jak mocna. – Matka rozpięła płaszcz i poluzowała apaszkę. – Za każdą dwóję jeden raz w dupę!

Marta skuliła się i marzyła o tym, by schować się w rogu pokoju albo żeby przeniknąć przez ścianę. Wyobrażała sobie, jak uderza głową w mur, a ten chowa ją niczym bezpieczne ramiona. Dostała osiem razów, wszystkie sprzączką. Odruchowo chroniła tyłek ręką, trzy uderzenia trafiły dokładnie w to samo miejsce. Jeszcze tego wieczora założyli jej gips. Prawy nadgarstek. Już nigdy nic nie napisze. To znak.


Odsunęła wszystkie bransoletki i spojrzała na trochę zanadto wystającą kostkę. Choć nie rzucała się w oczy, to zawsze wolała ją zasłaniać.

– Zamykaj drzwi na klucz!

Skuliła się, słysząc nad sobą tubalny głos Markusza. Stał oparty o framugę, już bez płaszcza i kapelusza.

– Nie słyszałam, jak pan wszedł. – Spojrzała na starego. Wyglądał, jakby mu przybyło więcej bruzd, a siwe włosy jeszcze bardziej się przerzedziły.

– Ale z nas para… – Odkaszlnął. – Dwa samotne białe żagle… czy jakoś tak. – Skończył, jakby się speszył.

– O czym tak rozmyślasz? Wróżysz z fusów? – Podwinął rękawy flanelowej koszuli, odsłaniając kilka siniaków i nakłuć, poprawił włosy i usiadł obok.

Szkolna kuchenka była tak malutka, że właściwie należałoby ją nazwać kącikiem socjalnym. Elektryczny czajnik, dwa taborety, stół przykryty ceratą w biało-czerwoną kratę, mała szafka – to było całe wyposażenie.

– O dzieciństwie… – wyszeptała. – Zrobiłam się jakaś wrażliwa… Pan był szczęśliwym dzieckiem? – spytała i podniosła wzrok na starego.

Ten speszył się, machnął ręką.

– Nie pamiętam. Ta kawa jest dla mnie?

Głośne siorbnięcie przerwało krępującą ciszę. W końcu Marta opowiedziała ze szczegółami o wizycie Bogaczowej, o nagraniu z baru, pomijając jedynie wątek starego. Markusz słuchał i robił notatki, co rusz śliniąc ołówek. Gdy skończyła opowiadać, westchnął i zamknął oczy.

– No to jedno wiemy na pewno – odezwał się wreszcie.

– Oni nie wiedzą, kto to zrobił, i nie chcą tego wiedzieć. Znowu zamiatają pod dywan.

– Ale my się nie poddamy, prawda? – Marta poprawiła swoje bransoletki, delikatnie dotykając wystającej kości.

– Całe życie się poddawałem i teraz Klaudiusz ma mnie za nic. Teraz myślę, że kochał tę Magdę, więc dla niego to zrobię. I na pewno nie miała romansu z Gabrielem.

Bogaczowa jest chora, ale tego już dawno się domyśliłem. Uważam, że to jej trzeba się przyjrzeć w pierwszej kolejności.

– Czyli Magda byłaby pana synową? – zagaiła Witecka i tak jak oczekiwała, stary połknął haczyk.

– Spierdoliłem to… – Markusz upił duży łyk kawy, aż połknął trochę fusów, które zaczął wypluwać na ceratę. – Byli u mnie kilka dni przed jej śmiercią. Chcieli mi coś powiedzieć, ale byłem wtedy pijany do nieprzytomności. No prawie, bo pamiętam, jak Klauduś stał w drzwiach, i choć nie słyszałem tego, co mówi, to wzrokiem wystarczająco dużo wyraził. Poczułem, że mnie nienawidzi. Od tamtej pory rozmawiałem z nim tylko raz, a właściwie to tylko go słuchałem. Jego zdaniem to wszystko przeze mnie.

– Ale tak nie można się obarczać. – Marta miała ochotę wziąć starego za rękę, ale powstrzymała się. – No przecież pan jej nie zabił.

– Zabiłem. – Markusz schował twarz w trzęsących się dłoniach.

Zaniemówiła. Czy to znaczy, że stary zamordował nauczycielkę? To po co ten układ i udawane śledztwo?

– Nie jest tak, jak myślisz – odparł w końcu, odrzucając ramiona do tyłu i prostując się. – Nie tymi rękami. Nie zrobiłem nic, by tę małą uchronić.

Marta wstała i nalała milicjantowi wody. Zrozumiała, dlaczego zaangażował się w to przedsięwzięcie i że nie będzie im łatwo. Śledztwo to coś przyjemnego jedynie dla tych, którzy w nim nie uczestniczą.

– A jak pan sobie radzi z niepiciem? – spytała wprost, włączając czajnik.

Woda dość szybko zaczęła bulgotać, w kuchni rozległ się stłumiony hałas. Idealne tło do takiej konfrontacji.

– Dochtór mi pomaga. Dostaję zastrzyki, ale do tych wariatów nie pójdę! – Markusz zrobił znak krzyża.

– Który to detoks?

– Nieważne. Wiem, jak postępować! – odpysknął, wzruszając ramionami.

– Pytałam jedynie w takim kontekście, czy nikt nie zacznie czegoś podejrzewać. Ale ten detoks nie jest pierwszy, prawda?

– Prawda – przytaknął stary, już spokojniej. – Kapuściński już wcześniej robił mi kilka wszywek, więc to normalne. Mądra babka jesteś, wiesz?

Uśmiechnęła się. Chyba nikt nie powiedział jej tego tak wprost. Zawstydzona napełniała szklanki owocową herbatą. Pachniała jak chemiczna saszetka do szaf, ale akurat tu i teraz nie miało to większego znaczenia.

– Sorry, że tak bezpośrednio, ale nie umiem inaczej.

– Przecież jesteśmy w jednym zespole. Chyba trzeba jeszcze jednego brudzia wypić, bo ciągle mi panujesz… – Stary wstał i szybko usiadł, trochę speszony.

– Herbatą też można. – Marta objęła go, ale szybko uwolnił się z uścisku.

– Bolesław, dla starych znajomych z firmy – Bolo. – Markuszewski pocałował Martę w rękę.

Uśmiechnęła się i dygnęła jak mała dziewczynka. Znowu ten pieprzony gest, pomyślała, ale nie wkurzyła się za bardzo. Niech tak zostanie.

Usłyszeli piskliwy dźwięk SMS-a. Stary nie zareagował, a Marta spojrzała na komórkę. „Jestem już w domu.

Zapraszam na kolację z kinem nocnym w tle. Odebrać cię ze szkoły? J".

Odruchowo stuknęła w ekran, by napisać odpowiedź. Wzdrygnęła się jednak, bo uświadomiła sobie, że w miłej wiadomości zawarte są dodatkowe treści. Było już dość późno, skoro pisał o kinie nocnym, a ponadto – czy ją śledził? Skąd wiedział, że jest w szkole? Czy to znaczy, że ją kontroluje?

– Co się stało? – Markusz podniósł głowę znad brystolowej kartki wyrwanej ze znalezionego w klasie bloku.

– Janek napisał. Chyba jest zły, że tak długo mnie nie ma, no i zastanawiam się, czy mnie przypadkiem nie śledzi...

Stary przesunął okulary na czoło i potarł przekrwione oczy. Milczał, czekając na dalszy ciąg.

– No bo skąd wie, że jestem w szkole?

– A gdzie masz być, skoro jesteś nauczycielką? Myśli, że pracujesz nad lekcjami. To był doskonały pomysł z tą robotą, niezły kamuflaż. – Milicjant wskazał ręką na przestrzeń wokół. – Mamy gdzie się spotykać, a i ty, jako nauczycielka, jesteś bardziej swoja, a nie obca, węsząca dziennikarka. Zaraz się zastanowimy, jak to wykorzystasz... – Nałożył okulary na nos i znowu pochylił się nad kartką. Rozrysował tabelkę z podejrzanymi, pod każdym nazwiskiem zostawił miejsce na motyw. – To praca na ten wieczór. No, odpowiedz mu, żeby przyszedł po ciebie za godzinę. Ja się do tego czasu zmyję, bo i tak właściwie mamy wszystko omówione. Dopiszemy tylko to – wskazał na puste miejsca w tabelce – i podzielimy się przesłuchaniami. To wszystko. – Stary wzruszył ramionami i wrócił do kartki.

Marta spojrzała na wyświetlacz i napisała odpowiedź. Nim nacisnęła „wyślij", zerknęła na Markusza.

– Jak dobrze znasz Janka?

– No, na tyle, na ile pozwolił się poznać. Jest trochę dziwny, gburowaty i taki mało towarzyski. – Milicjant przełknął ślinę i kantem dłoni stuknął trzy razy w szyję. – Ale to dobry dzieciak. Mówią, że jest dziwakiem, choć chyba lepiej mówić, że samotnikiem… A co?

– Może dlatego się spotkaliśmy… – westchnęła i klik-nęła „wyślij". – Uwielbiam wolność w związku.

– Jesteście, tymi no… narzeczonymi? – Markusz znowu odsunął okulary na włosy.

– Yhm. – Marta ponownie się uśmiechnęła. – Raczej kochankami…

– No już, już, bo nie skończymy. – Stary spoważniał i znowu pochylił się nad kartką. Choć ołówek doskonale pisał, nerwowo go poślinił.

W ciągu godziny omówili plan działań na najbliższy dzień i ustalili kilka najważniejszych szczegółów. Na razie wezmą pod uwagę tych, którzy mają samochód i jakiś motyw. Bo co do tego, że Gołczyńska została kilkakrotnie przejechana, nie mieli wątpliwości. No i ten protektor opon, dobrze by było przyjrzeć się ogumieniu samochodów wszystkich podejrzanych. Podzielili się przesłuchaniami; Markusz dał Marcie kilka rad, o co pytać i na co zwrócić uwagę – na zachowanie, oczy, ręce i sposób wysławiania się. Być może jakaś kwestia wyprowadzi rozmówcę z rów-nowagi albo coś będzie chciał ukryć. Ponieważ nie mogły to być oficjalne przesłuchania, ustalili, że rozmowy powinny wyglądać na towarzyskie. Ona opowiedziała mu o kilku sztuczkach dziennikarskich, dzięki którym rozmówca czuje się „zaprzyjaźniony". To najtrudniejsza część dla Markusza, który towarzysko rozmawiał tylko wtedy, kiedy pił, a teraz powinien omijać szerokim łukiem bar i wszystkie miejsca, gdzie dają choćby piwo bezalkoholowe.

Gdy stary ostrożnie wymykał się z budynku, było już szaro. Zimny podmuch z dużą siłą wtargnął do szkolnego korytarza. W oknie na drugim piętrze domu naprzeciwko zaświeciło się światło. Mimo nieprzyjemnego, lodowatego wiatru Marta, stojąc w drzwiach, przyglądała się Bogaczowej rezydencji i jedynemu jasnemu punktowi. Za firanką ktoś stał, ale z całą pewnością nie widział starego, bo z obserwacją spóźnił się kilka minut. Pomyślała, że na przyszłość Markusz będzie mógł wchodzić i wychodzić jedynie wtedy, gdy się ściemni.

Zamknęła starannie drzwi. Sprawdziła, czy są zaryglowane, dwukrotnie naciskając klamkę, choć dla silniejszej osoby nie stanowiły żadnej zapory. Zwykły zamek i spróchniałe drewno, z dużymi szczelinami; można by je było otworzyć mocniejszym kopnięciem. Z pewnością nie było to bezpieczne miejsce do przechowywania jakichkolwiek dokumentów związanych ze śledztwem.

Myśląc o tym, Marta poczuła, jak mimo wiatru i drobno zacinającego deszczu robi jej się gorąco. Nie zabrała brystolowej kartki. Komputer, zdjęcia, pendrive i dokumenty zdobyte i skopiowane przez Markusza miała w torbie, ale brystol został w bloku między innymi dziecięcymi rysunkami.

– E tam – powiedziała głośno i machnęła ręką. – Najciemniej jest pod latarnią… – Po czym odwróciła się i uderzyła łokciem w coś miękkiego. Przed nią stał Janek. Wyłonił się jak spod ziemi. Miał niedbale narzuconą kurtkę, na włosach plastikową, czerwoną opaskę i pachniał metalem albo smarem. Próbował ją przytulić, ale zrobiło jej się jakoś dziwnie.

– Kurwa, dlaczego ty mnie ciągle tak straszysz! – krzyknęła i odskoczyła.

– Przyglądałem ci się i słuchałem, jak mówisz do siebie – uśmiechnął się i postukał się w czoło.

– Proszę cię, nie rób tak więcej, dobrze? – Zarzuciła torbę z laptopem na ramię i ruszyli do furtki.

– Dobrze, będę krzyczał już pod cukiernią, że nadchodzę, okej?

– Ty tak ze skrajności w skrajność. Jestem bardzo głodna, chodźmy do domu. – Naciągnęła kaptur, zawiązała apaszkę. Po chwili milczenia, gdy Janek spokojnie szedł obok, pożałowała, że była taka ostra.

– Sorry, ale przestraszyłeś mnie.

– Wiem, wiem, ale tu nie masz się czego bać. Jesteś u siebie. Daj tę torbę, chociaż do tego się przyda.

Marta niechętnie podała mu swój bagaż.

– No to opowiadaj, jak pierwszy dzień w szkole? – zagadnął.

Zbliżali się do cukierni. Choć była już nieczynna, to przy jednym ze stolików, w smudze ciepłego światła, dojrzeli samotnie siedzącego Ostera. Obydwoje zwolnili kroku, ale poszli dalej, udając, że go nie zauważyli.

Marta opowiadała o dzieciach, księdzu Ryszardzie, pasowaniu na ucznia i o tym, co dopiero miało się wydarzyć.

Z łatwością wymyślała scenariusze czekających ją lekcji, a Janek słuchał z dużym zainteresowaniem. Gdy dotarli wreszcie do piaszczystej drogi prowadzącej do jego domu, zamilkła i zatrzymała się.

– Co się stało? – Stanął na środku drogi, w świetle księżyca. Odrzucił włosy i poprawił opaskę. Wciąż utrzymująca się wakacyjna opalenizna podkreślała nieskazitelną biel jego zębów.

– Nie wiem – odparła, choć doskonale wiedziała. Ukrywała coś przed nim, a on tak jej wierzył i angażował się w każde jej działanie. – Zabierz mnie do domu...

Po kolacji, gdy wygodnie ułożyli się na sofie, Marta poczuła, że jest już bardzo zmęczona, ale mimo to miała ogromną ochotę opowiedzieć Jankowi o planowanym z Bolem śledztwie, o ich przemyśleniach, o tym, że następnego dnia zaczynają przesłuchania. Ona zaczyna od Bogaczowej, przy okazji zakończenia lekcji, a Markusz od Maliny. To na razie ich środowiska naturalne. Szkoła, dom pogrzebowy i komisariat, trzy sąsiadujące ze sobą budynki na rynku w Mille, idą na pierwszy ogień.

Bogaczowa znalazła się na liście podejrzanych, choć zdaniem Markusza była za słaba fizycznie, by poradzić sobie z ciałem. Z drugiej strony przy dużej dawce adrenaliny można wszystko. Według niego uroiła sobie romans męża z nauczycielką, a ponieważ nie potrafi odróżnić fikcji od rzeczywistości, mogła w przypływie emocji zemścić się na „rywalce". Markusz twierdził także, że Jolanta Bogacz nienawidzi swojego męża. Wielokrotnie przyjmował od niej zeznania dotyczące pobicia i znęcania się, którego dopuszczał się Gabriel Bogacz, a nawet robiła sobie obdukcje, ale nigdy nic mu nie udowodniono, zresztą odwoływała zeznania. Marta przypomniała sobie, jak Bolo dziwnie na nią spojrzał, gdy wtrąciła, że to wszystko wcale nie musi być takie, jak stary przedstawia. A może Bogacz tak ją zastrasza, że ona potem wszystko wycofuje? Albo boi się o dzieci i dlatego tuszuje sprawę? Stary tylko machnął ręką i westchnął przeciągle.

Marta zastanawiała się, jak ma nazajutrz poprowadzić rozmowę. Jak zdobyć zaufanie tej kobiety i dowiedzieć się, co robiła w dniu zabójstwa nauczycielki; musiała się też postarać obejrzeć opony samochodów Bogaczów, szczególnie tego mniejszego, bo Markusz z całą stanowczością stwierdził, że takie ślady jak ten na drodze zostawiają tylko osobówki. Zastanawiała się, w jaki sposób dostać się do ich garażu. Przez sekundę chciała się nawet poradzić Janka, ale jego spokojny, równy oddech uświadomił jej, że jest późno. Spojrzała na zegarek, dochodziła druga.

# ROZDZIAŁ 18

– Jak jakaś nastolatka normalnie! – wykrzykiwała z łazienki. – Idę na ósmą do szkoły, kurwa.

Janek usłyszał odgłos upadających przedmiotów. Siedział w samych bokserkach, na drewnianych schodach, tuż pod drzwiami łazienki, i próbował uspokoić Martę.

– Zabiłaś kosmetyki? – zażartował. – Czy mam je dobić, żeby ci więcej nie wchodziły pod rękę?

– Tak! – wypadła z hukiem. – I mnie nie denerwuj!

– Oj, masz humory jak baba w ciąży. – Wstał i przytulił swoją złośnicę. Rzeczywiście była rozdrażniona.

– Słuchaj, co tam jest? – spytała po dłuższej chwili, wskazując drzwi na końcu ciemnego korytarza.

– To pokój Aldonki. Nic w nim nie ruszałem. – Janek posmutniał. – Nie mam odwagi tam wejść. I wolałbym, żebyś ty też tam nie wchodziła.

Martę ta prośba nieco zaskoczyła. Pomyślała, że jej przecież byłoby łatwiej tam wejść. Nie znała Aldonki, nie miała żadnych bolesnych wspomnień i skojarzeń. Minął ponad rok od jej śmierci, więc może nadszedł czas, by tam zajrzeć.

– Obiecujesz? – Janek mocniej ją przytulił.

– Dobrze – zgodziła się.


Na elektronicznym zegarku piekarnika zielone diody układały się w cyferki. Marta, popijając kawę, obserwowała te figury wskazujące godziny i minuty. Wyłączyła się.

– Co o tym myślisz? – spytał głośno Janek. Stał w przedpokoju i rozczesywał mokre włosy.

– O czym?

– Od kilku minut mówię ci o kursie – westchnął, po czym mocniej pociągnął szczotką, aż go zabolało.

– Jakim kursie? – Marta zauważyła, że jest zły.

– Jeśli Malina zdejmie zakaz opuszczania miasta, to wracam na kurs.

– Aaa, okej. – Machnęła ręką jakby od niechcenia. – Rozumiem cię. To twoja pasja, nie zamierzam cię ograniczać.

– No proszę. – Wszedł do kuchni ze szczotką w ręku. – Pierwszy raz mam taką… – i urwał zdanie.

– Ja też lubię wolność w związku. – Wzruszyła ramionami. – A teraz w imię tej wolności idę do szkoły!

Wyszła w dobrym nastroju. Choć dopiero dochodziła ósma, było przyjemnie i słonecznie. Gdy tylko opuściła piaszczystą drogę i dotarła na rynek, dostrzegła, że miasteczko od dawna nie śpi. Z poczty dobiegały głosy urzędniczek, pod sklepem „U Silnego" stało kilka kobiet z zakupami; wszystkie jej się przyjaźnie ukłoniły. No i ten zapach drożdżówek. Choć miała jeszcze kilka metrów do cukierni, poczuła go bardzo dokładnie. Wymieszany z intensywnym aromatem słodkich malin, zdradzał dzisiejszą promocję.

Zaopatrzona w dwie słodkie buły dotarła pod szkolny budynek. Za bramą, na brukowanej ścieżce, klęczał ksiądz Ryszard, otoczony wianuszkiem dzieci.

Otworzyła furtkę, na co natychmiast zareagowali wszyscy uczniowie. Odwracali głowy i przyglądali się jej, ciągle klęcząc. Ksiądz Ryszard miał swoje objawienie, żarliwie coś mamrotał i tępym wzrokiem wpatrywał się w jeden punkt.

Marcie zrobiło się niedobrze. Przyspieszyła kroku, wymijając całą gromadę, otworzyła drzwi i wbiegła do małej toalety. W ostatniej chwili zwymiotowała do sedesu. Zakręciło jej się w głowie i dłuższą chwilę nie mogła utrzymać równowagi. Słyszała, jak dzieci wchodzą do klasy, szurają krzesłami i głośno rozmawiają. Oparta o drzwi łazienki, próbowała zebrać siły. Była zła, że jej organizm ciągle tak reagował na ten widok. A przecież czuła się już wolna od wspomnień.

Szczęśliwie po kilku minutach udało jej się wejść do klasy. Ksiądz Ryszard siedział razem z dziećmi w ławce i wspólnie z nimi czekał na rozpoczęcie zajęć. Po chwili udało jej się go przekonać, by część starszych dzieci zabrał do świetlicy na swoje zajęcia. Wydawało się, że sytuacja jest opanowana.

Na długiej przerwie, gdy uczniowie zebrali się w świetlicy, poprosiła księdza do kuchni.

– Ładnie śpiewaliśmy, prawda? – Były proboszcz wszedł pewnym krokiem i usiadł na jedynym wolnym krześle, roztaczając charakterystyczny zapach butwiejących ubrań. – Na święta to wszystkie kolędy zaśpiewamy jak jakie

Słowiki. – Ucieszony otworzył śpiewnik. Gdy próbował coś Marcie pokazać, ta zamknęła mu książkę.

– Niech mi ksiądz opowie o Jolancie Bogacz…

– Eee, nie ma co opowiadać. – Poprawił taśmę sklejającą okulary. – Ślubu im udzieliłem, Kacperka ochrzciłem…

– Jakie to jest małżeństwo?

– No to już nie jest nasza sprawa. – Wyprostował się na krześle.

– Jest. Do tej szkoły chodzi ich syn i jeśli w domu dzieje się coś niedobrego, musimy o tym wiedzieć.

– Aaa, no chyba że… Mówią, że jest szalona, ale na mnie też przecież tak mówią, i co? – Uśmiechnął się, pokazując ubytki w uzębieniu. – Tylko mnie się wydaje, że z nią jest wszystko w porządku. Ten Gabriel to diabeł wcielony. Pokazywała mi, jakie jej rany zadaje. No ale nam nie wolno się mieszać. Co Bóg złączył…

– Tak, wiem – przerwała mu. Było dla niej jasne, że od księdza niczego więcej się już nie dowie, choć z drugiej strony chyba nie powinna tak całkiem lekceważyć jego słów.

Po zakończeniu lekcji, które przebiegały dość sprawnie i zaskakująco przyjemnie, wszystkie dzieci zebrały się w świetlicy w oczekiwaniu na rodziców. Od razu utworzyły się podgrupy, na ogół składające się z samych chłopców bądź dziewcząt, choć czasem dzieciaki mieszały się w zależności od zabawy. Tylko jeden chłopiec siedział w kącie sam. Kacper Bogacz. Mały, drobny blondynek, z tak samo przezroczystoniebieskimi oczami jak u ojca, ubrany w najlepsze markowe ciuchy, najwyraźniej był przez wszystkich odrzucany. Patrzył w okno.

Marta usiadła obok. Na chwilę kilkoro dzieci dosiadło się do nich, ale ponieważ nic się nie działo, znudzone wróciły do swoich zajęć. Milczała, po prostu siedziała obok Kacpra.

– Nie musisz się tutaj ze mną męczyć – odezwał się w końcu dość grubym głosem, kontrastującym z jego wyglądem.

– Po pierwsze, jestem twoją nauczycielką, a nie koleżanką, a po drugie, mogę tu siedzieć, ile chcę. Ta podłoga należy do wszystkich.

– Jak bym chciał, byłaby tylko moja, mój tata może ją wykupić na własność. – Mały agresywnie wyrzucił z siebie zdanie, po czym złapał się za ramiona i demonstracyjnie od niej odwrócił.

– Mnie nie można kupić – powiedziała najłagodniej, jak umiała.

– Nie ma takiej rzeczy. Mój tata może wszystko kupić, nawet ciebie. – Mały pokazał jej język.

– I po co by mnie kupował, do czego byłabym mu potrzebna?

Kacper spojrzał bystrzejszym wzrokiem. Nabrał powietrza, ale po chwili je wypuścił i nic nie powiedziawszy, wzruszył ramionami.

– Właściwie to wszystko mamy – dodał po chwili.

Coraz więcej rodziców przychodziło po maluchy. Rozmawiali o zajęciach, oglądali zeszyty, aż wreszcie zrobiło się cicho i w świetlicy został tylko Kacper. Nadal siedział w kącie, wpatrzony w okno.

– Masz bardzo blisko do domu – zwróciła się do niego Marta.

– Ale ja nie mogę iść sam. Muszę tu siedzieć, aż ktoś po mnie przyjdzie. – Mały się skulił, zacisnął usta i piąstki. – Nie mogę iść sam.

– No to ja cię zaprowadzę, jestem twoją nauczycielką. Chodź! – Nachyliła się do niego.

Chłopiec wstał i z trudem hamując łzy, wyszeptał:

– Ale to pani kazała, dobrze?

– Dobrze – zgodziła się.

– Pani Magda też była dobra, tata ją bardzo lubił – dodał Kacper, gdy już włożył kurtkę i czapkę bejsbolówkę.

Marta poczuła dziwne ukłucie. Przecież mały sobie tego nie wymyślił, musiał coś zauważyć. Może Bogaczowa miała jednak rację, a ona za szybko dała się zwieść słowom Markusza. Gdzie się podziała jej intuicja?

Wyszli z Kacprem ze szkoły i zaledwie po kilku krokach stali przed rezydencją Bogaczów. Nauczycielka dotknęła metalowej klepsydry, wtłoczonej do Jankowej bramy w ogrodzeniu. Mały wspiął się na palce i wbił kod od domofonu. Po chwili coś zabrzęczało, po czym usłyszała głos: „Brama rezydencji otwiera się", i drzwi zaczęły automatycznie się przesuwać. Gdy tylko przekroczyli próg, zatrzasnęły się z powrotem.

Kacper stanął na środku chodnika wyłożonego kostką.

– Tam nie wolno. – Wskazał ręką na pawilon o nazwie „Hades". – Tam śpią trupy.

– Nikogo nie ma w domu? – spytała Marta, rozglądając się. Chciała zmienić temat.

308

– Raczej nie… – Kacper wzruszył ramionami. – Chociaż samochód mamy stoi…

Rzeczywiście, pod drzwiami garażu, kilkanaście metrów od niej, stał na podjeździe luksusowy, srebrny mercedes-benz.

– Zadzwońmy do domu. – Witecka ruszyła w stronę rezydencji.

– Lepiej nie… – Chłopak stał ciągle w tym samym miejscu.

– Chodźmy. – Marta zbliżała się do samochodu. – Może zadzwonię do twoich rodziców. – Wyjęła komórkę i tak by chłopiec nie zauważył, zaczęła obfotografowywać auto, w tym opony. Miała tylko nadzieję, że nikt jej nagle na tym nie nakryje.

Wreszcie zadzwoniła dzwonkiem do drzwi. Rozległo się *Ave Maria*. Kacper stanął obok, nerwowo przestępując z nogi na nogę.

– Chyba nikogo nie ma – westchnęła. Nie miała pojęcia, co powinna teraz zrobić z chłopcem. Usiedli na metalowej ławce, której oparcie było zakończone figurą anioła. Chłopiec w milczeniu patrzył na swoje buty.

Po kilkunastu minutach bezskutecznych prób dodzwonienia się do któregokolwiek z rodziców Witecka postanowiła zabrać Kacpra do cukierni. Chłopca nawet ucieszył ten pomysł, ale nagle brama się uchyliła i stanęła w nich jego matka, z płaczącą małą córeczką na rękach.

– Zwariuję zaraz! – Jolanta Bogacz nerwowo weszła na podjazd. W jej lśniących włosach odbijały się ostatnie promienie słońca. Ubrana w elegancki biały kostium, podkreślający jej nienaganną figurę, szybko dobiegła do ławki. Z umorusanej, zagubionej kobiety, jaką była dzień wcześniej, nic nie zostało.

– Co wy tu robicie? – Podeszła do ławki i ustawiła się jak modelka do sesji fotograficznej.

– Nie odebrała pani dziecka ze szkoły. – Witecka wstała.

– Lekcje skończyły się dwie godziny temu, jest głodny.

– Kacperku – Bogaczowa zmieniła ton i zrobiła z ust dzióbek. – Jesteś głodny?

Chłopiec pokręcił głową, wciąż jej nie podnosząc.

– Możemy porozmawiać? – Marta próbowała być ostra.

– No dobrze, weź Joleńkę do domu. Idźcie przez zakład.

Bogaczowa powierzyła synowi dziecko. Ten z trudem podniósł siostrę i powoli, kilka razy oglądając się za siebie, ruszył w stronę pawilonu pogrzebowego. Gdy zniknął za metalowymi drzwiami, matka odetchnęła. Wypuściła powietrze i usiadła na ławce, zakładając nogę na nogę, co było nie lada wyczynem w tak wąskiej spódnicy, jaką miała na sobie.

– Pani Jolanto, chciałabym wrócić do naszej wczorajszej rozmowy... – Witecka usiadła obok niej.

– A, to już nieważne. – Bogaczowa machnęła ręką, połyskując diamentowymi bransoletkami. – Myślałam, że chce pani o Kacperku porozmawiać. Nie odebrałam go, bo byłam z małą u lekarza. Tak nieznośnie ząbkuje, że nie można wytrzymać... A ten starszy to już tak bardzo nie potrzebuje mojej opieki.

– Rozumiem, nic się nie stało. O Kacprze porozmawiamy później. Myślę, że może mieć pani rację w sprawie śmierci nauczycielki...

– Cii! – Bogaczowa wstała, rozejrzała się i usiadła z powrotem. – To nie Gabriel – wyszeptała Marcie do ucha.

– Aha, a czy pani wie, co robił w ten poranek, gdy znaleziono zwłoki…

– Nie pamiętam…

– To może niech pani sobie przypomni, co sama robiła, wtedy się jakoś skojarzy.

– To była środa, prawda? – Bogaczowa wyjęła komórkę.

– Zaraz, zaraz… O mam, proszę!

Podała Marcie telefon. Na wyświetlaczu pojawiały się zdjęcia trumien, opatrzone datą i godziną. Była to środa, godzina piąta dwadzieścia pięć rano.

– Co to jest? – Witecka z obrzydzeniem patrzyła na wyświctlacz.

– Mieliśmy dostawę. Robiłam zdjęcia do katalogu, a przy dzieciach to tylko rano mogę popracować, jak jeszcze śpią.

– A gdzie był pani mąż?

– A tu! – Jolanta Bogacz przesunęła ikony i pojawiło się zdjęcie Gabriela leżącego w trumnie.

– Zwariowaliście. – Witecka odwróciła wzrok. Przed oczami stanęły jej zwłoki Magdy.

– No, wszystko trzeba przymierzyć i sprawdzić… Co jeszcze? – Kobieta wyłączyła telefon i wstała, dając znać, że zakończyła rozmowę.

– Właściwie to nic, ale gdyby zechciała pani jednak porozmawiać, to proszę do mnie zadzwonić. – Marta także wstała i wyjęła swoją dziennikarską wizytówkę.

– Ja pani wierzę…

– Wczoraj miałam słabszy dzień, byłam zła na Gabrysia

i tak się rozkleiłam. – Bogaczowa poprawiła nienaganną fryzurę. – Ale on jej nie zabił, bo tego dnia byliśmy razem. Potwierdzę to w sądzie i na policji. Do widzenia.
– Odwróciła się i wolno zmierzała do rezydencji.

Marta wciąż niczego nie była pewna. Zdjęcia w komórce, jeśli tylko nie były spreparowane, stanowiły dowód, że nie mogli w tym czasie mordować nauczycielki.

Z ulgą opuściła teren posesji. Właściwie powinna być zadowolona ze swojej wizyty. Udało jej się sfotografować samochód, opony i poznać alibi Bogaczów. Pewnie Markusz skreśli ich z listy podejrzanych, choć to nie było takie oczywiste.

A jeśli Gabriel zabił nauczycielkę, a żona go teraz kryje? Przecież nie można tego wykluczyć, sfałszowanie dat na zdjęciach w komórce to obecnie żaden problem. No i sprawa najważniejsza: oprócz rzekomego romansu podstawowym powodem może być po prostu kasa. Śmierć to niezły zastrzyk gotówki dla zakładu pogrzebowego, ale także dla księdza i burmistrza. Może oni są jakąś mafią, która ściąga państwowe pieniądze w imieniu prawa?

Gdy tak rozmyślała, minęła budynek szkoły i wiedziona zapachem drożdżówek z malinami, dotarła do cukierni Ostera. Kilka osób w kolejce niemal jednym głosem powiedziało jej „dzień dobry". Wyszedł nawet właściciel i lekko unosząc czapkę, skinął jej głową. Biały poplamiony fartuch z ledwością opinał jego spory brzuch, po skroniach spływał mu pot. Oster co rusz wycierał spocone ręce w fartuch i dreptał w miejscu, co wyglądało, jakby

312

chciał ruszyć w jej stronę. Gdy Marta wreszcie usiadła przy stoliku, po chwili wahania wrócił na zaplecze.

– Ho, ho, ho – usłyszała znajomy głos. – Szanowna pani nauczycielka na kawusię przyszła! – Z tłumu wyłonił się doktor Rogowski.

Witecka natychmiast zaprosiła go do swojego stolika. Działał na nią kojąco. Lekarz spokojnie odczekał w kolejce i bardzo uprzejmie zamówił dwie kawy i drożdżówki. Ekspedientka z ogromną przyjemnością obsługiwała tak szarmanckiego klienta. Wreszcie podszedł do stolika Marty, pocałował ją w rękę i podał jej filiżankę, dyskretnie się przy tym kłaniając.

– Dziękuję, panie doktorze. – Przyjęła kawę i zarumieniła się, jakby była zawstydzona. – To bardzo miłe.

– Cała przyjemność po mojej stronie. Nie ma nic wspanialszego w życiu mężczyzny nad usługiwanie pięknym kobietom.

Rogowski znowu się ukłonił, co Marta przypłaciła kolejną dawką pąsów. Daleko jej było do pięknej, zadbanej kobiety. W dżinsach, golfie i skórzanych conversach przy wystrojonym Rogowskim wyglądała jak służąca. Biała koszula, spinki, dobrze skrojony garnitur i te rogowe okulary dodawały mu powagi i elegancji. Gdy nachylał się do niej, poczuła przyjemny zapach perfum, mieszankę mchu i lawendy. Z pewnością użył wody kolońskiej tuż przed wyjściem na przerwę kawową.

– Wspaniałą kawę tu macie – zagadnęła w idiotyczny sposób.

– Chyba mamy, droga pani, mamy… – Doktor uniósł filiżankę. – Jakże to wszystko się zmieniło od czasu, gdy gościła pani w ośrodku zdrowia…

313

– To prawda, a najmilej wspominam pyszną kolację u pana.

– No to trzeba to koniecznie powtórzyć. Z panem Janem, rzecz jasna, ale on zdaje się znowu będzie latał?

– Rogowski pokiwał głową.

Wkurzyła się trochę, że nawet lekarz o jego planach dowiaduje się przed nią. Z drugiej strony marzyła o wolności w związku i sama nie o wszystkim mu opowiadała.

Doktor jakby wyczuł jej rozterki. Ostrożnie odstawiając filiżankę, dodał:

– Coś tam mu jeszcze kwitowałem, do tych kursów. Tak dużo opowiadał i tak bardzo przeżywał, że nie sposób było odmówić. – Uśmiechnął się i chyba puścił do niej oko.

Takie zachowanie kompletnie do niego nie pasowało, ale Marta była przekonana, że to zrobił. Czy to oznaczało, że zgoda lekarska została wydana na lewo? Niemożliwe, z pewnością do tego potrzebne są jakieś specjalistyczne badania. Nie miała odwagi o to zapytać, a poza tym pomyślała, że Rogowski jednak nie to miał na myśli.

– Z przyjemnością zjemy z panem kolację, panie doktorze. – Odwzajemniła uśmiech.

– A kiedy zobaczymy wywiad z komisarzem Maliną? Kupiłem ten pani magazyn i nic nie znalazłem, a doprawdy bardzo chętnie poznałbym pani pióro.

– Na razie wstrzymany – odpowiedziała. Poczuła napływającą falę gorąca. Kompletnie zapomniała o tym wywiadzie, no i obiecała Jankowi, że nic się nie pojawi o Mille.

Rogowski zdawał się nie odczuwać podobnego zagrożenia.

– No to czekam cierpliwie dalej. Ale mam nadzieję, że niezbyt długo? – Lekarz znów uśmiechnął się przyjaźnie.

Właściwie był jedyną osobą w całym mieście, która o tym wspomniała.

– Oczywiście, dam panu znać.

– No to czas już na mnie. – Wstał od stolika. – Cieszę się z naszego spotkania i czekam na następne. Do widzenia! – Podszedł i pocałował ją w rękę.

Zza szyb lady przyglądał im się Oster. Gdy lekarz wyszedł, cukiernik zniknął na zapleczu.

W szkolnej kuchence, przy stole nakrytym ceratą, razem z Markuszem oglądali zdjęcia z posesji Bogaczów. Wbrew obawom Marty udało jej się na tyle dobrze uchwycić opony, że można było porównać protektory. Wyraźnie było widać, że są inne. Te z mercedesa Bogaczowej były zdecydowanie szersze i miały wzór w jodełkę, podczas gdy ślady znalezione przy zamku składały się z małych kwadracików.

– To nie te – westchnął milicjant, odchylając głowę znad wyświetlacza. – Dobra robota!

– A Malina? Udało ci się coś ustalić?

– Rozmawiałem z nim. Trudna sprawa, bo młody jest w jakimś dziwnym stanie.

– Co to znaczy?

– Inny jest… – Markusz szukał odpowiedniego słowa. – Taki obrażony czy smutny.

– Zamykają śledztwo. Znowu musi w drogówce robić. – Marta wzruszyła ramionami. – I sukcesu do gazet nie będzie. – Uśmiechnęła się. Może dzięki temu nie będzie naciskał na publikację, dodała w myślach i odetchnęła.

315

– Nie wiem, ale jego samochodu wtedy nie widziałem. Od kilkunastu dni stoi w warsztacie u tego mechanika, co grubsze sprawy naprawia, jak Janek nie może.

– Czyli to nie on.

– No nie. Działamy dalej.

Markusz wyciągnął z bloku brystolowy arkusz i zaczął notować w tabelce, czego się dowiedzieli. Wyglądał na kompletnie nieprzejętego pierwszym niepowodzeniem. Obserwowała go, jak wypełnia wolne miejsca i szykuje się do kolejnych rozmów.

– Bolo – zagadnęła, a on podniósł głowę. – A co z klątwą?

– Jak ja mam jej dość! – Stary zdjął okulary i odłożył ołówek. – No, co z klątwą? Była, jest i będzie.

– A może zrobimy analizę: kto umarł, kto przybył, co się wtedy działo? Przecież dużo pamiętasz... Może to nas naprowadzi na jakiś trop...

Markusz zamknął oczy i schował twarz w dłoniach. Milczał dłuższą chwilę.

– A czy ty myślisz, że ja tego nie analizowałem? Że łykałem to wszystko? Czynności prowadziłem rzetelnie, ale śledztwa umarzano. W dużej mierze były to wypadki bez udziału osób trzecich albo jak z tym twoim – nieumyślne spowodowanie śmierci.

– I co, tak zawsze jeden na jeden, trup i ktoś nowy?

– A tak, zawsze! – Milicjant uderzył ręką w stół, aż Marta podskoczyła.

– Po prostu nie wierzę w tę klątwę. – Witecka wstała.

– Ja nie wiem, ale boję się jak wszyscy – wyszeptał wreszcie. – Kaśka Piecowa sporo tu nabroiła.

– Rozumiem, ale ja jestem obca i się nie boję. – Marta podsunęła krzesło do starego i usiadła. – Skupmy się na ostatnich kilku latach. Opowiadaj, a ja zrobię tabelkę w Excelu.

– Co?

– No, w komputerze. – Otworzyła laptop i kliknęła zieloną ikonkę. Otworzył się przed nimi pusty arkusz.

– Nie boisz się śmierci – stwierdził stary, patrząc jej prosto w oczy. Był skupiony i poważny.

– Boję się, ale nie tak jak wy. Ja jestem sama, a was jest tysiąc. Tyle razy bardziej boicie się ode mnie.

– Prawda… No dobrze. Notuj w tym „sellu". Spróbujemy, czy dam radę odtworzyć te ostatnie lata… W pamięci mogą być dziury.

Wyciągnął swój brulion, chwilę go przeglądał, czasami kiwał głową, potem kartkował dalej, a po kwadransie odłożył na stół. Marta w tym czasie zaparzyła dwie mocne kawy. Para z kubków osiadała na małym oknie szkolnej kuchni, przez co szyby wyglądały jak w zimie i skutecznie oddzielały ich od świata zewnętrznego.

– Myślę, że trzeba zacząć od śmierci zielarki. To ona najwięcej nam opowiadała o Piecowej, wszystkie historie zasłyszane od babek i prababek. Teraz już nie ma w mieście takiej osoby… – Bolo pokiwał głową. – Babka Józia dopiero się uczy.

– Na co zmarła? – spytała Marta. Chciała stworzyć mapę wydarzeń, coś, co potem pozwoli im spojrzeć szerzej na całą sytuację.

– No i tu ciekawa historia. Borowiczowa, tak po prawdzie, lepsze leki robiła niż te w aptece. No, ale jak

317

zginęła? Po prostu – uderzył w nią piorun. Mieszkała jeszcze za domem księdza Ryszarda, pod lasem. No i jak huknęło w chałupę, to od razu poszła z dymem, razem z zielarką i jej pasierbem. Zostały tylko zgliszcza.

– No a dlaczego to taka ciekawa historia? – Witecka wklepywała dane beznamiętnie; nie podzielała poruszenia Markusza.

– Nie wiesz? Ona przepowiedziała, że Kaśka Piecowa tak właśnie ją zabierze, żeby wszyscy pamiętali o klątwie. Podobno w dniu śmierci Piecowej w Mille była straszna burza, pioruny jak baty po niebie latały i kilku dopadły…

Marta westchnęła, nie miała siły na te historie rodem ze średniowiecza, opowiadane z dużą ilością ozdobników, by spotęgować lęk. Stary chyba się zorientował, bo chrząknął i upił łyk kawy.

– No, a po jej śmierci zjechała… pani Anna. Och, jaka ona była piękna. Mówili, że aktorka jakaś, z teatru czy kabaretu. Elegancka, inteligentna, no, elita. Może dlatego, że była inna niż tutejsze baby, to jakoś się przyjęła, ale nie na długo. Okazało się, że jest w ciąży z naszym dochtorem; zaciążyła, jak na badania przyjeżdżała. Jakieś wstydliwe choroby miała i nie chciała tam u siebie się z tym obnosić, no wiesz. – Markusz robił dziwne miny, ale Marta nie reagowała. – No i Piecowa z zielarką szybko Annę dopadły. Umarła po porodzie, niedługo po dzieciaku…

– Jak rozumiem, niezbyt się zmartwiliście?

– To nie tak, żal nam było dochtora, bardzo żal. Od tamtej pory Rogowski sam jak palec… Ale szybko wrócił Franciszek, nasz bohater. Oj, jak się chłopcy cieszyli, bo Franciszek, to on…

– Wiem, wiem, uratował dzieci z pożaru, słyszałam od Włoszki. Swoją drogą ciągle się u was coś pali...

– No i Sophia właśnie zajęła drugie wolne miejsce, po tej dziewuszce dochtorów. Do tej pory baby nasze Włoszki nienawidzą, ha, ha, zazdrośnice. – Bolo zaczął się śmiać, aż zakasłał. – Dobrze, że dzieciaka nie zmajstrowali, bo choć nie wolno, to by zawistnice ukamienowały.

Marta dostała gęsiej skórki, zaczęła pisać szybciej.

– Okej, czyli na razie mamy cztery śmierci i one rzeczywiście są, jak by to powiedzieć... naturalne... – Marta klikała w arkuszu. Miała ogromną ochotę właśnie teraz opowiedzieć mu o Alessie i choć wiedziała, że będzie musiała to zrobić prędzej czy później, to jednak stchórzyła.

– No widzisz... klątwa. – Stary uspokoił się i spoważniał.

– Co dalej?

– Kilka miesięcy później, w czerwcu, utonęła urzędniczka Celina... – Markusz przerwał opowieść. Zdjął okulary, przeczesał włosy i wyszedł zapalić do toalety. Marta w milczeniu czekała, aż wróci.

Spojrzała na zapis w Excelu. Rzeczywiście, liczby ciągle się wyrównywały i wszystko działo się tak, jakby wydarzeniami rządził jakiś dziwny przypadek.

– Celinka to moje ostatnie śledztwo, potem mnie odsunęli. – Markusz wrócił do opowieści. Usiadł, złożył ręce jak do modlitwy i oparł je na stole. – Zabrali ze względu na bliskość ze zmarłą. A przecież ona była dziewczyną i wielką miłością Klaudusia, nie moją! Nie powinni mnie tak traktować! Jakiś gnój z centrali zarządził, że Malina

319

przejmuje dowodzenie, a ja mam pożegnać się ze służbą. Skurwysyny. I za co? – Stary znowu uderzył pięścią w stół.

– Za picie, Bolo – odpowiedziała mu wprost.

– W firmie każdy pije, bo musi!

– Teraz jest policja i czasy są inne. – Marta dotknęła trzęsącej się dłoni starego. – Mnie też wyrzucą z mojego „zakładu". – Zrobiła palcami znak cudzysłowu. – Już się zużyliśmy, jesteśmy niepotrzebni.

– A co, ty też dajesz w szyję? – Markusz aż otworzył szerzej oczy i uchylił usta.

– Nie, ale za chwilę będę za stara. Przychodzą młode wilki, za mniejszą kasę, bez doświadczenia, ale to teraz nie ma znaczenia…

– Ale tak było zawsze, zawsze młodzi wypierali starych, nie?

– Tak, tylko kiedyś zmiany następowały wolniej i można się było do nich przyzwyczaić. Teraz mija moment i już jesteś za burtą. – Witecka ostatnie zdanie wypowiedziała z żalem w głosie. Nagle uświadomiła sobie, że w Mille czas płynie inaczej. Ranki odmierzane są zapachem droż- dżówek, urzędniczki na poczcie mają czas i nie warczą na nikogo, lekarze wychodzą na przerwę do cukierni, a nie biegną do innego gabinetu, ludzie robią piękne meble, gotują pyszne włoskie potrawy, na miłość dwóch chłopców patrzą przyjaźnie… Szkoda tylko, że nikogo nie martwi czyjaś śmierć, ale syndrom ocalenia z pewnością ma większą moc niż żałoba.

Markusz czekał, aż Marta wyrwie się z zamyślenia. Przyglądał się jej z sympatią. Ta dziewczyna sporo na- mieszała w jego życiu, kto by pomyślał.

– No, idźmy dalej – odezwała się w końcu, wracając do laptopa. – Mówiliśmy o Celinie. Jak zginęła?

– Utonęła. Nikt jej w tym nie pomógł. – Markusz przeczytał dane z brulionu.

– A może to było samobójstwo? – przerwała mu.

– Klauduś mówił wtedy, że to niemożliwe.

– A może ktoś ją popchnął?

– Na ciele nie stwierdzono żadnych śladów, które wskazywałyby na przyczynienie się do śmierci osób trzecich – kontynuował stary. – No, jakieś otarcie naskórka, ale delikatne, nic ważnego.

– A badania toksykologiczne?

– Zawartość treści żołądkowej wskazywała na śladowe ilości środków uspokajających, ale nie miały większego znaczenia. Utonięcie, utonięcie… – Markusz powoli powtórzył te słowa.

– Czyli znowu wypadek? – spytała zniechęcona.

– Na to wyglądało, ale ja mam wątpliwości. – Milicjant znowu mówił wolniej.

– Kto przyszedł na jej miejsce?

– Już patrzę… Zaraz… Sierpień… Mam, Jędruś. – Stary zaśmiał się nerwowo. – Tak, zamieszkał z Dyziem chwilę po utonięciu Celinki.

Marta wpisała znak zapytania. Był to bardziej odruch niż przemyślane działanie.

– Pół roku później zabił się Franek. Kurwa, to smutna śmierć. – Markuszewski pokręcił głową, jakby chciał odgonić zły widok. – Równo się rozbił, nie było co zbierać…

– Przy krzyżu… Ale co, poślizg? Co to było? – Witecka próbowała uporządkować fakty.

– Nie wiadomo, prawdopodobnie zwierzę mu wyskoczyło. To już formalnie było śledztwo Maliny. Pamiętam, że jak czytałem opis sekcji zwłok, to mnie mdliło normalnie…

– Zginął przy krzyżu, tam gdzie znaleziono nauczycielkę. – Marta wpisała miejsce wypadku i podkreśliła na czerwono.

– Ten krzyż to na naszą pokutę stoi. Malina chce go usunąć, i dobrze! – Bolo nagle się ożywił.

– To potem. Z tego, co pamiętam, na miejsce Franka przybył ksiądz Andrzej…

– Oj, łatwo to on nie miał. Czekali na niego jak na zbawienie, bo przecież Rysiek zwariował. Nie spowiadał, kazał ludziom w konfesjonale mówić, kto zasiłki za umarłych pobiera, głupoty wygadywał…

– Przy tym burmistrzu to bym się nie zdziwiła, jakby umarli na czas wypłaty renty ożywali. Może Rysiek przejrzał praktyki starego Ceyna. No bo jeśli zwłoki były trzymane dłużej w Hadesowej chłodni, to nim zostały pochowane, kolejna renta wpadła. – Marta zapisała te wnioski w tabelce. – Ale ksiądz Andrzej tego nie udźwignął i rozpił się? I w spółkę z panem i wójtem wszedł? – drwiła, ale Markusz spokojnie przytakiwał. Miała rację.

– Trochę to trwało, zanim Andrzej przyjechał. Po tym, jak Rysiek porzucił stan kapłański, kościół był nawet przez jakiś czas zamknięty. Oficjalnie kuria nie miała kandydata, ale w praktyce to wiesz, jak to u nas jest z ludźmi. Jak miejsce się zrobiło, to i Andrzejek się znalazł.

– To jest naprawdę zadziwiające, państwo w państwie. – Witecka z niedowierzaniem pokręciła głową.

– No to teraz zbliżamy się do mocnych kawałków.
– Stary zignorował komentarz Marty. Poślinił palce i prze-
rzucał strony. – Ho, ho, dobrze pamiętam ten czas. Przez
siedem miesięcy żyliśmy jak na bombie zegarowej. Już
pod koniec to ludzie z domów nosa nie wystawiali. Jolka
Bogacz zaszła w ciążę, choć nie było wolnego miejsca. Nie
wolno tak robić, bo z tym brzuchem to jakby z karabinem
po mieście chodziła. Każdy się bał, że umrze, każdy!
A ona bezkarnie szła rynkiem i patrzyła z góry, jakby
urok chciała rzucić. Okropne czasy. Klauduś nawet sklep
zamykał wcześniej, a jak podczas burzy pioruny latały,
to wszyscy po ciemku w chałupach siedzieli. Baliśmy się
wszyscy, bardzo, jakbyśmy usłyszeli, że mamy chorobę
nieuleczalną i zostało nam kilka dni życia. Wtedy nie
piłem… To było rok temu…

– Dobrze – przerwała, bo poczuła dreszcze. Nawet
jej udzielił się lęk. – Rok temu zginęła Aldonka?

– Tak. Tuż przed narodzinami Joleńki Janek potrącił
swoją siostrę. Nieumyślnie oczywiście, ale ona tego nie
przeżyła. Zmasakrowały ją Jankowe pręty do ogrodzeń,
co je na pace wiózł. Potem kompletnie nic nie pamiętał,
w takim był szoku. Nie wiedział, jak to się stało. Zna-
leźliśmy go płaczącego nad zwłokami. Zrzuciliśmy się
na najlepszego papugę, dostał wyrok w zawieszeniu, ale
to wszystko już wiesz…

– No tak…

– O, tu mam zapisane… Miała rozległe obrażenia wewnętrzne, zmiażdżoną miednicę i uszkodzenia
na wysokości pasa. Jakby została przejechana kilka
razy…

– Tak jak Magda?

– I dlatego go od razu zatrzymali, ale tym razem to nie Janek. Czekaj, mam jeszcze coś. Sekcja zwłok wykazała, że Aldonka była w ciąży.

– Co? – przerwała mu.

– No tak, ale nic o tym nie mówiliśmy. Szkoda nam było kowala. Wiesz o tym tylko ty.

– Kurwa… – wyrwało się jej, na co stary się uśmiechnął. – Nie mam już do tego siły.

– Czekaj, kończymy. Potem umarł golibroda, Innocenty Jaśtak. Strasznie ta rana mu ropiała, gangrena się wdała… Tuż przed śmiercią ściągnął tu Luśkę.

– Fryzjerkę?

– No tak, ale nie za dużo ją nauczył. – Stary potarmosił swoje włosy. – Raz byłem i więcej nie pójdę.

– Czyli śmierć Jaśtaka też można powiedzieć… jakby naturalna? – spytała, ale zanotowała to w arkuszu, nie czekając na odpowiedź.

– Potem Magda, zginęła tuż po tym, jak ty tu przyjechałaś…

– Przestań, to nie przeze mnie… – Witecka się zbuntowała.

– Ale skoro jesteś Janka, a on miał pierwszeństwo, to nie dyskutowaliśmy z wyrokiem Piecowej… – dodał spokojnym głosem stary i zapisał coś w brulionie.

Za oknem zapadł już gęsty wieczór. Marta wyjrzała na zewnątrz, stojąc za firanką kuchennego okienka. W oknach domów na rynku pojawiały się telewizyjne poświaty, przyjemnie zgrane z niebieskim neonem „Rzymu".

– I jakie mamy wnioski z tego komputera? – Stary podszedł do laptopa i mrużąc oczy, przyglądał się zapiskom Marty.

– Nie mogę znaleźć żadnego wspólnego mianownika. – Witecka dosiadła się i przewijała kolumny.

– Dwie osoby zginęły po czyimś przybyciu, ale nic ich nie łączyło. Ofiary to zarówno kobiety, jak i mężczyźni, ludzie młodzi i starzy. Dwa wypadki przebiegły identycznie, ale nie łączy ich osoba sprawcy… – podsumowywał Markusz, wpatrując się w ekran.

Po chwili machnął ręką i usiadł na krześle. Byli już zmęczeni. Milcząc, patrzyli na siebie w oczekiwaniu na pomysły i wnioski.

– Nic mi nie pasuje – stwierdziła ze smutkiem Marta.

– No widzisz… Mówiłem. Klątwa jak nic. – Stary się zaśmiał. – Pomyśl jeszcze w domu, może na coś wpadniesz, a tymczasem wróćmy do przesłuchań. – Rozłożył brystolowy arkusz. – Ja jutro dotrę do tego Malczewskiego, przyjeżdża z towarem do Klaudiusza, a ty?

Witecka spojrzała na kartkę. Na sporządzonej przez nich liście posiadaczy samochodów do niej przypisani byli jeszcze: Pająk – ojciec Dyzia, Rogowski, Lusia i Jankowy majster. Markusz przydzielił sobie Bogacza, Malczewskiego, Ostera i księdza Andrzeja. Ceyna zostawili na koniec; jeszcze nie zdecydowali, kto się nim zajmie. Znaki zapytania stały też przy Klaudiuszu i Janku. Na razie nie brali ich pod uwagę, choć przecież nie można było całkowicie wykluczyć udziału któregoś z nich. Jeszcze nie teraz.

Przekreślili Bogacza i Rogowskiego, bo z dotychczasowych ustaleń jasno wynikało, że obydwaj mieli alibi.

Gabriel fotografował się w trumnie, a lekarz jechał do pacjentki jako pasażer w samochodzie Janka, dokładnie obejrzanym przez Martę zaraz po wypadku. Przed wyjściem do szkoły sprawdziła jeszcze wzór bieżnika na oponie fiata. Nie przypominał tego na zdjęciu; w gumie wyżłobione były wąskie paseczki zbiegające ku środkowi.

– Bolo, ale czy to wszystko ma sens? – spytała, gdy Markusz chował swój brulion.

– To znaczy?

– Malina na pewno oglądał te opony i sprawdzał, co oni wszyscy – wskazała na brystol – robili w tym czasie…

– W aktach na razie nie ma tych danych. Albo wycisza sprawę, albo gdzieś je wpieprzył. Działajmy według planu, po prostu. Zresztą sama słyszałaś, do czego doszli. Łobuzy i tyle.

– No tak, wszyscy dostali państwowe pieniądze. Trup jest opłacalny…

– W papierach wszystkie czynności prowadzone są bez zarzutu, jak na egzaminie w Szczytnie. Są przekonani, że to ktoś spoza Mille, że zdarzył się wypadek i tyle. A że świadków brak, to szukaj wiatru w polu.


– A i upominać się o prawdę nie ma komu… – Marta spojrzała na starego. Miała nadzieję, że Markusz powie coś o Klaudiuszu, ale ten tylko pokiwał głową. Zrozumiała, że to ich prywatne, tajne śledztwo jest próbą znalezienia zabójcy w imieniu już bezbronnej Magdy. Z pewnością umierała w męczarniach. Zmiażdżone narządy wewnętrzne, prawdopodobnie na skutek kilkakrotnego przejechania ciała, świadczyły o tym, że ktoś się nad nią znęcał.

Powolne rozgniatanie wątroby, śledziony, łamanie żeber – to było niemal jak egzekucja. I nikt nie będzie szukał sprawiedliwości, bo nauczycielki już nie ma, a za kilka lat nikt nie będzie o niej pamiętał.

Klucz w zamku przekręcił się z oporem. Witecka mocno przyciągnęła rozklekotaną klamkę do siebie. W tej szkole nawet drzwi wymagają naprawy, pomyślała smutno. Zawiał przejmujący wiatr, aż zesztywniały jej palce. Przystanęła na schodach i spojrzała w stronę wzgórza z ruinami. Nadciągająca gęsta mgła osiadała na zabudowaniach, znacznie zmniejszając widoczność. Wieża kościoła, oświetlona tylko przez jedną latarnię, nikła już w połowie swojej wysokości. Marcie skojarzyło się to z powoli rozlewającym się mlekiem. Robiło się coraz chłodniej, a ona nie miała żadnych ciepłych ciuchów, może powinna na weekend wyjechać do Warszawy? Pochuchała w dłonie i opatulając się szczelnie kurtką, ruszyła do domu Janka. Jeśli tylko Malina da zgodę na wyjazd, może wyciągnie kowala z Mille i pokaże mu swoje kąty. Właściwie czemu nie?

Z tą myślą szła przez rynek szybko znikający w gęstej wacie. Kierowała się na podświetloną wystawę sklepu „U Silnego". Przyspieszyła kroku, gdy nagle usłyszała pisk hamulców i nieznośny sygnał klaksonu. Z mlecznej toni wprost na nią wyjechał granatowy samochód. Odskoczyła w bok, a auto wyhamowało na wysokim krawężniku, uderzając weń podwoziem. Rozległ się nieprzyjemny chrobot metalu. Upadła pod drzwiami, ale niewiele mogła dostrzec, ponieważ oślepiały ją mocne reflektory.

Usłyszała gwizdanie świstaka ze środka sklepu i poczuła mocny uścisk ramion. Klaudiusz z łatwością podniósł ją, po czym podszedł do samochodu, osłaniając oczy ręką przed ostrym światłem.

– Pojebało cię? – krzyknął, stojąc ciągle na wprost auta. – Chcesz kogoś zabić?

Kierowca wyłączył silnik, zrobiło się cicho. Gdy usłyszeli odgłos otwieranych drzwi, Klaudiusz cofnął się i jakby się skulił. Z samochodu wysiadł szczupły mężczyzna w wojskowych spodniach, zielonej koszuli i kurtce moro. Jego czarne, skórzane buty zdawały się błyszczeć nawet w ciemności. Gdy zbliżał się do krawężnika, rozległ się tępy stukot obcasów. Klaudiusz zrobił kolejny krok w tył, stał już na równi z Martą, a kierowca ciągle się zbliżał. Marta dojrzała w blasku wystawy, że jest nieco starszy, a siwe, krótko ogolone włosy równo przylegały mu do skroni.

– Czy coś się pani stało? – zapytał twardym głosem.

– Nie wiem jeszcze… – odpowiedziała oszołomiona. – Trochę mnie pan wystraszył. – Zmrużyła oczy i rozpoznała znaczek Toyoty na masce.

– Bardzo przepraszam, jechałem za szybko. – Stuknął obcasami. – Ponoszę całkowitą odpowiedzialność za ewentualne uszkodzenia. Nazywam się Stanisław Pająk i mieszkam w domu z kawiarenką internetową. Proszę mi jutro zameldować, czy wszystko z panią w porządku.

– Dobrze – wydusiła z siebie.

– Spocznij, Silny! – Mężczyzna zwrócił się do Klaudiusza, zrobił w tył zwrot i równym krokiem wrócił do auta. Włączył silnik i powoli odjechał w stronę kawiarenki.

– Jestem w szoku. – Witecka w końcu odezwała się do Klaudiusza wpatrzonego w oddalające się czerwone światełka. – Czy to jest ojciec Dyzia?

– Tak. – Silny głośno przełknął ślinę. – Nie zaczynaj z nim, jest szychą w specjalnych służbach wojskowych.

– Klaudiusz splunął. – I taki mu się syn urodził, pech. Panienka z okienka.

– E tam, nie przesadzaj. Dyzio jest w porządku.

– No, ale do wojska to on się nie nadaje. Mój syn na pewno byłby normalny…

– Miałeś syna? – Marta puściła mimo uszu komentarz o normalności.

Klaudiusz spojrzał spode łba i znowu splunął.

– To nie twoja sprawa! – krzyknął i omijając ją, wszedł do sklepu.

Znowu zagwizdał świstak.

Marta wyciągnęła komórkę i wybrała numer kowala.

– Janek, czy mam coś kupić? – spytała, patrząc przez szybę na półki w sklepie Klaudiusza.

– Już jadłem. Weź coś dla siebie. I idź spać, muszę skończyć tę bramę choćby nie wiem co.

# ROZDZIAŁ 19

Kolejne dwa tygodnie minęły Witeckiej głównie na prowadzeniu lekcji, przyglądaniu się uczniom i ich rodzicom. Swoją drogą było to dla niej bardzo ciekawe, bo nie trzeba być wybitnym psychologiem, by obserwując dzieci, domyślić się, jacy są ich bliscy. Maluchy kopiują ich zachowania, na przykład zdenerwowanie matki, gniew pijanego ojca czy lamentującą babcię. Szybko zaskarbiła sobie ich zaufanie i stała się dla nich kimś w rodzaju autorytetu, wobec którego w większości okazywały pewnego rodzaju uległość.

Któregoś dnia na zajęciach z plastyki mały Kuba, na którego wszyscy wołali Kościsty Kubuś, bo był bardzo szczupły, niemal ożywił martwą naturę. Marta ustawiła wazon z kwiatami i zaproponowała uczniom zabawę w malarzy. Po upływie pół godziny znudzone dzieci straciły zainteresowanie malowaniem, z wyjątkiem Kościstego Kubusia. Mały był jak w transie, nie odrywał się od kartki i kolorowych kredek. Gdy zadzwoniła trójkątem na przerwę, uczniowie wybiegli do świetlicy, a Kuba podniósł uśmiechniętą twarz. Nie widziała go jeszcze tak szczęśliwego.

– Skońszyłem – powiedział nosowo; ciągle miał problemy z wymową.

Patrzyła na jego pracę i ze wzruszenia nie mogła wydusić z siebie ani jednego słowa.

– Podoba sze pani? – spytał ciszej, lekko zestresowanym głosem.

– Bardzo! – Podniosła rysunek na wysokość okna, by zobaczyć go w słonecznym świetle. Kwiaty wyglądały jak żywe: pomarańczowo-żółte dalie, irysy z pięknymi biało-fioletowymi płatkami, no i róże; korony kwiatów, zbudowane ze zroszonych wodą, intensywnie czerwonych płatków, były pięknie osadzone na silnych łodygach.

– Nie naryszowałem kolców, bo poraniłyby pozostałe. – Kuba stawał na palcach, by wyraźnie widzieć swój rysunek.

– To jest najpiękniejszy obraz kwiatów, jaki kiedykolwiek widziałam. – Marta położyła dłoń na głowie chłopca. – Masz wielki talent, muszę porozmawiać z twoimi rodzicami, dobrze?

Chłopiec po jej pierwszych słowach się uśmiechał, ale gdy dokończyła zdanie, westchnął ciężko, usiadł i spuścił głowę.

– Nie chcesz tego, Kuba? – Uklękła przy małym.

– Moja mama mówi, że to szą bohomazy i że od tego sze wariuje… – Chłopiec wzruszył ramionami.

Marta zmarszczyła brwi. Właściwie to nigdy nie rozmawiała z panią Macjon. Ta drobna kobieta zawsze zabierała syna w milczeniu. Nie zdarzyło się, żeby wracał sam, bo mieszkał daleko pod lasem, jeszcze za domem rodzeństwa Krzyżanowskich. Ksiądz Ryszard proponował, że mały

331

może się z nim zabierać albo że go czasem podprowadzi, ale matka zawsze kategorycznie odmawiała. Witecka będzie musiała naradzić się z księdzem, jak postąpić, ale wiedziała, że jej słowa były dla chłopca ważne. Chciała, by miał szansę rozwinąć swój talent.

Tego dnia nie udało jej się pomówić z matką, bo kobieta tylko zamachała w oknie na syna, nerwowo przestępując z nogi na nogę. Miała na sobie podniszczony brązowy płaszcz, sporo na nią za duży; Kuba chyba po niej odziedziczył figurę. Ciemne włosy niedbale upięła w kok, z którego wymykało się sporo pasemek. Twarz osłaniała czerwonym szalem, choć jeszcze niezbyt silnie wiało.

– Widzi ksiądz, ona nikomu nie patrzy w oczy. – Marta zwróciła się do księdza Ryszarda.

Stali razem w drzwiach i odprowadzali wzrokiem panią Macjon, która odebrała syna jako ostatnia.

– A, bo bieda u nich straszna. – Ryszard machnął ręką. – Dawno tam nie byłem, bo to jednak wciąż spory kawałek ode mnie, ale dobrze pamiętam. Biedni ludzie wstydzą się podnieść wzrok. Myślą, że są gorsi.

Ksiądz odkaszlnął i poprawił sutannę. Pochuchał w ręce. Przemarzł trochę, za długo stali w tych drzwiach.

– A możemy im jakoś pomóc? – Witecka podreptała za nim i usiedli przy stole, by dopić herbatę z poprzedniej przerwy. – Może ja ich odwiedzę, chyba mam prawo, jako nauczycielka, co? – Była poruszona. Ale najbardziej zależało jej na Kubie.

– Eee, ja nie wiem, czy wpuszczą. Mnie po kolędzie już kilka lat temu nie wpuścili. – Ryszard siorbał zimną herbatę, mocując się z łyżeczką; nie wyjął jej i opierała się o okulary.

– Coś tu nie tak. – Marta pokręciła głową. – A gdzie on nauczył się tak malować? – spytała i poszła do sali po rysunek.

– Pewnie u ciotki się naoglądał. – Ksiądz wzruszył ramionami i wreszcie wyjął łyżeczkę, po czym odłożył z brzękiem na spodek. – Ta malarka z kwiaciarni to przecież jego ciotka, siostra jego ojca, Antka Macjona. Sukinsyn z niego. – Ryszard pokręcił głową i się przeżegnał.

– To pójdziemy tam razem, nie ma wyjścia. – Witeckiej wydało się to dziwne – tu, na rynku, piękna kwiaciarnia, do której niestety jeszcze ani razu nie zajrzała, a tam, pod lasem, jakaś biedna i zastraszona rodzina; nie trzymało się to kupy. No, może z wyjątkiem talentu, który z pewnością mały odziedziczył po swojej ciotce.

– Możemy pójść, ale nie wpuszczą, no i dobrze by było siekierą nie dostać od Macjona. – Ryszard spojrzał na sufit i zrobił w górze znak krzyża, jakby coś błogosławił. – Tam jest jeszcze stary Macjon. Bardzo chorował, ale widać mu się polepszyło przy synusiu! – Zaczął się śmiać.

– No zwariować tu można, przecież to nie jest śmieszne. – Witecka dopiła swoją herbatę i stanęła nad zlewem, by wstawić szklankę.

– Jezus Maria! Panienko Przenajświętsza! – zawołał nagle ksiądz i upadł na kolana.

Marta wypuściła i stłukła szklankę. Próbowała zebrać szkło, ale skaleczyła się w palec. Wyjęła plaster z apteczki.

Ksiądz Ryszard nadal klęczał, patrząc w sufit, i mamrotał coś pod nosem. Zajęta opatrywaniem rany, nie zauważyła, że zrobił się bardzo blady, na czoło wystąpiły mu kropelki potu. Mamrotanie zamieniło się w bezgłośne poruszanie ustami. Wyglądał upiornie. Podeszła do niego, ale ani drgnął.

– Proszę księdza! – Szarpała go za ramię, on jednak tylko zamknął oczy. Zaczął płakać. Nie miała z nim kontaktu. Był w innym świecie.

Poczuła, jak krew odpływa jej z twarzy. Dopiero teraz zrozumiała, że takie zachowania mogą być szokiem dla nieoswojonych z objawieniami dzieci. Nie powinna ich na to narażać. On przecież mógłby być nawet niebezpieczny. Ze zdenerwowania nie mogła utrzymać komórki w ręku. Chciała jak najszybciej zadzwonić do Janka, ale telefon się zawiesił i nie udało jej się odblokować klawiszy. W końcu wyłączył się, bo padła bateria. Zdenerwowana, zaczęła modlić się na głos: „Ojcze nasz…".

Ksiądz otworzył oczy i wstał, podpierając się na krześle. Spojrzał na nią i odrzekł jak gdyby nigdy nic:

– Jest przełom. Jutro wszystko opowiem. Nie jestem wariatem.

Rozmasował kolana, włożył jesionkę i wyszedł w milczeniu. Patrzyła na niego, jak zgarbiony opuszcza posesję szkoły. Nie zamknął za sobą furtki, a ta, popychana przez wiatr, uderzała z hałasem o ogrodzenie.

Nic z tego nie rozumiała. Uprzątnęła kuchnię, pogasiła światła i wyszła ze szkoły. Mocno domknęła furtkę. Niestety, będzie musiała porozmawiać z Ceynem. Pomysł, by ksiądz Ryszard był drugim nauczycielem, właśnie się zdezaktualizował.

Nawet nie zauważyła, że mimo dość wczesnej pory zapadł już zmierzch, a na rynku, jakby podległym dyktaturze kąta prostego, oświetlone były już tylko dwa punkty: sklep Silnego i kwiaciarnia. Mimo zmęczenia postanowiła zajrzeć do malarki.

Po drodze kilka osób jej się ukłoniło, sama pozdrowiła dwie matki i nieco spokojniejsza stanęła przed kwiaciarnią. Patrzyła z podziwem na misternie przygotowaną wystawę. Dominowały kolory pomarańczowy i brązowy, zgodnie z tradycją amerykańską pojawiły się dynie. Oprócz kwiatów dostrzegła też mięsiste laski cynamonu i wanilii, orzechy włoskie, a nawet duże kawałki czekolady. Malarka najwyraźniej była znakomitą florystką.

Pochłonięta analizowaniem niezwykłych form i zestawień, nie usłyszała odgłosu otwieranych drzwi. Dopiero po chwili dotarło do niej, że przygląda jej się właścicielka kwiaciarni. Stała przed nią kobieta o popielatych włosach ściętych na jeżyka; mocne kreski i starannie wytuszowane rzęsy podkreślały jej błyszczące oczy. I te usta. Pełne, krwistoczerwone, pięknie odcinające się od jasnej karnacji. Całości dopełniała zwiewna, pastelowa sukienka, jakby to był początek lata.

– Czekałam na panią. – Malarka wyraźnie powtórzyła już zapewne raz wypowiedziane zdanie. – Zapraszam do środka. – Odsunęła się, aby zrobić przejście, i szerzej uchyliła drzwi.

Z kwiaciarni dochodził przyjemny zapach kadzidełek, wanilii i pomarańczy. Marta miała wrażenie, że jest Alicją, która przechodzi na drugą stronę lustra.

– Anna Macjon, nareszcie możemy się poznać. – Kobieta uśmiechnęła się przyjaźnie, wskazując skórzany fotel. Sama usiadła naprzeciwko.

– Marta Witecka…

– Wiem, wiem. Nareszcie pani jest. Czekałam… – Florystka nieco teatralnie westchnęła. – Bo widzi pani – kontynuowała i usiadła wygodniej, podsuwając talerzyk z kawałkami czekolady – skończyły się czasy tajemnic.

– Nie rozumiem. – Witecka była oszołomiona roztaczającymi się zapachami i jeszcze nie doszła do siebie po ostatnim incydencie z księdzem, a ta jej mówi o jakichś tajemnicach. Instynktownie sprawdziła, jak daleko ma do wyjścia.

– Rozumie pani doskonale… – Malarka się zaśmiała.

– Właściwie sprowadza mnie pani bratanek, Kuba. – Marta próbowała uchwycić się bardziej racjonalnego tematu.

– Tak? – Kobieta uniosła jedną brew i wyczekiwała dalszego ciągu wyjaśnień.

– Czy pani wie, że on bardzo ładnie rysuje? Trzeba mu pomóc…

– Droga pani Marto… – Macjon wyciągnęła elegancką fifkę i nabiła na nią papierosa. – Pani mówi „pomóc”? – Wydmuchnęła dym prosto w twarz gościa.

– Tak. – Witecka odkaszlnęła, ale nie dała się sprowokować. – To dziecko powinno dostać swoją szansę.

– No to proszę działać. – Malarka rozłożyła ręce.

Marta wstała. Miała dość tej ekscentrycznej kobiety.

– Ale nim pani wyjdzie, proszę posłuchać. Mieszkańcy i miasteczko żyją w symbiozie, a to znaczy, że znają wzajemnie swoje tajemnice i dobrze ich strzegą. Proszę działać! – Uśmiechnęła się i wypuściła kolejną porcję dymu, po czym spojrzała na ozdobę w kształcie mahoniowej urny, stojącą w centralnym miejscu za ladą.

Marta wiedziała podskórnie, że to nie był bełkot stukniętej artystki. Gdyby tylko rozumiała, co Anna Macjon chciała jej w ten sposób przekazać...

Następnego dnia udało jej się porozmawiać z Markuszem. Wszystko u niego szło zgodnie z planem. Opowiedziała mu o spotkaniu z kwiaciarką, ale tak jak się spodziewała, stary nic z tego nie zrozumiał. Skwitował to tylko jednym słowem – „wariatka". Nie brał jej pod uwagę, gdy typowali zabójców Gołczyńskiej. Miała co prawda samochód, ale była poza sferą podejrzeń. Stara, chuda, nie udźwignęłaby nauczycielki. Szkoda czasu.

Gdy wybiła dziesiąta, na swoje lekcje dotarł ksiądz Ryszard. Miał ze sobą czarną, tekturową teczkę, wypchaną jakimiś papierami. Marta nie zdołała jeszcze pomówić z Ceynem, ale szczęśliwie ksiądz wyglądał i zachowywał się całkiem normalnie. Jak gdyby nigdy nic zabrał swoją grupę na zajęcia.

To nie był dla Marty komfortowy czas; ciągle nasłuchiwała, czy jej pomocnik nie robi czegoś dziwnego, ale na szczęście szkolny dzień dobiegł końca bez zakłóceń.

Gdy zmieniała nad zlewem opatrunek, Ryszard wrócił, odprowadziwszy ostatnie dziecko. Zamknął za sobą drzwi na klucz. Dostrzegła ten gest kątem oka, choć starał się zrobić to bardzo cicho.

– Dlaczego ksiądz nas zamyka? – Poczuła się jak w pułapce. Za nią było tylko małe okno, przed nią duchowny zmierzający w jej stronę z czarną teczką pod pachą. Wprawdzie jego oczy i twarz były spokojne, ale wcale jej to nie uspokoiło. Odruchowo sięgnęła po nożyczki, którymi przecinała plaster. Tak mocno zaciskała palce, że z rany znowu poleciała krew.

– Ojej, pani ciągle krwawi. – Ryszard nachylił się, by wytrzeć ręcznikiem plamy. Teczkę położył na taborecie.

Miała teraz najlepszy moment, by wbić mu nożyczki w kark. Zamiast tego obserwowała, jak nieporadnie czyści podłogę. Nie mogła się ruszyć, ciało odmawiało jej posłuszeństwa. Tymczasem były proboszcz wstał, wyrzucił papierowy ręcznik i jak gdyby nigdy nic usiadł z teczką przy stole.

– Mówiłem pani, że jest przełom – zaczął łagodnie i poprawił okulary, które zjechały mu na czubek nosa. – Chciałbym pani coś pokazać…

Jestem nienormalna!, to była pierwsza myśl, jaka jej przyszła do głowy. Jestem pojebana, wyzywała się, wciąż nie mogąc uwierzyć w swoje zachowanie, a gdy tylko odzyskała zdolność ruchu, ciężko opadła na taboret. Uległam tej atmosferze grozy, to przez tę malarkę, tłumaczyła sobie w duchu. Początkowo nie docierały do niej słowa rozgorączkowanego księdza, który rozkładał na ceracie pożółkłe, śmierdzące papiery i co rusz uderzał się w kolana na znak radości. W końcu otworzyła się na to, co mówił.

– I co się okazało? Że to ja zrobiłem błąd, a Andrzejek tego nie wychwycił! Proszę spojrzeć! – Wskazywał coś palcem.

Nachyliła się, ale niewiele mogła rozczytać.

– Pani się źle czuje? – Spojrzał na nią troskliwie i zawiesił rękę nad kartką.

– Jestem trochę zmęczona – odpowiedziała właściwie zgodnie z prawdą.

– No i co, miałem rację! – Ryszard znowu uderzył się w uda. – Wczoraj to wszystko do mnie dotarło. Jestem jednak bardzo stary…

Marta nie wiedziała, co ksiądz jej powiedział, i bała się, żeby znowu nie wpadł w otępienie.

– No, bez przesady – zareagowała z wymuszoną lekkością. – Zacznijmy jeszcze raz, bo coś mi się tu nie zgadza…

– No właśnie! – Ksiądz zapalił się ponownie. – Tu napisałem, bo to mój charakter pisma, tu, w tej księdze, że pogrzeb Ignacego Macjona odbył się tego dnia! – Ksiądz pokazał datę na kartce. – A tu byłem u niego z sakramentem namaszczenia. Ja musiałem, bo nikomu z Wyk nie chciało się jechać, a i by może nie zdążyli. Nie wiem, wtedy ostatni raz mnie wpuścili.

Marta przez chwilę nie kojarzyła, kim był ów Ignacy Macjon. Zapewne zrobiła dziwną minę, bo ksiądz dodał:

– No, dziadek Kościstego Kuby, ojciec tego łobuza i malarki…

– Tak, tak – kiwnęła głową.

– Ale ja nie pamiętam tego pogrzebu!

– Jak to? – Teraz na serio zaciekawiła się słowami księdza.

– No, nie było go, ja wtedy nie odprawiałem, a i z Wyk nikogo nie było. Poza tym sprawdziłem dziś rano jego grób, nie ma daty śmierci. Józia też mówi, że stary Macjon jeszcze żyje, że wcale nie umarł. Musiały mu te sakramenty pomóc, Pan Bóg wie, co robi. Ta moja siostra to okropnie na mnie nakrzyczała, że nie pamiętam takich rzeczy… Bo widzi pani, ja w pewnym momencie to się trochę pogubiłem, nie wiedziałem, co jest tu, a co tam… – Ksiądz robił dziwne miny, jakby i teraz uwierała mu tamta niedyspozycyjność. – I z kurią nie mogłem się porozumieć, ciągle mi pisali, że jestem złym proboszczem. Rozumie pani, musiałem zrezygnować, żeby mi dali spokój… Poza tym – dodał – wtedy byłem myślami jeszcze w latach pięćdziesiątych… Ech, za bardzo się zaangażowałem w czasy wojenne.

– Wszyscy tak mamy, że jak nas coś wciągnie, to świata poza tym nie widzimy… Spokojnie, no ale co dalej?

– I teraz najważniejsze. – Ryszard się wyprostował – Jeżeli on żyje, to jest nas tysiąc, a jeżeli nie, to dziewięćset dziewięćdziesiąt dziewięcioro, jak mówiłem. Jesteśmy uratowani! – Ksiądz cieszył się jak dziecko. – Wszystko się zgadza ze słowami Piecowej. Nareszcie koniec! – wykrzykiwał, jakby wiwatował.

Marta złapała się za głowę. Znowu wracali do tysiąca i wszystkich niewypowiedzianych tajemnic. Miała tego dosyć. Jeśli dalej ich śledztwo będzie szło tak opornie, to zostanie zmuszona uwierzyć w tę klątwę.

Ksiądz dalej tokował, niemal promieniał szczęściem. Gdy raz jeszcze wysłuchała tej historii i przyznała, że też się cieszy z zakończenia wieloletnich obliczeń, Ryszard w wesołym nastroju wyszedł na podwórze. Już dłuższą chwilę czekała na niego Józia, bo zbliżała się pora darmowego obiadu.

Marta siedziała i wpatrywała się w kuchenną ceratę, na której kilka chwil temu leżały zatęchłe papiery księdza. Nic jej się nie zgadzało. Jeśli ksiądz miał rację, to rację miała też Włoszka; mieszkańców było tysiąc jeden. A jeśli stary znowu coś pomylił? Musi pomówić z Sophią albo z Markuszem, chociaż on po jej wczorajszej relacji z wizyty w kwiaciarni stwierdził, że ma już dość tych dziwnych klimatów i ma nadzieję, że ona również.

Ale zaraz – zamyśliła się ponownie… Tego dziadka od dawna nikt nie widział, syn nikogo nie wpuszcza do domu, poza tym i tak nikt tam nie chodzi, bo to daleko… Do tego malarka z pewnością chciała jej przekazać coś ważnego, bo jak rozumieć słowa, że miasteczko i mieszkańcy wzajemnie strzegą swoich tajemnic. Miasto to może być Ceyn, który co miesiąc wypłaca rentę nieżyjącemu dziadkowi i dzieli się nią z rodziną… Wciągała się w ten tok rozumowania, jakby zdobywała kolejne metry trudnego labiryntu.

– Nie wytrzymam tego – powiedziała do siebie i wstała pozamykać okna. Spojrzała na lalkę zostawioną przez którąś z uczennic. Jeśli stary naprawdę nie żył, to z ukrywaną Alessą znowu wychodził tysiąc. Jaka jest prawda? Miała wrażenie, że od tych przemyśleń oszaleje…

Otworzyła laptop i zapisała wszystkie swoje uwagi. Jeszcze nie wiedziała, z kim ma je omówić. Pytanie, czy w ogóle jest co omawiać? Nikt się tu do niczego nie przyzna, ani Ceyn, ani rodzina Macjonów.

I nie masz racji, drogi dziadku Ryśku, to nie koniec, a dopiero początek.

# ROZDZIAŁ 20

– Pięknie dziś ksiądz opowiadał. – Witecka uśmiechnęła się do Ryszarda, kończąc uzupełnianie dokumentów. Minął już ponad miesiąc, odkąd pracowała w szkole, i choć nie należała do pedantek, to dziennik prowadziła wzorowo.

– Tak mi właśnie Pan Jezus pomaga… – Odwzajemnił uśmiech.

Siedzieli na wprost siebie, w pustej świetlicy, i obydwoje czekali na ostatnie uderzenie drzwi. Kacper Bogacz znowu najdłużej czekał na matkę. W końcu bez słowa wyciągnęła syna jak maskotkę na żyłce i biegiem ruszyli do domu.

– A co słychać u panny Józi?

– Zwariowała – prychnął ksiądz. – Od tego dobrobytu zwariowała… Codziennie do Piecowej, do ruin chodzi.

– A po co?

– Bo zwariowała. – Ryszard wzruszył ramionami. – Mówi, że tam się kiedyś straszne rzeczy działy i ona się tej Szalonej Kaśce nie dziwi, że tak nas ukarała. I se przypomina te opowieści zielarki, jakby jaką wyrocznią chciała zostać. Nie mam do niej siły. – Ksiądz westchnął.

– Do tego okulary mi zabiera i nie mam jak w papierach siedzieć, ech… – Wstał, przeżegnał się i powoli pakował swoją torbę z książkami. – Ale przynajmniej głodna nie chodzi. Z Bogiem! – Ryszard zrobił w drzwiach znak krzyża i wyszedł.

Tego dnia lekcje skończyły się dość wcześnie, dlatego gdy dotarła do kawiarni, Rogowskiego jeszcze nie było. To on był kolejny na jej liście przesłuchań. Właściwie mogłaby porozmawiać z Osterem. Cukiernik stał na zapleczu, ale widziała, jak bacznie ją obserwuje przez ladę. Niestety Markusz ostro zaoponował, gdy w trakcie ustaleń chciała go wziąć na siebie. Oster to trudny przypadek, właściwie nie rozmawia z kobietami. Z pewnością niczego by się nie dowiedziała, a przesłuchanie lekarza to formalność. Tak przynajmniej uważał stary, więc się z nim zgodziła.

– No, a my znowu mamy tête-à-tête, całuję rączki! – Lekarz przerwał jej rozmyślania, nachylając się do pocałowania dłoni.

Poczuła ostry zapach wody kolońskiej, była przekonana, że znowu użył jej tuż przed wyjściem.

– Trochę tak to wygląda. – Zarumieniła się. – Ale proszę się nie niepokoić, nie zamierzam pana… hm… nękać. – Chciała powiedzieć „podrywać", ale w porę zmieniła słowo.

– Najpierw musiałbym pana Janka wyzwać na pojedynek! – Rogowski stanął na baczność.

– Nie trzeba, zresztą spotkać go teraz to dopiero wyczyn – powiedziała smutno i w tym momencie przyszedł jej do głowy pewien pomysł. – Potrzebuję kupić parę drobiazgów, a nie znam okolicy... Ech...

– Jak mogę pomóc szanownej pani? – Lekarz dosiadł się do stolika.

– Muszę pojechać do jakiegoś sklepu z ubraniami... – Marta czuła, jak się czerwieni. Co za idiotyzm, pomyślała i natychmiast zaswędziało ją z tyłu głowy. Podrapała się dość mocno.

– Och, wiadomo, fatałaszki! Elegancki sklep z szykowną konfekcją jest w sąsiednim miasteczku, w Wykach, mogę służyć za przewodnika.

– Świetnie, to o której mógłby mnie pan tam zawieźć? Lekarz spojrzał na zegarek.

– Oj, ja nie jeżdżę samochodem, mam co prawda pojazd, ale już od dawna nie prowadzę... Widzi pani, kilka lat temu zasłabłem za kierownicą. Od tamtej pory nie kieruję samodzielnie, mogę stanowić zagrożenie, ale mój samochód jest sprawny.

– A mój jeszcze nie całkiem – skłamała, widząc, że Rogowski zaczął się nad czymś zastanawiać. – Trochę boję się nim dalej jechać...

– No dobrze. – Lekarz westchnął. – Dżentelmen nie zostawia damy samej w takiej sytuacji. Umawiamy się za godzinę. Proponuję, aby pani pokierowała moim autem.

– Świetny pomysł! – Marta aż podskoczyła. – Nie będzie lepszej okazji, by z bliska przyjrzeć się samochodowi doktora.

Rogowski po wychyleniu małego espresso wrócił pospiesznie do ośrodka zdrowia. Pomyślała, że Markusz byłby z niej dumny.

W dobrym nastroju zamówiła kolejną drożdżówkę, tym razem z jabłkiem, i czekając na spotkanie z lekarzem, rozmyślała nad ostatnimi wydarzeniami. Gdy ugryzła kolejny kęs, poczuła na nodze wibracje. Dzwoniła komórka, ale na wyświetlaczu nie pojawił się żaden numer. Szybko przełknęła bułkę i w ostatniej chwili odebrała.

– Dzień dobry! – usłyszała mocny, zdecydowany głos. Choć wydawał się znajomy, to jeszcze nie umiała go rozpoznać.

– Słucham, Witecka – przedstawiła się służbowo, ciągle nie wiedząc, kto jest po drugiej stronie.

– Proszę o meldunek, jak pani zdrowie?

– A, pan Stanisław. – Przypomniała sobie ten wojskowy ton.

– Pająk. Stanisław Pająk. Proszę o meldunek!

A skąd pan ma mój numer? – Marta dopiero teraz skojarzyła, że przecież nigdy mu go nie dawała.

– To akurat błahostka – odpowiedział lekceważąco. – Golenie całe?

– Słucham? W sensie — nogi? Całe! – zameldowała, po czym roześmiała się na głos.

– A co tak panią bawi aktualnie?

– Panie Stanisławie, niech pan już przestanie. Wszystko ze mną w porządku. Proszę na przyszłość jeździć wolniej…

– Tak jest! Ma pani rację. Do widzenia!

Marta uśmiechała się do siebie. Oster raz po raz wystawiał głowę zza lady i także się uśmiechał. Zdjął czapę, poprawił fartuch i wytarłszy ręce, ruszył w jej stronę. Gdy doszedł do lady, w cukierni rozległ się głos Rogowskiego.

– Zapraszam, droga pani. – Lekarz stał w drzwiach, ubrany w pumpy w drobną kratkę, do tego miał wysoko podciągnięte brązowe podkolanówki i dziwne buty. Płaszcz zastąpił krótką, dopasowaną skórzaną kurtką, na głowie miał kaszkiet i gogle.

– Jezus – wyrwało się Marcie. – Jakbym była w wehikule czasu – powiedziała w głąb sali, gdzie napotkała wzrok Ostera.

Cukiernik zatrzymał się przy ladzie i obserwował przebieg sytuacji, ale po kilku chwilach, speszony, ponownie wycofał się na zaplecze.

Przed cukiernią stał lśniący, czekoladowy volkswagen garbus z żółtą tapicerką i drewnianymi wykończeniami. Marta przystanęła i nie wierzyła własnym oczom. Nigdy wcześniej nie widziała garbusa w takim kolorze, chyba w ogóle nie widziała brązowego samochodu.

– Jesteśmy gotowi do drogi. – Rogowski podszedł i otworzył Marcie drzwi od strony kierowcy. – Zapraszam.

– Czy mogę zrobić zdjęcie? – spytała, nie ruszając się z miejsca. – Jestem w szoku poznawczym – dodała, wyciągając komórkę.

Doktor tylko się uśmiechnął. Witecka obfotografowała auto, nie zapominając o oponach, ale już z daleka widziała, że ich bieżnik różni się od poszukiwanego. Guma garbusa miała jednolite nacięcia na całej długości, przypominające ciągły szlaczek. Wreszcie wsiadła do samochodu. Lekarz przez chwilę tłumaczył, jak uruchomić pojazd, i ruszyli.

Droga była wolna, dopiero przy wyjeździe z rynku minął ich niebieski citroen berlingo, prowadzony przez młodego kierowcę w kolorowej czapce. Dobrze się składa, pomyślała Marta. Markusz będzie miał okazję przyjrzeć się samochodowi Malczewskiego. Choć z papierów wynikało, że Malina go sprawdził, to ciągle miała nadzieję, że stary jednak coś znajdzie.

W trakcie jazdy Rogowski wesoło opowiadał o okolicy. Jedynie przy ruinach ściszył głos, wspominając o Kaśce Piecowej. Witecka z przyjemnością rozglądała się wokół, a dobra widoczność i spokojny ton Rogowskiego sprawiły, że nabrała ochoty na zwiedzanie. Dookoła roztaczały się złote połacie pól, poprzecinane tu i ówdzie jeszcze zielonkawymi pasmami traw. Gdzieniegdzie pasły się krowy i kozy. Jesienne kolory i nizinny krajobraz skąpany w ostatnich promieniach słońca dobrze ją nastroiły.

Po kilkunastu minutach znaleźli się na wąskiej, szutrowej drodze prowadzącej do Wyk. Rogowski zamilkł, założył gogle i patrzył przed siebie. Gdy wjechali na teren zabudowany, wyszeptał:

– Konfekcja jest po prawej stronie, za tym budynkiem z czerwonej cegły, tuż obok apteki. – Wskazał ręką.

Marta spokojnie jechała według jego wskazówek.

– Kiedyś moja Ania tylko tu się ubierała... – Lekarz dokończył już bardzo cicho.

Gdy zaparkowała we wskazanym przez niego miejscu, doktor jakby stracił orientację. Wyszedł i rozglądając się niepewnie, chodził po chodniku w tę i z powrotem. W miejscu dawnego sklepu z eleganckimi kostiumami był ciucholand z odzieżą na wagę.

– Pani wybaczy! – zaczął roztrzęsionym głosem, gdy wrócił do auta. – Nie wiedziałem o tej przykrej sytuacji.

– Znak naszych czasów, proszę się nie denerwować. Ja znam takie sklepy i z pewnością coś sobie znajdę. – Uśmiechnęła się uspokajająco.

I miała rację. Wyszła stamtąd z kurtką, dwoma ciepłymi swetrami i granatowymi sztruksami. Rogowski w tym czasie też miał coś do załatwienia, bo trzymał w rękach wypełnioną po brzegi reklamówkę z logo apteki. Wyglądał na zadowolonego, że coś kupiła, ale nie wypadało mu interesować się zawartością toreb. W rezultacie oboje wrócili w dobrych nastrojach. Marta zaparkowała pod ośrodkiem zdrowia.

– Dziękuję, panie doktorze. – Podała mu rękę, gdy stali na chodniku. – Jak mogę się panu odwdzięczyć?

– Hm… No może i byłoby jak… – Lekarz zaczął się zastanawiać, co wprawiło Martę w zdziwienie. – Jest pani doskonałym szoferem, a ja, zdarza się, muszę podjechać gdzieś dalej. Czy zgodziłaby się pani podwieźć mnie czasem do pacjenta? Zaręczam pani, że są to sytuacje sporadyczne. – Przyłożył dłoń do serca. – Ja od tamtego incydentu nie prowadzę, to silniejsze ode mnie.

– Dobrze, żaden problem.

– Naturalnie jeśli nie będzie to kolidowało z obowiązkami szkolnymi. – Doktor ukłonił się i pocałował Martę w rękę.


Zapadał zmierzch i dopiero teraz poczuła, jak bardzo jest zmęczona zarówno dniem, jak i całym tygodniem. Stała na rynku, objuczona papierowymi torbami pełnymi ciuchów, i myślała, dokąd pójść. Powinna zobaczyć się z Markuszem, ale gdyby choć chwilę mogła odpocząć w domu Janka, na pewno lepiej by jej się myślało. Ostatnio rzadziej widywali się z milicjantem, bo nie mieli dla siebie żadnych nowych wiadomości. Nie codziennie nadarzały się okazje do przesłuchań i oględzin pojazdów. Nagle Marta ze zdziwieniem skonstatowała fakt, że przejęła słownictwo Bola.

Z trudem wyciągnęła komórkę, jedną ręką przeszukiwała kontakty. W pewnym momencie poczuła mocne uderzenie w łokieć, przez co wypuściła telefon, który z trzaskiem upadł na chodnik.

– Przepraszam, mamy alarm! – Ksiądz Andrzej schylił się i podniósł aparat. – Idziemy do „Rzymu", szybko! – Wziął od niej torby i ruszył do baru. Po chwili Marta się z nim zrównała.

– Co się stało?

– Włoszka dzwoniła – odpowiedział zziajany, ledwo łapiąc oddech. – Ma gościa, który szuka noclegu. Podobno jest zmęczony i chce odpocząć przed dalszą drogą.

– Spokojnie, jutro pewnie wyjedzie… – Witecka prawie biegła za księdzem.

Na rynku panowało poruszenie. Marta przystanęła, bo pierwszy raz ze zrozumieniem obserwowała barykadowanie się miasta. Nie można było nazwać tego inaczej. Ludzie spieszyli do domów, zamykali furtki, ryglowali okna. Drewniane okiennice, które wcześniej traktowała jako element ozdobny, teraz miały swoje przeznaczenie: nie wpuścić intruza do domu, jakby z każdym przyjezdnym do miasteczka wkraczało zło.

Silny zatrzasnął kratę na kłódkę, kwiaciarka wyłączyła lampy. W kilka chwil zrobiło się cicho i ciemno. Znikąd nie dochodziły żadne dźwięki. Nie było słychać ujadania psa ani płaczu dziecka. Jedyne dwie latarnie na rynku zaczęły migać, jakby zaraz miały zgasnąć. Marta nie dowierzała własnym oczom.

– Chodźmy, nie wiadomo, co się tam dzieje – burknął ksiądz i spojrzał na nią z ukosa, ciągnąc ją za rękę.

– A gdzie zaparkował samochód? – spytała, rozglądając się.

– To naprawdę nie jest w tej chwili istotne!

A właśnie że jest, pomyślała. Szczęśliwie auto stało pod „Rzymem", duża, czarna toyota rav 4. Gdy podeszła bliżej, sfotografowała ją szczegółowo, ale już z daleka było widać terenowe, szerokie ogumienie. Ksiądz, nieco zaskoczony jej zainteresowaniem autem, zostawił ją na zewnątrz i wszedł do baru.

Niebieski neon migał i brzęczał intensywniej niż zwykle, jakby i jemu udzieliło się podenerwowanie. Marta przyglądała się urządzeniu, stojąc na wprost okna. Podeszła, zajrzała do środka i zauważyła sylwetkę gościa siedzącego przy barze. Poczuła, jak oblewa ją zimny pot, a nogi uginają jej się w kolanach. Facet wyglądał jak Szajnert; miał podobną posturę, ciemne włosy zaczesane do tyłu i zieloną, pikowaną kurtkę. Przełknęła ślinę i weszła do środka. Gdy mężczyzna odwrócił się w jej stronę, gwar ucichł. Ksiądz Andrzej, obserwujący wszystko ze swojego miejsca, miał już napełnione kieliszki.

– No, witamy panią profesor! – Dyzio krzyknął ze swojego ulubionego miejsca, na co mężczyzna zareagował uśmiechem i wrócił do swojej poprzedniej pozycji. Poprosił o piwo.

Włoszka nalewała mu je z obojętnym wyrazem twarzy. Witecka podeszła bliżej i odetchnęła, to nie był jej szef. Ciężko usiadła na sąsiednim hokerze.

– Poproszę kawę – powiedziała do Sophii i spięła włosy.

Mężczyzna nie zwracał na nią uwagi. Wszyscy zajęli się swoimi sprawami, ale w rzeczywistości nikt nie spuszczał faceta z oka. Dyzio z Jędrusiem niemal całkowicie odwrócili się w jego stronę, ksiądz przy ostatnim stoliku mrużył oczy, a przy pierwszym, najbliższym, czuwał młody Ceyn, co rusz wyciągając szyję ponad bar.

– Szuka pan noclegu? – zagadnęła Marta, a w barze natychmiast ucichł szmer.

Włoszka spojrzała z lękiem.

– Ano tak, muszę odpocząć – odpowiedział mężczyzna, patrząc przed siebie i trzymając w ręku kufel z piwem.

– A na jak długo?

– Nie wiem, może na dzień, może na kilka dni… – Wzruszył ramionami, na co Dyzio otworzył szeroko buzię, a Ceyn zaczął nerwowo mrugać.

– Widzi pan, bo to nie jest najlepszy pomysł. – Witecka zawiesiła głos. – Jestem tu nauczycielką i muszę ze smutkiem panu przekazać, że w naszym miasteczku panuje epidemia grypy. Wyjątkowo wredny wirus. Wszystkie dzieci są na zwolnieniach i co drugi mieszkaniec…

Najbliżej siedzący Ceyn zaczął kasłać.

– E tam…

– Radzę panu uciekać stąd rano jak najdalej. Miejscowy lekarz nie nadąża z przyjmowaniem pacjentów. Sam pan wie, małe miasteczko… – Rozłożyła ręce. – Władze zastanawiają się nad wprowadzeniem kwarantanny.

– Cholera… – Mężczyzna wreszcie odwrócił się w jej stronę. – To może lepiej od razu poszukać gdzie indziej.

– Lepiej tak… – Zrobiła zatroskaną minę. – Póki nie jest za późno i nie wypił pan za dużo.

– Jeszcze nie wypiłem nawet łyka. Sporo czasu upłynęło, zanim mnie ktokolwiek tutaj zauważył – mężczyzna mówił z wyrzutem.

Oj, wszyscy cię tu widzą, pomyślała i spojrzała na niego z nieudawaną troską.

– Pani jest jakaś inna. – Nowo przybyły odstawił ciężki kufel. – Pani nie zamyka oczu, jakby mnie tu nie było. Dziękuję za ostrzeżenie. – Zeskoczył ze stołka, wytarł ręką usta i zapiął kurtkę.

– Nie ma za co, to dla pana dobra.

Kierowca toyoty wyszedł w pośpiechu, trzasnąwszy drzwiami, a w barze zapanowała kompletna cisza. Wszyscy znieruchomieli, patrząc na Martę. Nawet Włoszka zastygła z ręką na nalewaku.

– No, genialna… – odezwał się wreszcie młody Ceyn.

– A widzisz, dzióbuniu – Dyzio zwrócił się do Jędrusia cienkim głosem, gdy warkot silnika samochodu bezpiecznie się oddalił – ja zawsze mówiłem, że nasza pani Martusia nie pojawiła się tu przypadkiem.

Ksiądz Andrzej podniósł kieliszek wódki i patrząc na Martę, wzniósł niemy toast. Spotkali się wzrokiem. Sama by się napiła, ale wiedziała, że może popłynąć i wtedy nici z kolejnych działań operacyjnych.

Gdy wyszła z baru, od razu zadzwoniła do Markusza. Szczęśliwie odebrał po dwóch dzwonkach. Nie miał dobrych wieści. Sprawdził samochód Malczewskiego i okazało się, że to nie ten. Obydwoje ustalili, że przez weekend przyjrzą się pozostałym autom i w poniedziałek postanowią, co dalej. Milicjant nie tracił jeszcze nadziei, słychać było, że jest w dobrej formie.

Podniesiona na duchu, rozejrzała się po rynku. Mimo że facet z toyoty wyjechał, domy nadal wyglądały odpychająco. Można było odnieść wrażenie, że są zniszczone i zaniedbane, jakby nikt w nich nie mieszkał.

Rzuciła torby z zakupami na schody i stojąc na podwórku Janka, które powoli zapełniały metalowe konstrukcje, nasłuchiwała odgłosów z warsztatu. Przyglądała się gotowemu ogrodzeniu i stwierdziła, że rzeczywiście jest wyjątkowe, jakby wyrzeźbione. Grube metalowe gałęzie były pokryte delikatnymi liśćmi. Na każdym liściu wyczuwała żyłki, prawdziwie misterna robota. Gdy tak stała w zamyśleniu, Janek razem z majstrem wyniósł kolejny fragment konstrukcji. Spojrzała na nich pełna uznania.

– Pięknie to robisz…

– Mam nadzieję, że mu też się spodoba. – Kowal wytarł pot z czoła. – Na dzisiaj kończymy. Sławek, fajrant, co? – Odwrócił się do majstra, który tylko kiwnął głową. – Jutro zacznijmy koło dziesiątej, trzeba się wyspać.

– Dobrze. Będę, szefie. – Majster wytarł spocone ręce w poplamioną flanelową koszulę. Ani razu nie spojrzał na Martę, choć ta nie spuszczała z niego wzroku. Był jakiś dziwny, wyglądał jak rozwścieczony byk, gotowy do ataku na toreadora.

Janek podał mu dłoń na pożegnanie i po przyjacielsku poklepał majstra po plecach. Gdy ten wyszedł, domknął furtkę i sprawdził, czy jest dobrze zamknięta.

– Muszę z Maliną pogadać – odezwał się, gdy weszli do domu.

– O czym?

– Żeby mnie puścił do Niemiec z tym towarem. – Cmoknął nerwowo. – Powinienem wyjechać w niedzielę.

– Śledztwo zakończone, to cię puści. – Wzruszyła ramionami i położyła się na sofie.

– Skąd wiesz? – Spojrzał na nią uważnie.

– Tak myślę. Nie będą nas tu trzymać w nieskończoność…

– Oby, oby. – Zdawał się nie analizować tego, co ona wie. – Bo mi klient karę dosunie – dokończył i pobiegł do łazienki.


Na kuchennym stole rozsypała fusy po wypitej herbacie. Wyglądały trochę jak mrowisko, co natychmiast skojarzyło jej się z miasteczkiem. Mille było jak mrówczy kopiec. Życie toczyło się w nim w podziemiu, a wejścia były zamykane przed obcymi, bo każdy z zewnątrz to wróg. Uznała, że tak właśnie zatytułuje reportaż – *Mrowisko*. Spojrzała na parapetową orkiestrę i uśmiechnęła się.

Otworzyła laptop i zaczęła dopisywać kolejne wersy do swojego tekstu, po czym otworzyła plik zawierający dane z prywatnego śledztwa. Nagle skojarzyła dwa fakty – zgodnie z wynikami sekcji zwłok Aldonka była w ciąży, a podczas jednej z rozmów Silny wygadał się na temat niespełnionego ojcostwa. A może tych dwoje coś łączyło?

Gdy odświeżony Janek wreszcie wrócił, zamknęła komputer i dosiadła się do niego na sofie. Po kilku chwilach milczenia podeszła do portretu Aldonki.

– Tak się zastanawiam… czy Aldonka zdążyła kogoś pokochać?

– No co ty, taka młoda? – Kowal spojrzał na nią zmęczonym wzrokiem.

– Przestań, przecież była dorosła. Ja wiem, że dla ciebie zawsze pozostanie młodszą siostrą, ale taka ładna dziewczyna z pewnością miała jakichś adoratorów, co?

– Skutecznie ich przepędzałem. – Uśmiechnął się. – A poważnie, to nie wiem. Nie rozmawialiśmy o tym.

– No ale… nie odwiedzał jej jakiś chłopak? – Starała się być delikatna, choć wkurzało ją podejście Janka, jakby był właścicielem swojej siostry.

– A czy to ważne? To nie ma żadnego znaczenia. Żadnego.

– A Klaudiusz?

– Dlaczego akurat on? – W jego głosie słychać było wyraźną irytację.

– No wiesz, młodym dziewczynom może się podobać… – Marta próbowała znaleźć jakieś powody.

– Łee, za stary dla niej. – Machnął ręką. – Zresztą na pewno bym coś zauważył. A co, może tobie też się podoba, hę?

– Przecież mam ciebie – odpowiedziała łagodnie, co Janek przyjął z wyraźną ulgą, ale ona była na siebie wściekła. Mają związek bez zobowiązań, są wolni, dają sobie mnóstwo przestrzeni, z której obydwoje chętnie korzystają, a teraz taki tekst? I jej głupia odpowiedź. Janek wydawał się facetem bez kompleksów, silnym i męskim, nie rozczulał się nad sobą. Chyba właśnie tym ją ujął. Różnił się od tych wszystkich nieudaczników i Piotrusiów Panów, z którymi się do tej pory spotkała. Teraz na samą myśl o nich aż się wzdrygnęła.

W ciągu ostatniego tygodnia kilkakrotnie starała się skontaktować z burmistrzem w sprawie swojego zastępstwa w szkole i pomocy dla Kuby Macjona. Wymawiał się brakiem czasu, ale wreszcie do niej oddzwonił. Wyjaśnił oschle, że poszukiwania nauczycielki na razie nic nie dały, ale to wydaje się zrozumiałe… No a w sprawie Kuby to podejmą decyzję na najbliższej radzie. Porozmawia z Kapuścińską, kierowniczką Ośrodka Pomocy Społecznej, może stamtąd spłynie jakiś grosz – jak się wyraził. Zgodził się, że małemu trzeba pomóc w rozwijaniu talentu, ale bez zbędnego pośpiechu.

– Bo jak pani wie – wysyczał do słuchawki – jak się człowiek spieszy…

– Proszę nie kończyć – przerwała mu, ponieważ jego głos brzmiał jak z zaświatów i zrobiło jej się niedobrze.

– A poza tym dochodzą mnie słuchy – Ceyn odchrząknął – że rozpytuje pani o jego dziadka, starego Ignacego…

Marta struchlała. Nie przypuszczała, że burmistrz tak bezpośrednio będzie z nią o tym mówił. Rzeczywiście, podpytywała ludzi, a nawet matkę Kuby, ale bardzo delikatnie…

– Zapewniam panią, że wszystko z nim w porządku. Byłem u nich z kierowniczką Kapuścińską na obowiązkowej wizycie kontrolnej. Rozumiem, że rozwiałem wszystkie wątpliwości? – spytał twardym głosem.

– Na razie tak – odpowiedziała cicho. – Dobranoc. – Odłożyła słuchawkę. Okropny typ, ale przecież Janek ją uprzedzał, że wszyscy mu o wszystkim donoszą.

# ROZDZIAŁ 21

Usłyszała kliknięcia na klawiaturze smartfona. Otworzyła oczy. Janek siedział w kuchni nad kubkiem parującej kawy. Dopiero teraz poczuła jej intensywny zapach, ale gdy postanowiła wstać, usłyszała, jak Janek mówi:

– Halo, Piotrek, no co się z tobą dzieje? Od kilku dni nie odbierasz, chory jesteś? (…) No, sprawę mam. Jutro muszę towar do Niemca wywieźć. Czeka, kasy sporo… (…) Ja wiem, że nie można, dlatego do ciebie dzwonię. Macie jakichś podejrzanych? Jak ci idzie śledztwo? (…) Aha, czyli jednak wypadek. Niebezpieczny jest ten wyjazd, co? (…) Na kilka dni, maksymalnie tydzień. Z montażem zamówił, z majstrem jedziemy na dwa samochody. (…) Nie, no Marta zostaje. Dobrze, będzie okupem. – Janek zaczął się śmiać. Wyraźnie mu ulżyło. – Dzięki, stary. – Wziął papierosa i wyszedł na ganek.

Słyszała, że wciąż rozmawia, ale trudno jej było cokolwiek zrozumieć. Miała nadzieję, że czegoś się dowie o postępach w śledztwie, bo wywnioskowała, że rozmawia z Maliną, zamknął jednak za sobą drzwi.

Myjąc zęby w łazience, przejrzała się w lustrze. Nie wyglądała dobrze. Sińce pod oczami, ziemista cera. No i włosy jak siano, takie matowe, nieprzyjemne w dotyku. Do tej pory zawsze związywała je gumką, ale teraz poczuła, że czas coś dla siebie zrobić. Może powinna pójść do fryzjera, kosmetyczki? W Warszawie rzadko korzystała z takich usług, ale tu, dlaczego nie? To dobry pomysł, przy okazji będzie mogła porozmawiać z Lusią.

Salon „U Lusi" znajdował się obok poczty, dwa kroki od piaszczystej drogi prowadzącej do domu Janka. Marta wytrzepywała drobiny piasku z butów, spodni i torby z laptopem, gdy gwałtownie minął ją spory dostawczy samochód z granatową kabiną i żółtą budą. W tumanie kurzu zauważyła kierowcę. To spóźniony majster spieszył się do pracy, bo Janek już od dawna siedział w warsztacie.

Rano, dopijając drugą kawę, kowal opowiadał o swoich planach. Malina, pomimo trwającego śledztwa, dał mu zgodę na wyjazd z majstrem do Niemiec, ale kazał podpisać jakiś glejt. Podobno zmienił się ostatnio, jakby był zmęczony. Pytał o Martę, ale nie wspominał o wywiadzie i według Janka dobrze się stało, że ta rozmowa nie została opublikowana. Nie przyznała mu się, że nadal pracuje nad reportażem i że po zmianach chce go przesłać do redakcji innego pisma. No i że ma ogromną nadzieję na spuentowanie nim finału prywatnego śledztwa. Ale uznała, że na wszystko przyjdzie jeszcze czas.

Gdy opadł kurz, a dostawczak majstra wjechał wreszcie na podwórze przed warsztatem, na piasku pod stopami Marty ukazał się wyraźny ślad opon. Ukucnęła i dotknęła go dłonią. Bieżnik składał się z kwadratów, jak ten na zdjęciu, ale te były poprzecinane wąskimi nacięciami. Przytomnie wyciągnęła komórkę i zrobiła zdjęcia. Ma już niezłą kolekcję, dlatego dobrze, że sumiennie wszystko taguje w katalogach.

Witryna salonu fryzjerskiego, oklejona różowymi literami i reklamą jakiegoś szamponu, nie zachęcała do skorzystania z proponowanych usług, mimo to Marta odliczyła do trzech i otworzyła drzwi.

Widok, jaki zastała, wcale jej nie zaskoczył. Po prawej stronie były dwa stanowiska fryzjerskie, damskie i męskie, na co wskazywały zdjęcia modeli i modelek nad lustrami, a poza tym dwie ogromne suszary, kilka wiszących golarek i wszechpanujące różowe akcenty, takie jak wstążki czy baloniki. Po lewej stały dwa krzesełka i stolik z katalogami fryzur, obok zlew do mycia głowy, a na wprost drewniane drzwi z napisem „TYLKO DLA PERSONELU". Do tego ten chemiczno-kosmetyczny zapach lakieru, żelu i odżywek, który w tym pomieszczeniu bez odpowiedniej wentylacji niemal wgryzł się w ściany. Marta zaczerpnęła więcej powietrza.

– Dzień dobry, pani Lusiu, jest pani tutaj?

Odpowiedziała jej cisza. Zakład był malutki, zatem usiadła spokojnie na jednym z krzesełek i przeglądając katalogi z fryzurami, zaczęła szukać czegoś dla siebie. Swoją drogą, jak to jest możliwe, że kobiety decydują się na takie uczesania. Ani to praktyczne, ani wygodne. Może chodzi o to, aby jakoś wyróżnić się z tłumu? Kiedy tak rozmyślała, wpatrując się w jedno ze zdjęć, uchyliły się drzwi z napisem „TYLKO DLA PERSONELU" i przez szparę wpadła do środka szara smuga papierosowego dymu. Po chwili weszła Lusia. Ubrana w różowy fartuch, stanęła nad Martą, złapała się pod boki i żując gumę, zerkała na katalog.

– Nie pasuje – odparła, robiąc wielki balon. – Dla starych bab.

– No ja już nie jestem taka młoda. – Marta się uśmiechnęła. – Ale może będziesz taka miła i sama mi coś zaproponujesz.

– Podobno pogoniła pani jakiegoś faceta z baru, chwalą tu panią. – Lusia zmieniła temat.

– Tak? A jeszcze niedawno psy na mnie wieszałaś.

– Nieważne, to co, do mycia? – Fryzjerka podeszła do zlewu. – Z masażem może być, a jak. U mnie jest jak w Holiludzie! – Zaśmiała się i odkręciła wodę.

– Może być bez masażu i poproszę tylko o podcięcie, nic więcej. – Witecka usiadła wygodnie i odchyliła głowę.

Lusia dość szorstko wtarła szampon i zdecydowanymi, szarpiącymi ruchami wmasowywała go we włosy. Spłukała, a na koniec podała Marcie ręcznik.

– Tutaj, do damskiego zapraszam! – Zakręciła wodę i odsunęła najbliższy fotel.

Dziennikarka z obawą usiadła na proponowanym miejscu i obserwowała, jak fryzjerka dobiera odpowiednie narzędzia. Najpierw obejrzała kilka szczotek, zanim wybrała jedną, podobnie było z nożyczkami.

– Tylko nie na panią nauczycielkę, poproszę – odezwała się wreszcie Marta.

– A ja nawet nie wiem, jak się pani Magda czesała. – Dziewczyna zaczęła rozczesywać włosy Marty. – Ani razu u mnie nie była. Właściwie to myśmy się w ogóle nie znały. Tyle co w sklepie czasem, obca mi była zupełnie, to i nie wiem, jaką fryzurę miała. – Zaczęła się śmiać.

Marta natychmiast przypomniała sobie widok posklejanych, zakrwawionych włosów nauczycielki i słowa starego o ułożeniu zwłok twarzą do ziemi, co znamionowało bliską relację ofiary z zabójcą.

– A pamiętasz ten dzień, kiedy ona zginęła?

– A co mam nie pamiętać? Jak każdy poleciałam zobaczyć ciało, ale to bardzo rano było. Ktoś do salonu zastukał… – Znowu nadmuchała balon.

– A pamiętasz kto? – Marta wyprostowała się, dając opór mocnym pociągnięciom.

– Chyba Oster, on przecież od świtu chlebek wypieka, to i pierwszy obleciał domy… – Rozległ się kolejny trzask pękającego balonu.

– No tak, a on skąd wiedział? – Witecka zadała pytanie trzęsącym się głosem. Dopiero teraz dotarło do niej, że nie ma pojęcia, kto znalazł zwłoki i w jaki sposób nowina rozniosła się po miasteczku. Pominęła ten fakt w swoim dochodzeniu, ale dlaczego zrobił to Markusz? Taki doświadczony milicjant, w sumie od tego właśnie powinni zacząć. Kto po raz ostatni widział ofiarę? Kto ją znalazł? Gorączkowo zbierała myśli i przypominała sobie wszystkie przeczytane i obejrzane kryminały. Popełnili podstawowy błąd.

– Nie wiem, spałam, przecież to było raniutko. – Lusia ponownie wzruszyła ramionami. – Byłam nieprzytomna…

Marta czuła, że dziewczyna mówi prawdę. Odpowiadała natychmiast, z jakąś dziecinną szczerością.

– Ile centymetrów tniemy? Tyle? – Lusia podniosła pasmo włosów.

– Oj, nie, nie – zareagowała natychmiast Marta.

– Same końcówki i wystarczy, maksymalnie centymetr – odpowiedziała i miała nadzieję, że uda jej się szybko zakończyć tę wizytę. Chciała pomówić z Markuszem.

Nagle poczuła zimny dotyk nożyczek z tyłu głowy, które po chwili ostrym czubkiem wbiły się prosto w zaschnięty strup. Przeszył ją ból, który promieniował aż do zębów. Co jest? Miały być tylko końcówki, na ramionach, co ona robi na wysokości szyi? Wkurzyła się. Po pierwsze, poczuła ból, po drugie, tak dawno już się nie drapała, że skóra w tym miejscu miała wreszcie szansę się wygoić, po trzecie...

– Oj, sorry – Lusia podniosła nożyczki, których ostrza były umazane krwią, po czym je odłożyła i zaczęła palcami przedzierać się przez włosy jak przez kurtynę teatralną. Dotarła do solidnej już rany z tyłu głowy. Znieruchomiała Marta nie reagowała, a fryzjerka, jakby przestraszona, zaczęła wszystko zasłaniać.

– Co się pani stało? – Stanęła przy lustrze. – To jakaś choroba? Włosy pani wypadają? Na górze jeszcze jak cię mogę, ale od spodu całkiem łyso. Może powinnam panią ogolić, żeby je zregenerować?

Marta zaciskała pięści i robiła wszystko, żeby się nie rozpłakać.

– Tak. – Kiwnęła wreszcie głową. – Mam uczulenie, ale ono nie jest zaraźliwe – odpowiedziała najspokojniej, jak umiała.

– No to do babki Józi trzeba iść. – Fryzjerka aż gwizdnęła. – Ona ma różnorakie maści i lekarstwa na takie parchy. Wie pani, gdzie babka mieszka?

Witecka kiwnęła głową. Oczywiście, że wie, i oczywiście, że nie pójdzie po maść, bo nie ma maści na nerwicę.

– Ojej, pani z Warszawy, a też ma takie choroby. Nie pomyślałabym... Bo widzi pani, u Kapuścińskiej na przykład... – i Lusia zaczęła opowiadać o chorobach, uczuleniach i innych przypadłościach tutejszych kobiet. Było oczywiste, że i o niej będzie potem rozpowiadać...

Marta nie wdała się w rozmowę, więc fryzjerka dość szybko zakończyła czesanie, a ona potem wyglądała dokładnie tak samo jak przed wizytą w salonie. Zapłaciła, dała napiwek i starając się zachować spokój, na miękkich nogach wyszła na rynek. Co za dzień! Chociaż w sumie powinna być zadowolona, z dużym prawdopodobieństwem mogła wykreślić Lusię z listy podejrzanych.

Po staremu związała włosy i ruszyła przed siebie, w stronę kościoła. Miała ochotę na przyjemny spacer, chciała się uspokoić. Gdy mijała kwiaciarnię, odwróciła głowę. Bała się, że Anna Macjon, jak jakaś czarownica, od razu wyczyta z jej twarzy, że coś jest nie tak...

Kiedy znalazła się na wysokości upadającego pomnika papieża, postanowiła iść dalej, aż stanęła przed bramą cmentarza. Ze środka biło ciepło i zapach roztopionej stearyny. Uchyliła skrzypiącą metalową bramę i weszła do środka. Choć cmentarz jest miejscem publicznym, to czuła się tam jak złodziej albo podglądacz, ale szczęśliwie nikogo nie było, więc spokojnie ruszyła dalej.

Patrzyła na uporządkowane, czyste i ukwiecone groby. Nigdzie nie walały się stare plastikowe wkłady, suche badyle ani puste reklamówki. Nie znalazła też żadnej zapadniętej mogiły czy rozpadającego się pomnika. Każdy grób wyglądał jak po renowacji i dopiero po jakimś czasie zdała sobie sprawę, że tak właśnie było. Nawet na bardzo starych kwaterach stały nowoczesne nagrobki, najczęściej z czarnego marmuru. No i ta powtarzająca się złota wizytówka tuż pod nazwiskiem zmarłego − „Zakład Pogrzebowy Hades, Gabriel Bogacz".

Witecka usiadła na najbliższej ławeczce. Ten facet zmonopolizował tutejsze życie pośmiertne, pomyślała. Dopiero gdy nieco ochłonęła, dostrzegła napis na płycie: Franciszek Lajn, a obok, na drugiej, wykute złotymi literami kolejne nazwiska: Marianna Lajn i Czesław Lajn, z pustymi miejscami na datę śmierci. Przetarła oczy, bo nie byłoby w tym nic nadzwyczajnego, gdyby nie fakt, że grób żyjących Lajnów był dokładnie tak samo udekorowany jak pomnik Franciszka. Na obydwu paliły się znicze, w wazonach stały świeże kwiaty, biało-żółte astry.

Wstała i baczniej rozejrzała się po nagrobkach. Podobnie wyglądały groby Markuszcwskiego, księdza Ryszarda, Józi i kilku innych znajomych osób. Z pomnika Ostera dodatkowo uśmiechał się on sam, ze zdjęcia w sepii. No i znalazła grób Ignacego Macjona. Gdy słuchała relacji księdza Ryszarda, że nie ma na nim daty śmierci, puściła to mimo uszu, uznała za bełkot obłąkanego człowieka, ale dziś dotarło to do niej z podwójną mocą. Podobnie jak inni miał wyrytą tylko datę urodzenia. No i przyjrzała się zdjęciu, Ignacy Macjon z fotografii był schorowanym staruszkiem, patrzącym nieprzytomnym wzrokiem... Mały Kuba w momentach zawieszenia wyglądał podobnie.

Nie wierzyła własnym oczom. Przemierzała alejki, przyglądając się grobom żywych ludzi. Przez sekundę wyobraziła sobie, że na końcu drogi znajdzie także swój pomnik.

– Do kogo przyszłaś? – usłyszała za sobą wesoły, śpiewny głos Włoszki.

Sophia trzymała w ręku znicze i szczotkę. Spod kurtki wystawał jej fartuch, włosy miała związane chustką.

– Jezus, nie strasz mnie. – Marta usiadła na pobliskiej ławce. – Nie wiem, do nikogo.

– Jak to do nikogo? – zdziwiła się przyjaciółka i usiadła obok. – Nie do niej?

Witecka dopiero teraz zobaczyła, że zatrzymała się przy grobie nauczycielki, Magdy Gołczyńskiej.

– Może i do niej. – Wzruszyła ramionami. – Ale widzę, że ktoś ją odwiedza.

– A pewnie. Lepiej, żebyśmy my tu przychodzili niż ona do nas. – Włoszka machnęła ręką w stronę miasteczka.

– Sophia, co ty opowiadasz... Słuchaj, a ty też masz już swój grób? – Marta spojrzała na Włoszkę. Zasłoniła oczy przed słońcem.

– Będę z Frankiem pochowana. Litery już dawno są. Jak umrę, to je Bogacz założy raz-dwa... Każdy chce mieć najlepsze miejsce.

– Ale za życia? – Witecka nie mogła przestać się dziwić.

– A wiadomo, ile tego życia będzie. Tu lepiej zawczasu o wszystko zadbać. Myślisz, że ona to od kiedy ma to miejsce i pomnik? – Sophia wskazała nagrobek nauczycielki.

– Jezus, no tak, przecież nawet Gabriel by tak szybko nie zbudował... Ale po co tak się z tym spieszyć?

– A co w tym złego? To ty decydujesz, z kim i gdzie będziesz leżeć, w jakiej okolicy... Przecież potem liczy się tylko zdanie żyjących. Trup nie ma nic do gadania.

– No ale ty masz przecież Alessę. – Marta ściszyła głos, a Włoszka bacznie rozejrzała się dookoła.

– Dzieciaka w to nie mieszaj – warknęła.

– Sophia, a jak długo jeszcze zamierzasz ją tak ukrywać? – Witecka przysunęła się do Włoszki. – Może pomogę ci ją ujawnić?

– Wykluczone! – Sophia wstała i zakryła ręką usta, jakby chciała zahamować podchodzący do gardła krzyk.

– Uspokój się, przecież nikt ci jej nie zabije. Moim zdaniem ten dziadek spod lasu... – Marta nabrała powietrza.

– Macjon? – przerwała jej Włoszka.

– Dokładnie. Moim zdaniem on nie żyje i jest naprawdę pochowany w tym miejscu. – Marta wskazała ręką na pobliski nagrobek.

– Przestań, głupoty opowiadasz. – Włoszka się przeżegnała. – Nie strasz mnie.

– Posłuchaj, jeśli on nie żyje, to przecież możesz pokazać córkę, tak? A jeśli żyje, to tym samym udowodnimy, że nie ma tej pieprzonej klątwy. – Witecka uderzyła ręką w ławkę.

Gdy kończyła zdanie, niebo pociemniało i ogromna błyskawica przecięła je na pół. Od uderzenia pioruna aż zadzwoniło im w uszach. Ale deszcz nie lunął.

– Za późno już. – Sophia drżała na całym ciele. – Widzisz, to jest taka równia pochyła. Najpierw jest lęk – mówiła spokojniej. – Taki nieracjonalny, potem pojawia się strach, oplata wszystko i wszystkich... A to dopiero początek... Nie wolno się bać, rozumiesz? Od razu powinnam to zrobić, jak Bogaczowa. I teraz oficjalnie z dzieciakiem chodzi. Nienawidzę jej, nienawidzę tych wszystkich bachorów. Jakim prawem one mogą tu być?! – Włoszka zaczęła podnosić głos, ale ciągle hamowała słowa, zatykając sobie usta rękami.

– Czekaj, nie można tak. Te dzieciaki nie są winne. – Marta próbowała racjonalnie wytłumaczyć przyjaciółce, że źle kieruje swój gniew.

– Alessa jest najbardziej niewinna i siedzi jak w więzieniu, nie wytrzymam tego dłużej, rozumiesz?

– Wymyślimy coś, zobaczysz. – Witecka przytuliła łkającą Włoszkę i gładziła ją po włosach. – Wymyślimy coś.

– Najchętniej to bym pozbyła się tych wszystkich dzieci. Wszystkich, rozumiesz?

Marta rozumiała, że musi upłynąć trochę czasu, by przekonała przyjaciółkę, że istnienie Alessy trzeba ujawnić. Włoszka nieco się odsunęła i jeszcze ze łzami w oczach spytała:

– Ile to jeszcze potrwa? Wiem, że działasz z Markuszem. Był u nas, zachowywał się jak policjant. Przesłuchiwał wszystkich po kolei, moich teściów i mnie. Oni go lubią i dlatego grzecznie odpowiadaliśmy, ale przecież nie musieliśmy. To była wizyta prywatna.

– Tak? – Marta rozejrzała się dokoła. – Mów ciszej...

– Czy to znaczy, że nas też podejrzewacie? Że to niby my zabiliśmy nauczycielkę? – Włoszka znowu zaczęła podnosić głos. – Jaki moglibyśmy mieć powód, co?

– Sophia, uspokój się. To rutynowe działanie, po prostu przepytujemy wszystkich, którzy... Urwała. Nie powinna opowiadać przyjaciółce o tym, co udało im się ustalić.

– Co mają? Powód, żeby ją zabić, tak? A jaki ja mogłam mieć powód, to znaczy motyw, no jaki? – Sophia ukryła twarz w dłoniach i znowu zaczęła płakać. – Powiedziałaś mu o Alessie?

– Nie, nikomu o niej nie mówiłam... – Witecka od razu zanegowała, ale nagle zrobiło jej się gorąco. A jeśli to Sophia chciała zrobić miejsce swojej córce...

– Ceyn mógłby mnie za to zabić, wiesz?

Marta zadrżała. Burmistrz wzbudzał w niej nieokreślony lęk.

– O Alessie nikt nie wie. A my rozmawiamy ze wszystkimi, którzy mogli cokolwiek pamiętać – zmyślała na poczekaniu. Nie chciała zdradzić, że mają zdjęcie śladów opon. – A właśnie, pamiętasz tamten dzień? – Witecka się wyprostowała.

– *Si* – przytaknęła Włoszka.

– To ty do mnie dzwoniłaś z tą wiadomością. Skąd dowiedziałaś się o śmierci Magdy?

– Hm, chyba od Ostera... – Sophia zmarszczyła brwi.

– Tak, on powiedział mojemu teściowi.

Marta przymknęła oczy. Ze wszystkich sił próbowała sobie przypomnieć, czy tamtego poranka cukiernik stał wśród gapiów. Markusz był niemal pewien, że wówczas zabójca obserwował działania policji i techników, bezpiecznie chowając się w tłumie.

– A Oster to skąd wiedział? – spytała jakby od niechcenia, choć tak naprawdę nie mogła doczekać się, by
przejrzeć zdjęcia z tamtego dnia.

– A ja wiem? – Włoszka wzruszyła ramionami. – No
chyba nie myślisz, że to ten nasz nieudacznik…

– Ech, sama nie wiem. – Marta udawała obojętną, ale
chciała jak najszybciej spotkać się z Markuszem. Za dużo
się działo, by tego nie omawiać na bieżąco.

Sophia zaczęła zamiatać i tak już czyste nagrobki
Franciszka i teściów. Marta pożegnała się i powolnym
krokiem, ale z niepokojem w sercu, ruszyła w stronę rynku.
Gdy tylko opuściła cmentarz, wyjęła komórkę i zaczęła
przeglądać zdjęcia z wypadku. Plik po pliku, cierpliwie
przesuwała doskonale znane sobie fotki. Na żadnej z nich
w tłumie gapiów nie było Ostera. Odetchnęła. Poczuła
ulgę, choć sama nie wiedziała dlaczego.

Na wysokości kościoła usłyszała charakterystyczny
pisk otwieranej furtki.

– Gratuluję obywatelskiej postawy. – Ksiądz Andrzej,
jeszcze trochę wczorajszy, podszedł do Marty i podał jej rękę.

– Tylko że ja temu facetowi kłamałam, a to grzech
– odpowiedziała, nieco tylko zwalniając. Nie miała ochoty
na pogawędki z trzeźwiejącym duchownym.

– Ładny mamy cmentarz, nieprawda? – Próbował ją
zatrzymać.

Zrobiło jej się gorąco. Nowe ciuchy były jeszcze zbyt
ciepłe na tę porę roku. Odsunęła golf od szyi.

– Zadbany, to na pewno. Ale ten Gabriel was omotał.
– Wskazała głową w stronę zakładu pogrzebowego.

– Widzisz… – Ksiądz niespodziewanie przeszedł na ty.
– To jest naprawdę porządny gość. Drogo nie bierze, na raty rozkłada i każdy z nas, jak umrze, ma wszystko gotowe. Co w tym złego?

– Właściwie nic, ale widok grobów osób żyjących jest przerażający.

– To tylko uprzedzenia. – Proboszcz drżącą ręką przeczesał brudne włosy. – Tu żyje się odwrotnie.

– Zauważyłam. – Pokiwała głową.

Najwyraźniej ksiądz miał ochotę pogawędzić, ale ona nie była w nastroju na pogaduszki.

– No to z Bogiem. – Nagle jakoś smutno zakończył rozmowę, zrobił znak krzyża i ruszył w stronę sklepu.

Porządkując w głowie zdobyte informacje, szła przed siebie. Gdy mijała salon fryzjerski, Lusia pomachała jej przyjaźnie, wskazując drugą ręką na tył głowy. No to mamy wspólną tajemnicę, wkurzyła się Marta.

Wreszcie doszła do sklepu Silnego. W środku stał Bolo i choć nie było kolejki, trzymał się z dala od lady i syna. Gdy weszła do środka, zorientowała się, że przygląda się butelkom z alkoholem. Klaudiusz siedział odwrócony tyłem, z nogami na półce. Zerknął tylko na nią przez ramię, gdy wchodziła i zagwizdał świstak.

– Chodźmy stąd – szepnęła do starego, łapiąc go za rękaw płaszcza.

Markusz poddał się jej i ciężko człapiąc, podążył za nią. Silny zastrzygł uszami, ale nawet na chwilę nie odkręcił krzesła.

– Nie chciał mi sprzedać… – wymamrotał milicjant, gdy oddalili się na bezpieczną odległość. Stali na zapleczu sklepu. – Ale to dobrze…

– Bardzo – odpowiedziała natychmiast. Miała ochotę dodać, że najwyraźniej synowi wciąż zależy na starym, że jeszcze nie wszystko w ich relacji jest przegrane, ale zamilkła. Nie chciała być ckliwa. Nigdy nie była ani wrażliwą dziewczynką, ani romantyczną, rozmarzoną kobietą zaczytaną w *Annie Kareninie*. Od zawsze miała pazury i choć daleko jej było do typu chłopczycy, lubiła w sobie taki szorstki sposób bycia. Może dlatego stary jej zaufał?

– Masz coś nowego? – spytał, nerwowo rozglądając się po podwórku. Podszedł do zaparkowanego przed tylnym wejściem żółtego dostawczego auta. Uklęknął przy kole i delikatnie zaczął dotykać oponę. Odetchnął głęboko.

– Dużo, w tym parę pytań – odpowiedziała, trochę zbita z tropu.

– Uff, to nie ten. – Stary z trudem wstał, wycierając duże krople potu z czoła. – Ale tu nie możemy rozmawiać. Za dziesięć minut w szkole. Idziemy różnymi drogami. – Naciągnął kapelusz i omijając Martę, ruszył przed siebie.


Pierwsza dotarła do budynku szkoły. Wstawiła wodę na kawę, uchyliła okna i podłączyła laptop. Gdy pstryczek czajnika odskoczył, usłyszała trzykrotne energiczne pukanie do drzwi, po czym wszedł Markusz. Ostrożnie postawił wytartą, skórzaną teczkę na podłodze i zdjął płaszcz.

– Bolo, jednej rzeczy ciągle nie wiem, a myślę, że ma duże znaczenie – zaczęła, gdy ten upił z siorbnięciem pierwszy łyk kawy.

– No? – Stary podmuchał i próbował pić dalej.

– Kto widział Magdę po raz ostatni i kto ją znalazł?

Milicjant odstawił szklankę i stękając, wyciągnął papiery z teczki. Wytarł rękawem ceratę, po czym rozłożył dokumenty.

– Klaudiusz – westchnął Markusz. – Czytaj! – Wskazał jej urzędowe papiery ze śledztwa.

Wzięła dokumenty. Wynikało z nich, że Silny w wieczór przed zabójstwem Magdy pokłócił się z nią. Żeby uspokoić nerwy, pojechał do Wyk pograć trochę na automatach. Tam spędził całą noc. Towarzyszył mu Adam Malczewski, którego zeznania to potwierdzają. Niestety młody Markuszewski sporo przy tym wypił i wziął jakieś prochy, dlatego nie pamięta dokładnie, co dalej się wydarzyło. Prawdopodobnie zadarł z kimś, dlatego potem został pobity. Z pewnością tej nocy wracał na piechotę i to on natrafił nad ranem na zwłoki nauczycielki. Ponieważ o tej porze pracuje jedynie Oster, pobiegł do niego po pomoc. To właśnie cukiernik zawiadomił policję i kilku mieszkańców, co także potwierdzają przesłuchania jego i świadków.

Marta jeszcze raz przeczytała akta. Wszystko trzymało się kupy, zeznania wzajemnie się pokrywały.

– Dlaczego nic mi nie powiedziałeś? – spytała z wyrzutem, odkładając dokumenty.

– Prawda… – Markusz podrapał się w brodę. – Ale jak widzisz, to nie ma dla nas większego znaczenia. To nie on… Sprawdziłem przecież…

– Ale Klaudiusz był ostatnią osobą, z którą kontaktowała się Magda, i pierwszą, która znalazła zwłoki…

– Synek był nieprzytomny… Naćpany jakiś czy coś. Nie jechał samochodem, nic za tym nie przemawia, że to on. Wykluczyli go przecież. – Stary zaczął się tłumaczyć łamiącym się głosem.

– Dobrze już. – Machnęła ręką. – Ja z kolei mogę powiedzieć, że to nie Lusia, nie Rogowski i nie majster.

Ze szczegółami opowiedziała o swoich rozmowach i zebranych dowodach. Markusz zdał podobną relację; sprawdził dostawcę Malczewskiego, Ostera i Lajnów. Wspólnie obejrzeli zdjęcia opon zweryfikowanych samochodów i zgodnie przyznali, że to żaden z nich. Spisali swoje przemyślenia i wnioski, Marta do laptopa, stary na brystolowej kartce.

– Z pierwszego planu zostały nam jeszcze dwie osoby, ksiądz Andrzej i ojciec Dyzia. – Marta wyboldowała te nazwiska.

– Trzy – westchnął Markusz. – Jeszcze Ceyn.

– Nie chcę z nim rozmawiać. – Wzdrygnęła się. Na wspomnienie ostatniej rozmowy z nim dostała gęsiej skórki.

– No, jesteś bohaterką, po tym jak pozbyłaś się tego gościa. – Stary cmoknął z podziwem. – Ceyn powinien cię ładnie przyjąć.

– E tam, daj spokój. – Machnęła ręką. – Weźmiesz go na siebie? Ja pogadam z Pająkiem, choć z tego, co pamiętam, nie było go wtedy w mieście…

– Ale sprawdzić trzeba. Ja pomówię z moim kompanem Andrzejkiem. – Markusz głośno przełknął ślinę.

– Bolo, a może znajdziemy coś w tym mieszkaniu.

– Marta kiwnęła głową, wskazując sąsiednie drzwi. – Mam klucze.

– Policja tam była, Ceyn wszystko dla ciebie wyczyścił, ale możemy…

Obydwoje dość niechętnie ruszyli w stronę pokoju nauczycielki. Zamek nie stawiał zbyt dużego oporu i drzwi swobodnie uchyliły się do środka. Uderzył w nich intensywny zapach silnego detergentu.

Stali w progu i przyglądali się wnętrzu. To był niewielki pokoik, urządzony bardzo skromnie. Na wprost spore okno, zasłonięte pomarańczowymi kotarami, pod ścianą tapczan przykryty kolorową narzutą, tuż przy nim nocna szafka, z lampką i starodawnym, nakręcanym ręcznie budzikiem. Do tego proste pilśniowe biurko, jedno ze szkolnych krzeseł i dwudrzwiowa szafa na ubrania.

Markusz wreszcie wszedł i otworzył drzwi szafy, potem wyciągał po kolei szuflady biurka. Pustki, jak w pokoju na prywatnej kwaterze, nie znalazł ani jednego papierka, żadnej osobistej rzeczy. Nic.

Podszedł do budzika. Wskazówki zatrzymały się na godzinie dwunastej.

– Jest jednak coś – odezwał się po dłuższej chwili, trzymając czasomierz w ręku. – Wskazówka, widzisz, ta srebrna – pokazał Marcie bliżej tarczę zegara – nastawiona jest na czwartą rano. Myślę, że tak wstała w dniu śmierci. Wiesz, co to może znaczyć?

Wzruszyła ramionami. Stary pokręcił głową, jakby się zirytował.

– Że była z kimś umówiona – powiedział wolniej niż zwykle. – Inaczej nie nastawiałaby budzika. Myślę, że był to ktoś z miasteczka. Spotkanie pod osłoną nocy, u naszej Kaśki, to jasne.

– Czyli wizyta w ruinach nie była spontanicznym porannym spacerem? – Marta wreszcie zaczęła współpracować.

– Zdecydowanie. Poza tym nie sądzę, by na lekcje, które zaczynają się po ósmej, wstawała tak wcześnie. – Stary popukał w szybkę zegarka.

– No tak, miała bardzo blisko. Ale dlaczego Ceyn tak wszystko wyczyścił, gdzie są jej rzeczy? – Marta znów zaczęła się rozglądać.

– Zrobił miejsce dla nowej osoby, tak jak i ona... – Markusz usiadł na tapczanie z budzikiem w ręku i myszkował wzrokiem po pokoju. – Nie chciała się spóźnić na spotkanie z zabójcą – dokończył smutno.

– A może Magda pisała jakiś pamiętnik albo coś? – Witecka po raz kolejny odsuwała szuflady biurka.

– Nie sądzę, takie rzeczy to prędzej można znaleźć u młodych dziewczyn. – Stary odkaszlnął. – Chodźmy stąd, ten zaduch jest nieznośny. – Wstał i wyszedł z pokoiku.

Marta podążyła za nim, zamykając drzwi na klucz.

Wniosek, że Magda spotkała się z kimś w dniu swojej śmierci, bardzo ich przygnębił; mieli już nadzieję, że jednak nie znajdą zabójcy wśród mieszkańców miasteczka, ale dziś nabrali pewności, że pierwotna intuicja ich nie myliła.

Postanowili dokończyć przesłuchania, a jeśli nie przyniosą nowych tropów, wspólnie zastanowić się nad dalszym postępowaniem. Może za bardzo przyczepili się do tych opon? Tylko że to był jedyny ślad, który mogli sprawdzić. Reszta była w oficjalnych papierach i nic z tego nie wynikało.

– Powiesz Malinie o naszym odkryciu? – spytała, gdy stary stał już gotowy do wyjścia i włożył kapelusz.

– Na razie nie, bo będzie przeszkadzał. Widzisz, to jest dobry chłopak, ale bardzo słaby.

– Zauważyłam – zgodziła się z nim.

– Piotrek boi się, że go przeniosą. Jest ten Zyga na jego miejsce, ale ja sobie myślę, że szkoda by naszego było. Jak naprawdę będziemy na dobrym tropie, to wtedy mu powiem. Mam nadzieję, że nam pomoże, wiesz, oficjalnie... – Markusz jakby zasalutował do kapelusza.

– Ale po co, Bolo, przecież to kretyn. – Marta aż się żachnęła.

– Ale to zawsze swój kretyn i swój wróg. Ten nowy Zyga to jakiś szpicel. Dobrze, jakby się coś działo, to dzwoń, już noszę to ustrojstwo przy sobie. Widzimy się po lekcjach, w poniedziałek. Pójdę już!

– Tak jest, szefie! – Witecka zasalutowała podobnie jak on.

– Spróbuj dotrzeć do Pająka, a ja dziś w barze pogadam z Andrzejkiem. – Markusz oblizał usta i przełknął ślinę.

– Może lepiej nie w barze... – zaoponowała cicho.

– Dam radę, a gdzie indziej to on niezbyt rozmowny. Cześć!

– Cześć! – odpowiedziała do zamkniętych drzwi.

377

Kawiarenka jak zwykle świeciła pustkami. Przy jednym komputerze, ze słuchawkami na uszach, siedział Dyzio, przy drugim Jędruś. Obydwaj w coś grali, a pozostałe trzy komputery nawet nie były włączone.

– Cześć, chłopaki! – zawołała w drzwiach.

Dyzio zdjął słuchawki.

– Co tam, kochaniutka?

– Chciałabym odebrać mejle, no i zobaczyć, co w świecie się dzieje. – Marta usiadła przed monitorem. Piesek maskotka wpatrywał się w nią bez ruchu. Stuknęła go w głowę, natychmiast zareagował kiwaniem, co wprawiło ją w lepszy nastrój. Czuła się mniej wyobcowana.

– Spoko. – Jędruś podjechał na krześle, odblokował dostęp i wrócił do swojej gry.

Marta sprawdziła pocztę. Miała trochę spamu, kilka wiadomości z Facebooka i dwa mejle od Anki. W jednym było sporo zdjęć z podróży poślubnej, w drugim dwa zdania o tym, że bawi się cudownie i tęskni. Witecka wzruszyła ramionami. Przyjaciółka rzecz jasna była w swoim świecie i z pewnością nie interesowały jej takie przyziemne sprawy jak trup w jakimś Mille. Ależ ta perspektywa nam się zmienia!, pomyślała i zamknęła pocztę. Sprawdziła jeszcze konto, lokatorka Patrycja wpłaciła zgodnie z umową, a i nauczycielska pensja z tytułem „sprzątanie biura" trafiła tam w wyznaczonym terminie.

Gdy wrzuciła do przeglądarki hasło „Stanisław Pająk" i nacisnęła enter, Dyzio i Jędruś natychmiast zdjęli słuchawki. Po krótkiej wymianie spojrzeń podjechali na krzesłach do jej stanowiska.

– Wy macie jakiś alarm na te dane? – spytała. Od razu wiedziała, że to nie był przypadek.

– No, tak jakby – westchnął Jędruś.

– Co chcesz wiedzieć o moim ojcu? – Dyzio zrobił się poważny, a jego głos zabrzmiał zdecydowanie mocniej niż zwykle.

– Po prostu chcę wiedzieć, kto mnie o mały włos nie rozjechał – odpowiedziała hardo.

– Mój ojciec to porządny człowiek – Dyzio dalej mówił poważnie. – On by nikogo nie skrzywdził. To wypadek, zapewniam cię.

– Słuchaj, ja wiem, ale to chyba nic dziwnego, że mnie zafrapował, co?

Chłopcy pokiwali głowami. Spojrzała na nich i na pieska. Byli bardzo podobni w tym geście.

– Ale tam nic nie będzie – dodał cicho Jędruś. – Dane na temat jego taty są tajne, sorry.

– Okej. – Marta udawała, że nic jej to nie obchodzi, ale nie rozumiała, jaki Stanisław Pająk może mieć powód, by ukrywać przed mieszkańcami Mille dane o sobie. Posiedziała jeszcze chwilę, poczytała wiadomości, przejrzała Facebooka, nic specjalnego. Gdy już wychodziła, spytała:

– Macie samochód?

– Ojciec ma, już któryś z kolei, a my nie zdaliśmy jeszcze egzaminu na lejce – odpowiedział szczerze Dyzio.

– Ale nam niepotrzebny. A coś z twoim jest nie tak?

– Nie, piszę tekst i mam kilka kwestii, wiecie, samochodowych. Potrzebuję fachowca, a Janek jest bardzo zajęty.

– Tatka dużo wie, będzie wieczorem, przyjdź. – Dyzio
puścił oko i wrócił do gry.

Uznała, że to w sumie niezły pomysł: udawać głupią
blondynkę i szukać specjalisty od aut, by napisać wia-
rygodny artykuł. W drodze do domu wymyśliła nawet
temat: samochodowa moda w Mille. Pan Pająk z pewnością sporo pamięta, no i prawdopodobnie dał się w to
wciągnąć, skoro ma już wóz któryś z rzędu.

Zadowolona ze swojego konceptu dotarła do domu
i napisała wstępną wersję tekstu. Wyszło nawet zgrabnie
i ciekawie, być może będzie mogła dołączyć go do swojego reportażu.

– Cieszę się, że pan tak szybko oddzwonił. – Witecka
podała rękę panu Stanisławowi.

– Nie przez próg. – Ojciec Dyzia szerzej otworzył drzwi
kawiarenki i pocałował Martę w dłoń. – Zapraszam.

Wyciągnęła notes, dyktafon, kilka długopisów
na znak, że jest przygotowana do zadania. Uznała,
że Stanisław Pająk z pewnością zwraca na takie rzeczy uwagę, i nie myliła się; zanim usiadł przy stoliku
jednego z komputerów, przyjrzał się uważnie rozkła-
danym sprzętom.

– No to jak mogę pomóc? – spytał uprzejmie.

– Proszę mi opowiedzieć, jak w Mille wygląda sa-
mochodowy biznes. Czy są jakieś modele, które są tu
szczególnie lubiane?

– Droga pani, ja mogę opowiedzieć tylko o sobie, bo
chyba jestem jedynym w tym miasteczku pasjonatem

motoryzacji. Nie ma tu za dużo aut, za to ja miałem ich kilka.

– Nie wiedziałam, w takim razie trafiłam pod właściwy adres. – Marta uśmiechnęła się do rozmówcy.

– Oczywiście przygotowałem się do tej rozmowy. Proszę bardzo, oto historia mojej pasji. – Stanisław Pająk położył na stole gruby, pięknie oprawiony album ze zdjęciami.

Ojciec Dyzia fotografował swoje samochody, ale w tle można było zobaczyć zdecydowanie więcej. Tak jak mówił, był kolekcjonerem aut. Opowiadał o nich z ogromnym zaangażowaniem. Nie mogła się oderwać od jego opowieści.

Na fotografiach zobaczyła całe ostatnie pół wieku Mille. Odniosła wrażenie, że zmieniali się tylko ludzie. Rozpoznała kilkoro mieszkańców uwiecznionych w trakcie wspólnych przejażdżek. Był mały Dyzio, od zawsze gruby Oster, młody, zamyślony ksiądz Ryszard na tle plebanii, jeszcze bez pomnika papieża Polaka, a nawet nastoletni Janek siedzący za kierownicą ciemnozielonego saaba. Stare zdjęcia, z pietyzmem opisane i starannie wklejone, stanowiły swoistą kronikę. Niestety ostatnie fotki były już niechlujne, zrobione jakby od niechcenia. Pewnie dlatego Pająk nie zatrzymywał się nad nimi dłużej, a tylko szybko kartkował album. Na jednym z ostatnich zdjęć Marta zobaczyła grupkę młodzieży, uśmiechniętą, szczęśliwą i machającą do obiektywu z aktualnego samochodu Pająka, granatowej toyoty. Zdjęcie było niewyraźne i Marta nie zdołała nikogo rozpoznać, ale ojciec Dyzia nie zamierzał do niego wracać. Z trzaskiem zamknął gruby album, kładąc na nim dłonie jak pieczęcie z laku. Miała wrażenie, że wstydzi się ostatnich cyfrowych, niezbyt udanych fotografii.

– No to o czym tak naprawdę będzie pani pisać? – spytał uprzejmie, uśmiechając się.

– Samochody to tylko pretekst – zaczęła, na co Pająk wyprostował się i odchrząknął. – Chciałam przez ich pryzmat zobaczyć Mille i stało się to możliwe dzięki panu.

– Cieszę się, że mogłem w czymś pomóc. To jest mój obywatelski obowiązek. Ale doradzałbym dużo ostrożności.

Wydawało jej się, że Pająk zmrużył oczy, a może był to tik. Nie wydawał się ani groźny, ani nieprzyjemny, raczej troskliwy.

– A mogę zobaczyć pana auto, teraz chętnie sprawdziłabym swoją wiedzę na żywym organizmie.

– Jasne, a które? – Stanisław wstał, nabierając wigoru.

– To ma pan ich kilka?

– Nie, głupoty gadam. Teraz to mam tylko toyotę, ale niedawno sprzedałem Miśka i jeszcze się do tego nie przyzwyczaiłem.

– O, tę małą czerwoną mazdę, tak? – Marta skojarzyła auto ze zdjęć.

Pająk przytaknął.

– Szkoda, bo od pana sama bym kupiła bez strachu, że sprzeda pan rzęcha.

– A pewnie, majster z warsztatu już dawno się zapisał w kolejce. To co, przejedziemy się? Zobaczy pani, jakie toyota ma przyspieszenie! – Stanisław Pająk, rozpromieniony, zacierał ręce.

– Ale bez przesady, już miałam przyjemność z tym autem – odpowiedziała wesoło, choć poczuła jakiś niepokój, którego nie umiała określić.

W garażu za domem sfotografowała opony i całe auto pod pretekstem ilustracji do tekstu. Pająk zrewanżował się tym samym, żeby mieć nową fotkę w albumie. Marta poczuła się wyróżniona i oboje w dobrych nastrojach ruszyli na wycieczkę po okolicy w zapadającym zmierzchu.

Wojskowy okazał się wymarzonym kompanem. Ciekawie opowiadał o historii miasteczka, o jego niezmienności, o tożsamości lokalnej, wreszcie zaczął zachwalać własne auto, jego sprawność i komfortową jazdę. Potem rozmawiali niemal o wszystkim. Momentami miała wrażenie, że ją adoruje, i czasem pozwalała sobie na niewinny flirt, ale nie przekroczyli żadnej granicy. Prowadzili ciekawą grę, bez presji na zwycięstwo.

Gdy już wracali, Marta czuła się dziwnie podniecona. Stanisław, bo nie wiadomo kiedy zrezygnowali z oficjalnej formy, doprowadził ją do takiego stanu, że marzyła, by natychmiast kochać się z Jankiem, a nawet więcej, by pieprzył ją ostro i długo. Bez pożegnania, gdy tylko zaparkował pod domem Janka, wybiegła z auta, z trudem łapiąc oddech. To nieprawdopodobne, ale chyba nigdy wcześniej nie czuła takiego pożądania i takiej ochoty, by Janek posiadł ją natychmiast. Była gotowa na zupełnie nieznane sobie doznania.

Z łazienki, przez niedomknięte drzwi, unosiła się gorąca para. Marta szła na miękkich nogach, marzyła o chwili, kiedy Janek w nią wejdzie. Rozbierała się, pozostawiając ubrania na schodach. Gdy weszła do kabiny, nie potra-fiła opanować drżenia całego ciała, oddychała płytko. Janek był zaskoczony jej natychmiastową gotowością. Gdy próbował ją całować, odchylała się. Chciała, by był brutalny i gwałtowny.

– Co ci się stało? – spytał, gdy leżeli już zmęczeni w salonie.

– Nie wiem – odpowiedziała, wzruszając ramiona-mi. – Po prostu chciałam się pieprzyć. Nie kochać się, nie uprawiać seks, a właśnie się pieprzyć. Sama jestem zaskoczona. Nigdy nie miałam takiej ochoty. – Martę zdumiały jej własne słowa.

– A co robiłaś przed przyjściem do domu? – Janek oparł rękę na łokciu, odklejając się od jej wilgotnego ciała.

– Nic specjalnego, jeździłam z ojcem Dyzia… Ale my nic… – zaczęła się tłumaczyć, na co on zmarszczył brwi.

– Co?

Usiadła i już nieco spokojniej opowiedziała o pomy-śle na artykuł na temat mody samochodowej w Mille. Na szczęście dał się na to nabrać i sam dorzucił kilka faktów, ale była tak zmęczona, że usnęła w połowie zdania.

„Wracam za tydzień i poproszę o replay. J." – taką kartkę, napisaną ładnym charakterem pismem, znalazła przyklejoną do ekspresu. Janek dobrze wiedział, że Marta od niego właśnie zacznie dzień.

Gdy smakowała poranną kawę, siedząc wciąż nago przy kuchennym stole, zastanawiała się nad swoim wczorajszym stanem i ogromnym, wciąż niezrozumiałym pożądaniem.

Zawstydziła się własnej rozwiązłości i otwartości w seksie. Szybko włożyła wiszącą na krześle koszulę Janka, jakby chciała zatuszować całą sprawę. Zapięła się pod samą szyję, wciągnęła dresy i odpaliła laptop. Zapowiadała się spokojna, leniwa niedziela.

# ROZDZIAŁ 22

W excelowym arkuszu dopisywała kolejne zdobyte informacje. Stanisław Pająk w dniu wypadku był poza miastem, a ponadto bieżnik opon toyoty nie odpowiadał śladom znalezionym na miejscu zbrodni. Zrobiła notatkę o niedawno sprzedanym samochodzie i dopisała uwagę: może warto sprawdzić to auto? Prawdopodobnie znowu będzie to chybiony strzał, ale przynajmniej upewnią się w stu procentach.

Z przymkniętymi oczami, opierając głowę o ścianę, analizowała wszystkie zdobyte dotychczas dane. Właściwie nic nie mieli oprócz śladu opony. Wiedzieli tylko, że sprawca pochodził z Mille i z jakiegoś powodu wyciągnął nauczycielkę do ruin jeszcze przed rozpoczęciem dnia. Z zebranych danych na temat opon, na które Marta nie mogła już patrzeć, nic nie wynikało. Po kolei wykluczały się wszystkie tropy, a przesłuchania prowadziły donikąd. A może to jednak zostawiony na koniec Ceyn? Burmistrz pasował Witeckiej do obrazu zabójcy. Według Markusza miałby także motyw — mógł oficjalnie otrzymać państwową gotówkę.

Usiadła na łóżku, ciągle miała przed oczami wysprzątany, pusty pokój nauczycielki, który mimo wszystko powiedział im najwięcej. Janek co prawda prosił, żeby nie wchodziła do pokoju Aldonki, ale pomyślała, że może znajdzie tam coś ciekawego. Zaczęła wystukiwać SMS-a w tej sprawie, ale w końcu go skasowała. Odległość i krótka forma nie sprzyjają porozumieniu. Postanowiła, że wytłumaczy mu się ze swojej decyzji zaraz po jego powrocie.

Wstała z sofy i nie patrząc na zdjęcie dziewczyny, ruszyła na górę do jej pokoju. W pewnym momencie zdała sobie sprawę, że się skrada i niepewnie rozgląda dokoła. Wbrew zdrowemu rozsądkowi udzieliła jej się atmosfera grozy. Poczuła potworne swędzenie z tyłu głowy, ale powstrzymała się przed rozdrapywaniem ran po raz kolejny.

Ciemne, ciężkie drzwi do pokoju Aldonki były zamknięte na klucz, który tkwił w zamku. Ostrożnie go przekręciła, zamek otworzył się po lekkim kliknięciu. Położyła lewą dłoń na klamce, a prawą się przeżegnała, jakby to miało jej dodać otuchy. Lekko nacisnęła metalową rączkę i usłyszała nieprzyjemne skrzypnięcie. Ze środka wydobył się zapach stęchłego powietrza.

Stała w drzwiach i przyglądała się pomieszczeniu. Pokój był przestronny, z ogromnym oknem na całej ścianie. Na metalowym, kutym łóżku z wysokimi prętami leżała rozrzucona pościel, po podłodze walały się sterty książek, niektóre otwarte, inne pozaznaczane zakładkami. Nie był to typowy pokój nastolatki; wyglądał raczej jak sypialnia dojrzałej kobiety. Na biurku stał wyłączony laptop, a ciuchy rozwieszone na dwóch krzesłach sprawiały wrażenie, jakby ich właścicielka miała za chwilę wrócić.

Marta ostrożnie weszła do jasnego pomieszczenia. Jej stopy wzbijały kurz, który osiadł na wszystkich sprzętach. Odkaszlnęła i kucnęła na podłodze, by przejrzeć pozostawione książki. Większość z nich to były skandynawskie kryminały, ale znalazła też tomiki wierszy. Jeden z nich, Haliny Poświatowskiej, pozostał otwarty na wierszu *Odkąd cię poznałam*. Ostatni wers był podkreślony: „I kiedy cię żegnam, moje umalowane wargi pozostają nie tknięte, a ja i tak noszę szminkę w kieszeni, odkąd wiem, że masz bardzo piękne usta".

Uśmiechnęła się. Aldonka była z pewnością w kimś zakochana, i to z wzajemnością. Odłożyła tomik Poświatowskiej i podeszła do laptopa. Był wyłączony, nie reagował na ruch myszki. Oswojona z miejscem, odważniej i pewniej przeglądała kolejne rzeczy. Na biurku leżały stare gazety, z datą sprzed roku, jakieś dziewczęce kosmetyki, w tym czerwona szminka. Marta wzięła ją do ręki, odkręciła sztyft − tak jak się spodziewała, pomadka była już w dużej mierze zużyta.

W uporządkowanych szpargałach znalazła książkowe kalendarze, ułożone chronologicznie. Na wierzchu leżał kalendarz z ubiegłego roku. Drżącą ręką wyciągnęła go i pogładziła okładkę. Usiadła na podłodze, skrzyżowała nogi i otworzyła na pierwszej stronie, gdzie znalazła podpis: Aldona Krokos.

Na początkowych kartach widniały głównie zapisy wagi, najwyraźniej Aldonka uporczywie się odchudzała. Według tych notatek wcale nie ważyła tak mało, jakby można było sądzić po zdjęciu. Na kolejnych stronach przybywało wpisów, w tym jeden stale się powtarzający:

„spotkanie z eS", przy którym widniały serduszka, kwiaty i uśmiechy.

Kim mógł być eS?

Marta natychmiast skojarzyła ten szyfr z pseudonimem Klaudiusza – Silny. Być może było tak, jak sądziła, że tę dwójkę łączył romans. Wertowała kartki kalendarza. Czasem zamiast zapisu „spotkanie" pojawiał się inny: „przejażdżka z eS" albo „wycieczka z eS". Dlaczego Aldonka nie nazywała tego mężczyzny po imieniu? No i z pewnością ukrywała ten romans, bo nawet jej brat nic o nim nie wiedział. Z drugiej strony Janek daje sporo wolności i przestrzeni, zwyczajnie mógł tego nie zauważyć.

Aldonka była dwudziestoletnią kobietą, nie dzieckiem. To normalne, że miała chłopaka, dlaczego zatem wszystko owiane było tajemnicą? Marta zastanawiała się nad tym, dalej przeglądając kalendarz. W sierpniu pojawiły się nowe wpisy: godziny wizyt u lekarza. Czy to znaczy, że chorowała? Skrupulatnie zapisywana waga stała w miejscu, a nawet raz była wyższa, co dziewczyna pokreśliła markerem. Nie chudła, zatem co mogło jej dolegać? Niestety, Marta od nikogo już się tego nie dowie. W przededniu wypadku nie znalazła żadnych zapisków. Zajrzała na dalsze strony. Pod koniec września znalazła wpis: „porozmawiać z eS".

Wiedziała, że musi koniecznie sprawdzić, kiedy dokładnie zginęła Aldonka. Być może ten cały eS miał z tym coś wspólnego? Teoretycznie nie, bo to Janek był sprawcą wypadku, ale miała jakieś dziwne przeczucie, że coś tu nie gra. Poczuła przypływ adrenaliny, oddychała szybko i płytko. Przez chwilę zastanawiała się, czy nie wziąć kalendarza na dół, ale jednak się nie odważyła.

Delikatnie, tak by nie było śladów, wsunęła go na swoje miejsce i zamknęła szuflady biurka, po czym jeszcze chwilę rozglądała się po pokoju.

Za łóżkiem stała wielka, ciężka skrzynia. Otworzyła wieko. Leżała tam sterta starych, pożółkłych druków, kartek i gazet. Intensywna woń ulatująca ze środka była nie do zniesienia, niczym odór zatęchłej ziemi. Marta wzięła do ręki kilka dokumentów, niektóre rozsypywały jej się w dłoni. A może to jakieś materiały do pracy Aldonki? Tak naprawdę nie zapytała, czym ta dziewczyna zajmowała się na co dzień. Włożyła wszystko na miejsce i zamknęła wieko. Z ulgą wyszła z pokoju. Dopiero gdy z powrotem przekręciła klucz w zamku, odetchnęła głębiej.

Na zdjęciach z grobu Aldonki sprawdziła, że data śmierci pokrywała się z dniem planowanej rozmowy z eS. Czy to przypadek? Marta otworzyła Excela z notatkami ze śledztwa. Nagle przyszła jej do głowy pewna myśl: a może wizyty Aldonki u lekarza podyktowane były ciążą, a nie chorobą? Pewnie niejaki eS był ojcem i o tym chciała z nim pomówić.

No i teraz najważniejsze: czy zdążyła? A jeśli tak, to czy eS też traktował Janka jak bohatera i był mu wdzięczny za ocalenie pozostałych mieszkańców? Myśli galopowały jej przez głowę, nagle pojawiło się sporo pytań. Czuła, że powinna się nad tym zatrzymać dłużej.

Chodziła po pokoju i zastanawiała się, czy powinna tymi odkryciami podzielić się z Markuszem, ale jeśli ojcem dziecka był Silny, to stary nie był najlepszym adresem. Może Janek, jak wróci, będzie mógł jej w tym pomóc?

Położyła się na sofie i z przymkniętymi oczami myślała, co robić dalej.

Nagle zrobiło jej się słabo, zdrętwiała na całym ciele i poczuła, jak oblewa ją zimny pot. Kurwa mać!, przeklęła na głos i dotknęła swojego brzucha. Już jakiś czas temu powinna mieć okres, a przecież nie pojawiały się żadne typowe objawy – nie bolały jej piersi, nie miała ochoty na słodycze. Sięgnęła po komórkę i spojrzała w kalendarz. Zgodnie z zapiskami powinna zacząć miesiączkować ponad dwa tygodnie temu. Opóźnienie na razie nie było duże, ale ponieważ zwykle miała regularne cykle, dało jej to do myślenia. Co prawda tyłozgięcie macicy, wykazane dawno temu na USG, dawało jej poczucie pewnej bezkarności, to jednak wciąż zachodziło ryzyko zajścia w ciążę. Nie zabezpieczali się z Jankiem ani razu, bo sam, jak stwierdził, „był trefny".

– Kurwa, to niemożliwe! – Marta prawie krzyknęła i znowu zaczęła badać swój brzuch. – Spokojnie, Witecka, tyle lat nie zaciążałaś, to teraz nagle się to nie może zmienić. Janek! – Siedziała na sofie i krzyczała. – Janek! Jezu, zachowuję się jak jakaś kretynka.

Sięgnęła po komórkę, ale po drugiej stronie usłyszała komunikat z poczty głosowej po niemiecku. No tak, jak coś się dzieje, to nie ma go przy niej.

Oddychała głęboko. Dotknęła palcami pulsującej skroni, ponieważ miała wrażenie, że głowa pęka jej na pół. Zdrętwiałymi rękoma z trudem przytrzymywała dudniące skronie.

Nie widziała w miasteczku żadnej apteki, a przecież natychmiast musi kupić test. W pierwszym odruchu wystukała numer Włoszki, ale przecież Sophia nie może się o tym dowiedzieć. Jeszcze nie teraz. Po tym, jak przyjaciółka zwierzyła jej się ze swojej nienawiści do cudzych dzieci, byłoby to teraz największym błędem.

W końcu przypomniała sobie aptekę obok ciucholandu w Wykach. Nie dopinając kurtki, wybiegła na podwórze i z piskiem opon ruszyła swoim białym peugeotem. Co prawda była niedziela, ale musi być przecież jakaś apteka dyżurująca?, uspokajała się, dodając gazu za krzyżem Piecowej. Tak, tak, to dobry pomysł, przecież oni tu nie mogą się dowiedzieć, a pewnie jakiś farmaceuta by rozgadał...

Po dwóch kwadransach stała przed apteką. Przez szybę przyglądała się starszej pani magister, wolno i delikatnie podającej leki. Przy ladzie stały dwie osoby. Przestępując z nogi na nogę, czekała, aż wyjdą. Po kilku chwilach jednak weszła, choć kolejka ani drgnęła, ale przecież, do cholery, nie była w Mille. Westchnęła głośno i pomyślała, że może powinna zapalić, ale dopiero teraz zdała sobie sprawę, że w ostatnim czasie dym papierosowy drapał ją w gardle i nieprzyjemnie dusił. W końcu nadeszła jej kolej i choć za nią stały już następne osoby, spytała cicho, z trudem wydobywając głos:

– Czy jest test ciążowy?

Siwa, dystyngowana staruszka kiwnęła głową. Bez słowa wolno się odwróciła, otworzyła jedną z mlecznobiałych szafek i położyła na ladzie kilka opakowań. Na każdym z nich było zdjęcie bobasa; jeden spał na boku, drugi, większy, siedział z rękami do góry, trzeci, najwyraźniej tuż po kąpieli, miał niebieski ręcznik na głowie. Czy to naprawdę jedyny dopuszczalny motyw graficzny na tego typu towarach? Zdenerwowana, oglądała opakowania, ale nie miała pojęcia, który model wybrać i jak właściwie przeprowadzić ten test.

– Niech mi pani doradzi, ja się na tym nie znam. – Spojrzała na farmaceutkę.

Kobieta podała jej pierwszy z brzegu, ten z największym dzieckiem.

– A jaka to różnica? Proszę wziąć dwa, gdyby wynik nie był jednoznaczny. – Pani magister zabrała resztę opakowań. – W środku jest instrukcja.

Marta była niemal pewna, że wszyscy w kolejce, a doszły dwie następne osoby, przysłuchiwali się tej rozmowie. Czuła na plecach ich spojrzenia, miała wrażenie, że za chwilę wypalą na nich jakiś krucyfiks. Nie patrząc na nikogo, wybiegła z apteki. Wrzuciła plecak do samochodu i trzęsącą się ręką próbowała trafić kluczykiem do stacyjki.

– Kurwa! – krzyknęła, gdy auto zawarczało. – Dlaczego przeżywam to wszystko sama?

Nim ruszyła, jeszcze raz zadzwoniła do Janka, ale znowu usłyszała niemiecką pocztę głosową. Cisnęła komórką w stronę plecaka i w końcu ruszyła przed siebie. Miała ochotę wyskoczyć w najbliższym lesie i nasikać na te plastikowe wykrywacze nowego życia, ale uznała, że najlepiej będzie, jak zrobi to w domu, w łazience.

Gdy tuman kurzu powstały na skutek ostrego hamowania opadł, zobaczyła na schodach domu Janka siedzącego Markusza. Wyglądał, jakby drzemał, oparty o ścianę, z kapeluszem zsuniętym na twarz. Trzasnęła drzwiami i wtedy się ocknął.

– Pomyślałem, że skoro ten twój wyjechał, to możemy tutaj się spotkać – wystękał, podniósł kapelusz i wytarł dłonią ślinę z ust.

– A skąd wiesz, że wyjechał? – spytała, otwierając drzwi.

– No, od Maliny, posiedziałem trochę u niego – odparł, z trudem podnosząc się z ziemi. – Sprawdziłem Andrzejka – wskazał na brulion wystający zza paska.

– Bolo, nie mam do tego głowy. – Marta przepuściła Markusza w drzwiach. – To nie jest najlepszy dzień.

– Tak, a co się stało? – spytał, ściągając gumofilce pozostawiające na podłodze liście i plamy błota.

Nie odpowiedziała, tylko jeszcze w kurtce pobiegła do łazienki. Nie chciała wprowadzać starego w swoje sprawy.

Drżącymi rękoma rozwijała opakowanie. Gdy już po wszystkim wpatrywała się w test, usłyszała ciche pukanie do drzwi.

– Wszystko w porządku?

– Zaraz wyjdę – odpowiedziała, nie odrywając wzroku. Stary naprawdę nie powinien tu teraz być.

Serce tłukło jej się jak oszalałe. Odkręciła kran i polewała twarz strumieniem zimnej wody. W instrukcji napisali, żeby odczekać pięć minut. Trzysta sekund, które trwały niemal wieczność.

Znowu spojrzała na biały pasek. Pojawiła się jedna kreska, a po chwili pociemniała druga. Usiadła na sedesie. Test pokazał, że jest w ciąży, a jedyną osobą obok niej był stary pijak, partner w prywatnym śledztwie. Choć próbowała powstrzymać łzy, te ciekły jej po policzkach.

Nie chciała mieć dzieci, obiecała to sobie, gdy matka po którymś objawieniu przytulała przestraszoną Martę do piersi. Każdym milimetrem skóry czuła wtedy przygniatający ból. Przyrzekła sobie, że nikomu nie zafunduje podobnych przeżyć, bo jaką takie dziecko może być matką? Okrutną, jak znęcająca się nad nią Maria Witecka, tylko taką.

Wciąż siedziała na sedesie i dotykała brzucha. Była w obcym miejscu, zaszła w ciążę z ciągle nieobecnym facetem, którego co prawda bardzo lubiła, ale przecież nie kochała. Był fajnym artystą, ciekawym człowiekiem, super sprawdzał się w łóżku, ale czy mógłby być ojcem jej dziecka? Nie planowała zakładać rodziny, to był jej przyjaciel erotyczny, takie określenie podobało jej się najbardziej. Ale dziecko? Tego, przyjeżdżając do Mille, nie brała pod uwagę. Tylko czy kiedykolwiek przyszłoby jej do głowy, że wydarzenia potoczą się tak, jak się potoczyły?

Drugi test potwierdził wynik poprzedniego. Ochlapała twarz wodą, zmoczyła włosy i wyszła z łazienki.

Markuszewski siedział nad swoim notesem i pił zimną kawę ze śniadania. Nie wiedzieć czemu rozczulił ją ten widok. Gdy przechodziła obok zdjęcia Aldonki, zatrzymała się i ponownie jej się przyjrzała. Czy to możliwe, że dziś mina dziewczyny była jakby weselsza? A może Aldonka daje jej jakieś znaki? Marta pokręciła głową i westchnęła. Nonsens. Zdjęcie jest nieruchomym zapisem chwili. Na tym polega wielkość tej sztuki, że na wiele lat zatrzymuje coś, co trwa tylko sekundę.

Wciąż stała zamyślona, gdy wreszcie dotarł do niej głos Markusza.

– Ładna ta mała, nie powiem – próbował rozkręcić rozmowę.

– Chyba tak… Pamiętam, że z sekcji wynikało, że była w ciąży, a wiesz, kto był ojcem?

Stary drapał się po głowie.

– Nie bardzo, a jakie to miało znaczenie? Janek złapany niemal na gorącym uczynku, jego ogrodzenia zmasakrowały ją niemiłosiernie… A po co ci to wiedzieć? – Milicjant wziął do ręki zeschnięte ciastko z talerzyka.

– Nie wiem. Czuję, że to może być ważne. – Usiadła do stołu i otworzyła laptop. Milicjant podsunął swój zeszyt, w którym kilka wyrazów było wziętych w pogrubione koła.

– E, co tam jakaś ciąża… – Machnął ręką.

– Jakaś ciąża? – Marta nabrała powietrza i próbowała się uspokoić. – Dla ciebie to nie ma żadnego znaczenia, prawda?

Markusz wzruszył ramionami, wykrzywił zabawnie usta.

– Ciąża Aldonki nie ma dla mnie żadnego znaczenia, to prawda, ale co ty jesteś taka nastroszona? Mam nowe wnioski, chcesz posłuchać? – Przekręcił głowę i wyżej podsunął okulary.

– Jasne, jasne – pokiwała głową. Co ten staruszek jest winien? Przecież nie może odgrywać się na nim za to, jak się czuje.

– No to trop z oponami jest spalony, nic nam się nie udało ustalić. Andrzejek ma inny bieżnik, a poza tym jego samochód jest od dawna zepsuty. Księżulek przerzucił się na rower, bo i gdzie ma jeździć? No i po kielichu przynajmniej nikogo nie zabije. – Markusz zaczął się z niego podśmiewać, ale Marcie nie udzielił się jego nastrój.

– Wszyscy nasi podejrzani mają jakieś alibi – podsumowała, przeglądając wpisy w Excelu. – Zatem albo przyjęliśmy złe założenia, albo popełniliśmy błąd, albo to Ceyn.

– E, nie sądzę, ale sprawdzę go jeszcze. Myślę, że niejasne są zeznania tych dwóch panów. – Stary wskazał na dwa zakreślenia w brulionie. – Oster i Pająk. Musimy ich lepiej sprawdzić.

– Ale jak? – spytała z zaciekawieniem.

– Oster w momencie popełnienia zbrodni był w pracy, ale nie może tego potwierdzić żaden pracownik, bo przyszli dopiero przed siódmą rano. Ale tak jest zawsze, to nic nadzwyczajnego.

– No i Klaudiusz go widział. – Marta zaczynała się wciągać w domysły starego.

– Tak, ale Magda już nie żyła. Ile mogło mu zająć przejechanie od krzyża, przebranie się i stanięcie za ladą?

– Kilka minut, racja. – Pokiwała głową.

– Co prawda – stary kreślił ołówkiem kółka w brulionie – Lajnowie widzieli włączone światła około czwartej rano, ale to wcale nie znaczy, że Oster był w środku, prawda?

– No tak, a Pająk? Dlaczego go podejrzewasz?

– Wrócił rano w dniu śmierci Magdy. Chłopcy zeznali, że jak obudziły ich krzyki z rynku, to ojciec głęboko spał, nie reagował na hałasy. To miałby być dowód, że spał od dawna? Śmieszne.

– E, nie chce mi się wierzyć. – Z niedowierzaniem pokręciła głową. – A poza tym to co Malina ustalił?

– Dziś dokopałem się do tego w aktach. Też mu sprawdzili protektory opon i technicy dokładnie obejrzeli auto. Czyste.

– No widzisz, my przecież nie mamy większych możliwości. – Marta westchnęła i też wzięła zeschnięte ciastko.

– Technicznych nie, ale tu – Markusz postukał się w czoło – główka pracuje.

Uśmiechnęła się. Stary był trzeźwy i do tego w niezłej formie. Cieszyła się z jego zaufania i właściwie musiała przyznać, że stał się jej bardzo bliski.

– Co wymyśliłeś? – Bez powodzenia próbowała ugryźć twarde ciastko.

– Na razie to pokombinuję ze starym kumplem z firmy. Ma, co potrzeba, więc sprawdzimy samochód Ostera. Malina tego nie zrobił, a ja chcę mieć pewność, że nie ma tam ani jednego włosa nauczycielki, rozumiesz? – Stary podniósł palec wskazujący i zaczął nim grozić.

– A ja co mam robić? Może poczytam te wszystkie dokumenty? Wiesz, czasami czytając coś tysiąc razy, można już niczego nie zauważyć. – Wskazała na grubą, jasnobrązową, wygniecioną kopertę z kartami śledztw w Mille, leżącą na stole.

Stary wcześniej chował ją za paskiem, a teraz położył na niej dłoń.

– Sam nie wiem. – Zaczął wzdychać. – Ja to mam trochę nielegalnie… Co prawda to tylko kopie, ale…

– My w ogóle działamy nielegalnie. – Marta się uśmiechnęła. – Przecież to nie istnieje. – Wskazała wzrokiem na kopertę.

– W porządku, ale pilnuj tego, dobrze? Są tam też inne rzeczy – zaczął wyciągać pożółkłe papiery.

– Zostaw wszystko. – Marta położyła rękę na paczuszce.

– Zwrócę komplet.

– Dobrze. – Markusz wyraźnie się zdenerwował i zaczął głośno przełykać ślinę. – Do zwrotu za kilka dni, w nienaruszonym stanie!

– Tak jest! – zażartowała, a stary tylko pokręcił głową.

Po chwili komórka Marty leżąca na środku stołu zaczęła wibrować i przesuwać się w stronę krawędzi. Spojrzeli na wyświetlacz, dzwonił Janek. Stary położył palec na ustach.

– Mnie tu nie ma, odbierz, a ja znikam. Nic mu nie mów, dobrze? – szeptał i na palcach wyszedł z kuchni. Marta wcisnęła zielony guzik.

Jeszcze chwilę po rozłączeniu stała ze słuchawką telefonu przy uchu. Janek na początku zaniemówił, potem zaczął nerwowo wyrzucać z siebie nieskładne zdania, aż w końcu poprosił, by z dalszym działaniem poczekała na niego. Powiedział, że nie powinna być sama, gdy ta smutna wiadomość rozejdzie się po miasteczku. Takiego właśnie użył określenia, „smutna wiadomość". Chyba był w szoku. Nie obiecała, że poczeka, dlatego zgodził się wreszcie na jej samodzielną wizytę u lekarza. Przecież doktor, jak ksiądz, musi dochować tajemnicy, więc powinni być bezpieczni. Na lodówce wisi numer stacjonarnego telefonu Rogowskiego. Najlepiej umówić się z nim bezpośrednio, tak żeby nawet Kapuściński nie wiedział. Jeśli będzie miała szczęście, to odbierze nawet w niedzielę.

Przeglądała poprzyczepiane magnesami kartki; dopiero teraz zobaczyła, jak jest tego dużo, między innymi rozkład jazdy autobusów, plan zajęć – z pewnością należał do Aldonki, ale spisane przedmioty niewiele Marcie mówiły: wykonywanie druków luźnych czy opraw, podstawy poligrafii i tym podobne.

Wśród nieczytelnych list zakupów, wizytówek i notatek trafiła wreszcie na karteczkę z napisem „ośrodek zdrowia". Nerwowo wystukała znaleziony numer. Po kilkunastu sygnałach, zniechęcona, odłożyła komórkę. Tak naprawdę już dawno doszłaby tam na piechotę, ale nie chciała niepokoić lekarza w niedzielę. Jakie to dziwne – pomyślała – gdyby nie chodziło o sprawy medyczne, odwiedziłaby Rogowskiego bez wahania, ale wystarczyło, że miała się stać jego pacjentką, a straciła całą pewność siebie. Niedorzeczne.

Po kwadransie bezczynnego wpatrywania się w komórkę postanowiła jednak pójść do Rogowskiego. W końcu trochę się już znali. Zarzuciła na siebie parkę, okręciła szyję chustą i wyszła na rynek. Wiał tak silny wiatr, że z trudem pokonywała kolejne metry. Na ulicach nikogo nie było.

Marta pamiętała, że Rogowski mieszkał na tyłach ośrodka zdrowia. Otworzył po kilku chwilach. Jak zwykle w nienagannym garniturze, uśmiechnięty. Natychmiast buchnął od niego zapach świeżo użytej wody kolońskiej.

– Czy mogłabym wykupić u pana wizytę prywatną? – spytała, nie czekając, aż on się odezwie.

– A co się stało? Dziś nie ma dyżuru. – Doktor rozłożył ręce. – Ale oczywiście pomogę, zapraszam. – Otworzył szerzej drzwi.

– A możemy jednak w gabinecie? – poprosiła stanowczo. No przecież nie będzie badał jej w salonie, na skórzanej sofie z muzyką grającą w tle.

– Dobrze, zaraz będę. – Rogowski przymknął drzwi i po chwili, uzbrojony w skórzaną teczkę, ruszył do drzwi ośrodka zdrowia.

Szybko znaleźli się w gabinecie i ku swemu zaskoczeniu Marta zauważyła, że w rogu stoi nowoczesny fotel ginekologiczny. Odctchnęła, jak gdyby od kilkunastu minut znajdowała się pod wodą. Poczuła ulgę.

– No to najpierw wypiszę kartę pacjenta. – Doktor wyjął jakieś formularze, po czym nabrał atramentu do pióra i czekał, aż Marta poda swoje dane.

– Dajmy spokój, to prywatna wizyta – westchnęła, na co on odłożył pióro, poprawił okulary na nosie i skrzyżował dłonie na stoliku.

– No to słucham…

– Chyba jestem w ciąży – szepnęła, a Rogowski aż podniósł się na krześle, nachylając głowę w jej stronę.

– Już? To znaczy… Hm.

– Ja też jestem zaskoczona. – Wzruszyła ramionami. – Ale zrobiłam test i tak wyszło.

– No dobrze, konieczne jest teraz badanie krwi. Wypiszę pani skierowanie. Można je zrobić w miasteczku obok, nie trzeba być na czczo. Jest za wcześnie, bym palpacyjnie coś wyczuł. – Rogowski pisał starodawnym piórem. – Proszę przyjść z wynikami, może to jednak pomyłka.

– Wszyscy by tego chcieli. – Pokiwała głową. – Nawet pan, prawda? – spytała, patrząc na krople atramentu na kartce.

– Droga pani, pyta mnie pani jako lekarza czy jako mieszkańca Mille? Jako lekarz byłbym zaszczycony, gdyby zgodziła się pani, abym prowadził jej ciążę, a nie, jak Bogaczowa, jeździła aż do Gdańska. – Lekarz powiedział to z wyraźnym zdenerwowaniem, ale dość szybko się uspokoił. Przetarł ręką czoło i kontynuował: – A jako mieszkaniec Mille, to cóż... No, sama pani rozumie. Proponuję, żeby to zostało na razie między nami, dobrze? – Podał jej skierowanie, nie podnosząc wzroku znad papierów.

– Też tak myślę, dziękuję za dyskrecję. – Marta wstała i ruszyła do drzwi. Rogowski podbiegł, uchylił je i na pożegnanie pocałował pacjentkę w rękę.

– Czekam na wyniki, do widzenia. I proszę o siebie dbać! Tu jest moja prywatna komórka. Proszę dzwonić, będę do dyspozycji. – Podał jej wizytówkę i uśmiechnął się łagodnie.

Schowała papiery do torby i wyszła przed ośrodek zdrowia. Tysiąc myśli krążyło jej po głowie; nie wiedziała, co robić ze sobą, z reportażem, z rozpoczętym śledztwem. Wszystko się pogmatwało. Poczuła swędzenie z tyłu głowy i tym razem nie zwalczyła odruchu. Rozdrapała gojące się strupy, ale po chwilowym ukojeniu dotarł do niej znajomy, nieprzyjemny ból.

Ruszyła przed siebie i zupełnie nie zastanawiając się, dokąd idzie, trafiła do babki Józi. Siostra księdza Ryszarda siedziała przed domem i pilnowała małego paleniska. Wokół niej roznosił się mdły, słodkawy zapach.

– A kto tu lizie? – Podniosła głowę.

402

– Marta Witecka! – krzyknęła zza ogrodzenia. Nie chciała wchodzić do zatęchłych pomieszczeń.

– Parchy jakieś masz podobno. – Józia wstała i spod jesionki wyciągnęła zawiniątko. – Weź to, wywar zrób i nasmaruj tym głowę. No! – Józia wyciągnęła rękę.

Marta weszła na podwórze.

– Weźmie to, żeby łysa nie była.

– Ale to jest nerwowe, nie wiem, czy zioła pomogą.

– Wzięła do ręki zawiniątko.

– A co tobie jest? – Józia poprawiła okulary brata i przyglądała się bacznie Marcie.

– Nie rozumiem…

– Co drugi dzień nakłada. Odrobina wody, dwie łyżki ziół, zrobi wywar gęsty jak krem i smaruje. No, a najważniejsze to odpoczywa, dobrze? – Józia chodziła wokół Marty. – A za dwa tygodnie pokaże się, tak? I niech dba o siebie! – Babka cmoknęła, pokręciła głową i usiadła z powrotem nad paleniskiem.

Wracała niespiesznie do domu, ale przechodząc obok szkoły, postanowiła zajrzeć do środka. Biblioteka szkolna, umieszczona w małym pokoiku tuż za łazienką, była jednocześnie biblioteką publiczną dla całego miasteczka. Składała się z zaledwie dwóch regałów, podzielonych na trzy części: lektury, dla dzieci i młodzieży, dla dorosłych. Marta stanęła przed zbiorem dla dorosłych i przesuwała wzrokiem po grzbietach. A może będzie coś o ciąży?

Książki obłożone w szary papier, mocno poszarpane i zniszczone, nie zachęcały do czytania. Nie znalazła nic o stanie błogosławionym, ale zaciekawiła ją najwyższa półka. Znajdowały się tam dzieła oprawione w solidne, skórzane okładki. Wzięła pierwsze z nich. *Mistrz i Małgorzata*. Naturalna, postarzana skóra, na grzbiecie widoczne złote litery z tytułem i nazwiskiem autora. Coś pięknego. Delikatnie otworzyła, dotknęła pierwszych stron. Tu też widoczna była praca introligatora; kartki sprawnie podklejone, a wszystko razem zszyte i pachnące klejem. Sięgnęła po następne pozycje. *Trylogia* Sienkiewicza w ciemnej oprawie, z ręcznie malowanymi brzegami. Marta była zachwycona. Wspięła się na palce i dotykała kolejnych książek. Wyjęła ostatnią – *Zbrodnia i kara*, ciemnozielona obwoluta, na grzbiecie złoty napis. Z zachwytem odchyliła okładkę i delikatnie pogładziła odnowioną książkę. Otworzyła na stronie zaznaczonej zakładką. Ku swemu zdziwieniu znalazła w środku liścik.

*Pani Magdo,*
*oddaję kolejną partię i już nie mogę doczekać się następnej. To cudownie wiedzieć, że są tu ludzie tak jak ja kochający książki.*
*A tak z innej strony, dziękuję za listę lektur. Postaram się je zdobyć, żeby, jak pani mi tłumaczyła, przekonać się, że tak też można żyć. A nawet trzeba.*
*Dziękuję jeszcze raz.*

*Aldona*

Marta aż usiadła na podłodze i jeszcze kilka razy przeczytała słowa Aldonki. Co tu jest grane?, myślała gorączkowo. Musi koniecznie dotrzeć do książek, o których dziewczyna wspomniała w liście, może to ją naprowadzi na jakiś trop. Aldonka z pewnością miała problem, zwierzała się Magdzie, a teraz obydwie nie żyją. Może ma z tym coś wspólnego tajemniczy eS?

Zabrała list i w pośpiechu ruszyła do domu Janka z nadzieją, że tam znajdzie jakąś podpowiedź.

Zapadał zmrok. Przygaszone lampy w pokoju, unoszący się w jadalni zapach pietruszki, którą posypała makaron, i przyjemne ciepło z kominka sprawiły, że poczuła się bezpiecznie, jak u siebie w domu. Może to z powodu stanu, w którym się znalazła, miała potrzebę zagrzania tu miejsca na dłużej. O powrocie do Warszawy myślała z niechęcią, a przecież do niedawna nie planowała zostać w Mille…

Zadzwonił Janek, wydawał się zatroskany. Szczegółowo wypytywał o przebieg wizyty, przepisane badania i jej samopoczucie. Podejrzewała, że bał się o nią głównie ze względu na klątwę. Był przekonany, że ich dziecko będzie tysiąc pierwsze. Już chciała opowiedzieć mu o istnieniu Alessy, ale powstrzymała się i skierowała rozmowę na Aldonkę. Dowiedziała się, że siostra Janka była introligatorką z zamiłowania, że oprawiała książki z biblioteki, a obok kowalskiego warsztatu miała pracownię, w której teraz on trzyma swoje rzeczy. Na pytanie o relację z Magdą potwierdził, że się znały, ale wątpił, by się przyjaźniły, bo – jak się wyraził – nauczycielka była za stara na koleżankę. Nie sądził, żeby Aldonka mogła jej się zwierzać, no bo niby z czego…

Marta, słuchając Jankowych wywodów, jedynie się uśmiechała. Jak mało można znać człowieka, z którym się mieszka pod jednym dachem. Rutyna i proza życia stępiają wrażliwość. Niby zawsze można o wszystkim pogadać, ale zazwyczaj brakuje na to czasu.

Dopiła herbatę i poszła do pokoju Aldonki. Sięgnęła po notes, ale tym razem odważyła się zabrać go na dół.

Jeszcze raz przekartkowała kalendarz. Na ostatniej stronie znalazła listę książek. Zrobiła zdjęcie komórką, żeby nazajutrz sprawdzić je wszystkie w kawiarence u Dyzia: Eliza Skrok *Impotent*, J.M. Coetzee *Hańba*, Philip Roth *Ludzka skaza*, Maria Ziółkowska *Dziwna jesteś, Karolino*, Joanna Trollope *Niełatwe związki*.

Marta przeglądała tę listę, ale niestety nie znała żadnej z zamieszczonych na niej książek. Na podstawie samych tytułów wywnioskowała jedynie, że są to jakieś historie obyczajowo-kryminalne o zakazanych bądź niełatwych relacjach. Ale nic więcej. Pierwszy raz pożałowała, że nie ma w domu dostępu do Internetu.

Ponownie przeczytała znaleziony w książce list od Aldonki i jej wzrok zatrzymał się na zdaniach: „Postaram się je zdobyć, żeby, jak pani mi tłumaczyła, przekonać się, że tak też można żyć. A nawet trzeba".

Po kilku chwilach, zniechęcona, odłożyła kalendarz i wpisała swoje przemyślenia do laptopa. Wyboldowała pytanie: Czy śmierć Magdy może mieć coś wspólnego z tajemnicą Aldonki? Sprawdzić, o czym są polecane książki.

Przed snem wyjęła zawiniątko z ziołami od babki Józi, zgodnie z jej instrukcją przygotowała napar i nasmarowała tył głowy, a potem otuliła się szalem. Już po chwili poczuła kojące działanie ziół. Usnęła szybko i spokojnie.

# ROZDZIAŁ 23

Drzwi za Gabrielem, który jak zwykle jako ostatni odebrał syna, trzasnęły z hukiem. Dziś pierwszy raz zwróciła Bogaczowi uwagę; czekali z małym Kacprem ponad dwie godziny, aż ktoś go wreszcie odbierze. Dotychczas jej to nie przeszkadzało, ale tym razem spieszyła się na badania i nie wytrzymała, było już po piętnastej.

Gabriel w trakcie rozmowy był opanowany, przepraszał i obiecywał poprawę. Gdy skończyli, złapał małego mocno za rękę, szarpnął nim i z impetem otworzył drzwi. Ich trzaśnięcie tylko na pozór zamykało sprawę. Witecka była pewna, że w domu Kacper oberwie. Natychmiast przypomniało jej się, jak Bogaczowa szarpała kiedyś chłopakiem przed cukiernią. Ścisnęło ją w gardle. Ale nie może się rozklejać. Jeszcze nie.

Szybko pokonała trasę. Przez okno samochodu patrzyła na tabliczkę przymocowaną nad drzwiami wejściowymi: „Laboratorium czynne od 10.00 do 16.00". Zostało tylko kilka minut do zamknięcia. Odetchnęła głęboko i ściskając skierowanie, weszła do budynku. Tak jak się spodziewała, za ladą siedziała znudzona recepcjonistka z przygotowanym obok płaszczem i spakowaną torebką.

– Mam skierowanie na badania. Chciałabym je teraz zrobić.

– Ale pani nie jest stąd! – Kobieta jedynie wzruszyła ramionami.

– Proszę o wykonanie ich prywatnie. – Witecka oparła się o ladę. – Natychmiast.

– Phi, hCG to przynajmniej dwa razy trzeba zrobić. – Recepcjonistka spojrzała na Martę i skierowanie. – Zapisać od razu na drugi termin? Też prywatnie, jak rozumiem?

– Oczywiście – Witecka była zawiedziona. Nie wiedzieć czemu myślała, że wyniki otrzyma od razu i wtedy wszystko będzie jasne.

Nim usiadła na plastikowym krześle, uchyliły się drzwi gabinetu. Usłyszała zmęczone nawoływanie. Weszła i bez słowa poddała się działaniom laborantki.

Wysoka, otyła pielęgniarka, Wanda, jak wynikało z napisu na identyfikatorze, bez słowa przycisnęła żyłę, przygotowała strzykawkę i pobrała krew. Dopiero gdy naklejała kartki z nazwiskiem na fiolki, spojrzała na Witecką.

– Niech pani na siebie uważa.

– Dlaczego? – spytała Marta, przyciskając ranę wacikiem.

– Bo jak ciąża się potwierdzi, to niezbadane są wyroki boskie. – Pielęgniarka westchnęła i spojrzała w sufit.

– Ale co ma pani na myśli? – Marta poczuła łaskotanie w żołądku. Czy to możliwe, by kobieta wiedziała o klątwie?

Pielęgniarka nie zareagowała. Odwróciła się i w milczeniu układała fiolki. Marta podeszła bliżej, poczuła intensywną woń potu.

– Co pani wie? Można mi zaufać… – Mimo przykrego zapachu zbliżyła się jeszcze bardziej.

– Nie rozumiem, po prostu jak każda matka musi pani o siebie dbać. To wszystko. – Kobieta odsunęła się i poszła w stronę szafek.

– Ale wyraźnie mnie pani ostrzegła. Przed czym? – spytała nieco ostrzejszym tonem, odejmując wacik od ręki. Nie miała pojęcia, czy ta cała Wanda ma jakieś związki z Mille, ale zachowywała się dziwnie, jakby próbowała przemycić coś między słowami.

– Tak mi się powiedziało, u mnie to już wszystko, proszę iść do recepcji.

– To moja wizytówka, gdyby…

Pielęgniarka wzięła kartonik i schowała do kieszeni fartucha, po czym przeszła za parawan. Dała wyraźny sygnał, że rozmowa jest zakończona.

Zielony znak Mille, przerobiony na Miłe. Uśmiechnęła się. Doskonale pamiętała, co pomyślała, gdy pierwszy raz zobaczyła ten napis. Wzięła go za dobry omen. Zatrzymała samochód tuż przy krzyżu Kaśki Piecowej. Gdyby nie było tak późno i ciemno, zajrzałaby do ruin. Ciągnęło ją do tych ścian, znaków i miejsca, gdzie przetrzymywano tę biedną kobietę. Do miejsca, gdzie przez wiele lat czekała na śmierć na stosie.

Ruszyła ostrożnie i powoli przemierzała kocie łby, aż wreszcie znalazła się na rynku. Zaparkowała przed kawiarenką, za samochodem Stanisława Pająka. Ucieszyła się na myśl, że może go spotkać. Był czarujący, miły, przy nim czuła się bezpiecznie. Mimo wojskowych nawyków wydawał się opiekuńczy. No i ton jego głosu wprowadzał ciało Marty w jakieś przyjemne rozedrganie. Cudowne uczucie.

Wyłączyła silnik, zgasiła światła i trzasnęła drzwiami. W oknie kawiarenki zauważyła ruch firanki, ale niestety nie dostrzegła, kto za nią stał. Rozejrzała się po rynku. Wszystko wyglądało jak zawsze. Nawet powoli rozlewająca się mgła była gęsta jak zawsze, przypominała ducha zaglądającego do każdego zakamarka miasteczka.

Uchyliła drzwi. Na schodach usłyszała kroki, a w pokoju z komputerami klikanie klawiatury. Obydwaj chłopcy siedzieli na swoich stanowiskach.

– Dzień dobry, pani Martusiu! – krzyknął Dyzio, nie odrywając wzroku od monitora.

– Usiądę tam, gdzie zawsze. – Już skierowała kroki do „swojego" komputera.

Dyzio pokiwał głową. Marta bez namysłu wprawiła w ruch głowę pieska. Uśmiechnęła się do maskotki. Kawałek plastiku, a sprawiał, że czuła się bezpieczniej.

– Głupia jestem – dodała na końcu sama do siebie.

Wstukała tytuły książek. Z pewnością ich streszczenia w Internecie były uproszczone, ale nie miała jak przeczytać ich w całości. Wyciągnęła notes i zaczęła wynotowywać, o czym są. Eliza Skrok, *Impotent* – książka o miłości dwóch kobiet znacznie różniących się wiekiem do jednego mężczyzny. *Hańba* J.M. Coetzee była historią romansu profesora ze studentką, a *Ludzka skaza* Rotha opowieścią o emerytowanym nauczycielu okłamującym swoją rodzinę i przeżywającym romans ze sporo młodszą sprzątaczką. *Dziwna jesteś, Karolino* Ziółkowskiej to z kolei powieść dla młodzieży, a głównym wątkiem jest romans nauczyciela z uczennicą. I ostatnia książka z listy, *Niełatwe związki* Trollope, osnuta wokół związków ze starszymi mężczyznami, w tym z emerytowanym nauczycielem.

Witecka zanotowała te skrótowe informacje. Popatrzyła na kartkę. Powtarzającym się wątkiem był romans ze starszym, żonatym nauczycielem bądź profesorem. Czy to znaczy, że eS był właśnie takim mężczyzną? Jeśli tak, to Aldonka rzeczywiście miała problem.

– Chłopaki! – krzyknęła. – Kto był przed Magdą?

– Magda była chyba od zawsze. – Dyzio się zaśmiał. – Już na studiach zaocznych uczyła, choć to pewnie niezbyt zgodne z prawem. – Cmoknął i puścił do Marty oko.

– E tam, tu wszystko jest możliwe. – Nie chciała ciągnąć tego tematu. – Ale ktoś musiał być przed nią. Dyzio, kto cię uczył?

– Profesor Aleksander Ceyn – westchnął Dyzio. – Kawał skurwysyna, między nami mówiąc.

– Skarbuniu, jak ty się wyrażasz? – zapiszczał Jędruś i pokręcił głową.

– Tylko nie to... – westchnęła i zatrzymała kiwającą się głowę pieska.

Wyszła i od razu zadzwoniła do Markusza. Umówili się za kilka minut w domu Janka. Było już ciemno i prawie pusto, dlatego mógł ją odwiedzić niezauważony. Wyraźnie ucieszył się z jej telefonu, bo miał wieści o samochodzie Ostera.

– Czysty jak łza – powiedział, gdy tylko przekroczył próg domu. – Ani jednego włoska, nic. – Markusz kręcił głową. – Słuchasz mnie?

– Moim zdaniem śmierć Magdy można połączyć z pewną tajemnicą... – Marta siedziała nad parującą herbatą. Wyglądała na kompletnie nieobecną.

– Co ty znowu wymyśliłaś? – Stary ciężko opadł na krzesło. Podwinął mankiety, obnażając włochate nadgarstki, zdjął sweter. Po kuchni przetoczył się zapach środka na mole.

Marta ze szczegółami opowiedziała o swoich odkryciach. Markusz początkowo nie chciał wierzyć, ale gdy doszła do tematów wypisanych książek, unosił tylko brwi.

– Nie pasuje mi tylko „eS" – zakończyła opowieść. – Dlaczego właśnie taki pseudonim?

– Nie mogę w to uwierzyć. Taka dziewczynka z tym dziadem? – Markusz, jakby nie słysząc ostatniego pytania Marty, spojrzał poruszony na wiszący portret Aldonki. – No nie mogę. W takim razie mamy problem, bo jeśli to prawda, to on nie zrobił tego sam i jak się nie przyzna, to nic mu nie udowodnimy, cholera jasna. Poza tym co z tego, że Magda o nich wiedziała? Myślisz, że posunęła się do szantażu?

– Nie wiem. – Witecka patrzyła w przestrzeń przed sobą. – Nie wiem, ale to możliwe. Szantażowany Ceyn. Niebywałe. – Pokręciła głową, ciągle nie wierząc w swoje odkrycie.

– Dobra, jutro pogadam z Maliną, chyba potrzebujemy oficjalnego wsparcia. A niech to szlag! – Markusz wstał i uderzył się w uda.

– A dlaczego „eS?" – nie ustępowała Marta.

– To akurat proste, Aleksander to Sasza… – Markusz zaczął nerwowo chodzić po kuchni. No cholera jasna!

Miętowy zapach ziół babki Józi roznosił się po salonie. Marta wycierała głowę, kuracja dość szybko przyniosła pozytywne rezultaty. Mimo stresującego dnia nie podrapała się ani razu. Zrzuciła mokry ręcznik na stół i dopiero po chwili zorientowała się, że przykryła nim pomiętą, grubą kopertę Markusza. Całkiem zapomniała o kopiach dokumentów ze śledztw, a może warto by przejrzeć je pod kątem Ceyna?

Wyjęła czerwoną, plastikową koszulkę z napisem „Aldona Krokos". Opis sekcji zwłok, treść przesłuchania Janka i wnioski prokuratora nie dały nic więcej ponad to, co już wiedziała. Z pewnością nie były to wszystkie dokumenty, ale nigdzie nie pojawiła się żadna wzmianka o Ceynie. Zniechęcona, odłożyła dokumenty i wyciągnęła kolejną koszulkę, tym razem niebieską. Zaskoczył ją porządek w papierach, stary nie wyglądał na takiego pedanta.

Koszulka była opisana flamastrem: „Sprawa Janka". Zdenerwowała się. Znalazła w niej między innymi listę mieszkańców miasteczka, przy każdym widniała suma. Były to składki na adwokata. Znała większość nazwisk, ale niektóre sumy mocno ją zaskoczyły. Najwięcej dała Magda i…

– Kurwa, to nie Ceyn! – krzyknęła i natychmiast sięgnęła po laptop. Dopiero teraz dotarły do niej wszystkie

fakty. Miała przed oczami Aldonkowe wpisy w kalendarzu
– „przejażdżka z eS", „wycieczka z eS". Otworzyła szybko
Excela i znalazła swoje notatki ze śledztwa. Nareszcie
coś zaczynało się układać. Akurat tego samochodu nie
sprawdzili.

„Zostaw wiadomość" – to irytujące polecenie sekre-
tarki automatycznej doprowadzało ją do szału. Słyszała
je chyba po raz dwudziesty. Zdenerwowana i mocno
wkurzona, narzucając parkę, wybiegła na rynek. Wiało
niemiłosiernie, dlatego zatrzymała się i dopięła suwak.
Nie powinna się przeziębić, przecież, do cholery jasnej,
była w ciąży.

W miasteczku panowała grobowa cisza, czasem tylko
zabrzęczał zepsuty neon „Rzymu". Choć przemierzała tę
drogę kilkadziesiąt razy, to teraz miała wrażenie, że dom
Markusza jest dalej niż zwykle. Minęła pusty i ciemny sklep
„U Silnego". Nagle na wysokości stolarni Lajna dotarł
do niej znajomy zgrzytliwy hałas, jakby silne uderzanie
w coś metalowego. To z pewnością pracujący robotnicy,
uspokajała się, ale hałas nie ustawał. Wręcz przeciwnie,
wzmagał się z każdym jej krokiem.

Gasły światła w ostatnich oknach, a nad sobą usłyszała
krakanie zbudzonych hałasem wron. Serce podeszło jej
do gardła. Gdy dotarła do cukierni Ostera, wyraźnie
usłyszała za sobą ciężkie kroki. Ponieważ do domu Markusza pozostała ostatnia prosta, zaczęła biec. Hałas ustał,
ale ktoś za nią także przyspieszył. Musiał być blisko, bo
słyszała za sobą przyspieszony oddech. Wślizgnęła się
przez uchyloną bramę, ominęła punkt policyjny i wbiegła

na dróżkę prowadzącą do domu milicjanta. Napastnik był tuż za nią, wyraźnie czuła zapach jego perfum, na sto procent je znała. Z trudem łapiąc oddech, wbiegła na ganek domu starego. Chwyciła za klamkę i mocno pociągnęła, a drzwi na szczęście z łatwością ustąpiły. Zatrzasnęła je za sobą i przywarła do nich plecami. Dopiero gdy kroki ucichły, odważyła się odezwać.

– Bolo – sapała.

Bolały ją wszystkie mięśnie i nie mogła złapać tchu. Usłyszała szuranie i wreszcie w przybrudzonej, flanelowej piżamie pojawił się Markusz. Na jego widok osunęła się na ziemię.

– Co się stało? – Podszedł powoli i podniósł Martę z podłogi.

– Ktoś mnie gonił, a ja przecież nic mogę tak się męczyć… – Nagle zaczęły lecieć jej łzy i nie była w stanie wymówić ani słowa.

– Już dobrze. – Stary posadził ją na rozchybotanej szafce z jedną parą butów, a sam usiadł na pobliskim zydelku. – Uspokój się.

– On już wie, że go mamy… – odpowiedziała po chwili. – Śledził mnie.

– Widziałaś naszego Saszę? – Stary spytał powątpiewająco i podrapał się po głowie.

– To nie Ceyn. Gdybyś miał włączoną komórkę, nie musiałabym narażać siebie i mojego… – w ostatniej chwili zamilkła.

Markusz mrużył oczy. Jeszcze się nie obudził.

Drżącą ręką przyniósł jej wodę w najczystszej szklance, jaką znalazł. Przed podaniem brzegiem piżamy wytarł z niej tłustą smugę. Wypiła zawartość jednym haustem. Po chwili, gdy już całkiem się uspokoiła, opowiedziała staremu o swoim odkryciu.

– Sam nic nie zrobię. Jutro, a właściwie dziś rano – Markusz spojrzał na wiszący nad Martą zegar z kukułką – pogadam z Maliną. Potrzebne jest oficjalne działanie policji. Nasza rola już się kończy.

– Może jeszcze sprawdzimy to auto? – Marta nabierała dawnej pewności siebie.

– Dobrze, podjedziemy z Piotrunią do warsztatu. – Stary pokiwał głową. – A teraz odprowadzę cię do domu, zgoda?

Milczała. Markusz zniknął w pokoju, słyszała, jak szuka ubrania, otwiera szuflady, coś mu upada. Marzyła tylko o tym, by położyć się do łóżka i poczekać, aż to wszystko przeminie. Gdy stary wrócił i dopinał flanelową koszulę, spytał spokojnie:

– Jesteś pewna, że cię gonił? Skąd może wiedzieć, że wpadłaś na jego trop? Może ci się zdawało, co? – Mocował się z guzikiem przy mankiecie, aż w końcu go urwał i schował do kieszeni.

– Bolo, daj spokój. Nie jestem rozhisteryzowaną panienką… – powiedziała najdobitniej, jak umiała. Nie wymyśliła sobie tego.

– Dobrze już, chodźmy. Nie podoba mi się to wszystko, za bardzo się narażasz. – Stary zaszurał gumofilcami i otworzył drzwi. Wychylił głowę, ale nikogo nie zobaczył. Przepuścił Martę w drzwiach i zamknął je na klamkę najciszej, jak umiał.

Gdy przemierzali zatopiony w nocy pusty rynek, słyszeli jedynie odgłosy swoich kroków. Nie brzęczał nawet neon „Rzymu". Marta oddychała płytko, łapała powietrze i ustami wypuszczała parę. Miała lodowate dłonie. Wzięła starego pod rękę i marzyła o chwili, gdy bezpiecznie zaryguluje się w domu. Miała dość niespodzianek w Mille.

# ROZDZIAŁ 24

Budzik tak uporczywie dzwonił, że wcisnęła go pod poduszkę. Usnęła właściwie godzinę temu i nie miała siły wstawać ani tym bardziej iść do szkoły. Postanowiła zakończyć tę mistyfikację i jeszcze dziś złożyć rezygnację z posady nauczycielki. Miała gdzieś, jak zareaguje Ceyn. Da mu miesiąc, by znalazł kogoś na jej miejsce.

Z takim postanowieniem i z tępym bólem głowy zwlokła się z łóżka. Miała wrażenie, że zdrętwiało jej całe ciało. Wzięła zimny prysznic, ubrała się i punkt ósma otworzyła drzwi do klasy. Wydawało się, że wszystko wraca do normy, a przed nią kolejny zwykły dzień.

W trakcie lekcji zadzwonił Markusz. Choć nigdy tego nie robiła, tym razem odebrała telefon.

– Dogadane, wieczorem udajemy się do warsztatu, bo wtedy wróci mechanik. Malina zgodził się, żebyś jechała z nami, to w końcu twój trop. – Bolo się zaśmiał. – Jeśli potwierdzą się nasze przypuszczenia, wracamy do miasta i kończymy akcję.

Markuszewski wydawał się bardzo zadowolony, co wprawiło Martę w dobry nastrój. Chętnie przystała na jego propozycję i umówili się na wieczór. Koniec śledztwa w Mille. Nareszcie.

Dochodziła umówiona pora, Witecka siedziała w „Rzymie" i niecierpliwie spoglądała na zegarek. Była podekscytowana, co Włoszka natychmiast zauważyła.

– Czym się tak denerwujesz? – spytała i poszła w głąb sali wycierać stoliki.

– Dziś wszystko ci opowiem. Jak dobrze pójdzie, złapiemy zabójcę Magdy...

– No co ty?! – Sophia zatrzymała się w pół kroku. – Kto to jest?

– Jeszcze nie mogę ci powiedzieć.

– To znaczy, że naprawdę nie ma klątwy? – Barmanka szepnęła i zakryła ręką usta.

– Tak, moim zdaniem dokładnie to znaczy. Szykujmy się na rewolucję. – Witecka uśmiechnęła się do Włoszki. Sama poczuła ulgę. To dobry znak, pomyślała i zeskoczyła z hokera.

Za oknem zjawili się Malina z Markuszem. Zdziwiła się trochę, że policjant nie przyjechał radiowozem z migającymi światłami, tak jak się tego po nim spodziewała, ale po chwili zrozumiała, że to jeszcze nie koniec akcji, a zaledwie początek.

Pod sklepem Silnego stał zaparkowany granatowy polonez, policyjny, nieoznakowany samochód Maliny. Obydwaj z Markuszem stali na rynku i palili papierosy, chodząc w tę i we w tę niecierpliwie. Byli uśmiechnięci, sprawiali wrażenie gotowych do ataku, jak tygrysy.

– No, moje gratulacje – zapiszczał Malina i pocałował Martę w rękę. – Mechanik już czeka. Potwierdził wszystko, co pani mówiła. W dniu śmierci Magdy kupił od niego samochód, lekko uszkodzony, jak się wyraził, ale do wyklepania. Sprawdzimy tylko protektor opon i możemy zatrzymywać podejrzanego. – Policjant wyrzucił papierosa i zacierał ręce z zadowolenia. Zapiął pod szyją niebieską ortalionową kurtkę, poprawił czapkę.

– Piotrunia wezwał posiłki, przyjedzie jeszcze jeden radiowóz i technik. Mechanik zeznał, że obiekt jest dziś umówiony w warsztacie, jak codziennie zresztą. – Markusz otworzył drzwi poloneza. – No to wpadnie w naszą sieć. – Stary zaczął się śmiać.

– Raczej w swoją, a to się zdarza nawet najlepszym pająkom! – Malina przerwał i dodał: – Nie przewidujemy jakiegoś wielkiego widowiska, wszystko powinno przebiegać spokojnie, tylko dlatego się zgodziłem, żebyś jechała. – Pogroził jej palcem i zajął miejsce kierowcy. – Ale Zyga się zdziwi! Nigdy by nie wpadł na ten romans, a potem szantaż… Nie to co my! – Malina klasnął w ręce i uderzył się w czoło. Czuł się już ojcem tego sukcesu.

Przekręcił kluczyk, silnik zawarczał. Nim ruszył, jeszcze odwrócił się do Marty i ze skrzywioną miną kontynuował: – Z takim starym, ja nie wiem… Ale teraz kojarzę, rzeczywiście widziałem ich kilka razy. Teraz wszystko jest jasne… Ale kto by przypuszczał, Aldonka i stary Pająk… – Policjant pokręcił głową i ruszył na kocie łby, czyli drogę wyjazdową z Mille.

Marta milczała, była zmęczona jazgotem Maliny i tak naprawdę nie chciała widzieć aresztowania Pająka. To nie był najlepszy pomysł, żeby w nim uczestniczyła, choć z pewnością będzie mogła potem wiernie oddać te zdarzenia w reportażu.

Gdy przejeżdżali koło krzyża Kaśki Piecowej, nagle złapał ją potworny ból brzucha. Rozpięła spodnie, ale ból się nasilał i powoli stawał się nie do wytrzymania. Po chwili poczuła wilgoć na udach.

– Stop! – krzyknęła, a przerażony Malina natychmiast zahamował. – Muszę do lekarza, szybko!

Bolo odwrócił głowę i spostrzegł, że Witecka leży na tylnym siedzeniu, obejmując się w pasie.

– Zawracaj! – rozkazał koledze.

– Teraz? – zapiszczał komisarz. – No teraz? Po co ją brałeś…

– Rób, co mówię! – wrzasnął Markusz.

Malina zawrócił i w kilka chwil znaleźli się przed ośrodkiem zdrowia. Stary wyprowadził obolałą Martę. Na dzwonek nikt nie zareagował, a stary przestępował z nogi na nogę.

– Jedźcie – jęknęła, opierając się o framugę. – Już trochę mi lepiej, zaraz pójdę do niego do domu, znam drogę – dodała, ponieważ Bolo ani drgnął.

W milczeniu wziął ją za rękę, pocałował i wrócił do warczącego poloneza.

– Tak to jest z babami – westchnął Malina, po czym ruszył z piskiem opon.

Usłyszała kroki i brzęczenie kluczy, a po chwili w drzwiach pojawił się Rogowski. Miał na sobie nieskazitelnie biały, wykrochmalony fartuch. Jezu, jak dobrze, pomyślała na jego widok. Chciała, by wreszcie ktoś jej pomógł.

Malina wesoło pogwizdywał, Markusz z kolei czuł coraz większą suchość w ustach. Jeszcze kilka godzin i będzie mógł spokojnie się napić; Andrzejek mocno namawiał w trakcie ostatniej rozmowy. Bolo przełknął ślinę. Dojeżdżali do warsztatu, już z daleka dostrzegli szyld: „Daniel i synowie". Komisarz zwolnił, zgasił światła i zaparkował przy bramie. Byli pierwsi. Malina wysiadł i zapalił papierosa.

– Denerwujesz się, młody? – Bolo po dłuższej chwili milczenia poprawił kurtkę. – Chcesz czekać na resztę?

– Wypalę i idziemy. Pewnie z nimi byłoby bardziej widowiskowo, ale bez przesady. – Policjant wypuścił dym, przydeptał niedopałek, wgniatając go w żwir. – Liczy się efekt.

Podeszli bliżej warsztatu, na kanale stał obecny samochód Pająka, granatowa toyota. W tle trzeszczało radio, a wewnątrz unosił się zapach oleju, smaru, benzyny i potu. Stanisław Pająk siedział w kanale i nucił coś, a Daniel, najlepszy mechanik w gminie, jak gdyby nigdy nic dłubał przy pozostawionej przed budynkiem czerwonej maździe. Ścianę na wprost wypełniały regały z oznaczonymi karteczkami kompletami opon, pozostałe podpierały półki zawalone narzędziami i częściami.

– To ten samochód – wyszeptał Malina. – Nazywał go „Misiek". Sprawdzę bieżnik.

– O, dobry wieczór – usłyszeli głos Pająka.

Wojskowy wyszedł z kanału, wytarł ręce o spodnie i podał dłoń Malinie.

422

– Zobaczymy, czy dobry – zapiszczał komisarz. – Panie Stanisławie, proszę nam powiedzieć, tylko dokładnie, co pan robił dnia... – Sprawdził w notesie i podał datę śmierci nauczycielki.

– Ech, no już chyba mówiłem – westchnął Pająk i wytarł pot z czoła. – Ale oczywiście zamelduję jeszcze raz. Wróciłem z delegacji nad ranem i spałem. Wyjazd można potwierdzić.

– Ciekawe, ciekawe... A to auto kiedy pan sprzedał Danielowi? – Malina wskazał czerwoną mazdę.

– Chyba wtedy właśnie... A o co chodzi?

– Jakie haki na ciebie miała? – Markusz odkaszlnął i choć ustalili z Maliną, że nie będzie się odzywał, nie wytrzymał i złamał obietnicę.

– Bolo, nie rozumiem... – Pająk spojrzał na starego. W jego wzroku była panika.

– Magda wiedziała o tobie i Aldonce, prawda? – powiedział stary już spokojniej i podszedł bliżej, na co Pająk westchnął i przytaknął.

– Szantażowała cię? – spytał Malina. – Wiedziała, że zrobiłeś jej dzieciaka? Temu dziecku? Pedofil normalnie! – jego głos osiągnął wysokie C.

– O czym wy mówicie? – Pająk odezwał się po dłuższej chwili. – Aldonka była pełnoletnia i nic mi nie wiadomo o ciąży. Bolo, co on gada? – Stanisław nerwowo zerkał na Markusza, co rusz wycierając dłonie o spodnie, jakby nagle zaczęły mu się bardzo pocić.

– Zaraz będą technicy, zbadają auto i wszystko wyjdzie na jaw! – Malina splunął i zerknął za parkan, gdzie parkowały kolejne policyjne samochody.

Wojskowy zbladł, usiadł na kanale i zapalił papierosa. Gdy zgasił, komisarz zakuł go w kajdanki.

Na podwórzu pojawili się technicy. Daniel, przystojny dryblas w dżinsowych ogrodniczkach, odsunął się od mazdy i podniósł ręce. Szybko przystąpili do działań, a Malina klęczał przy kołach. Porównywał odlew i zdjęcia.

– To ten protektor! – krzyknął zza auta.

# ROZDZIAŁ 25

Rogowski zamknął za sobą drzwi i chwycił Martę pod ramię. Bała się zrobić choćby krok. Czuła, że krwawi, a każdy ruch sprawiał jej ból. Gdy znaleźli się w gabinecie, delikatnie ułożył ją na kozetce.

– Droga pani Marto – usiadł przy swoim biurku – proszę się uspokoić. Jest pani bardzo zdenerwowana, a to nie służy maluszkowi. – Uśmiechnął się, ale miała wrażenie, że jakby mniej życzliwie niż zwykle.

– Jeszcze nie odebrałam wyników – odpowiedziała, choć musiała przyznać, że od kiedy znalazła się w gabinecie, bóle ustępowały i mogła się nieco odprężyć.

– Rozmawiałem z panią Wandą i… – Napotkawszy zdziwiony wzrok Marty, dodał, grożąc jej palcem: – Jako lekarz prowadzący mam takie prawo… Jeśli następne badanie potwierdzi wyższy poziom hCG, to z dużą pewnością będę mógł pani zakomunikować, że jest pani w ciąży. – Rogowski założył okulary, mówił wolno i spokojnie. Omiótł wzrokiem ściany gabinetu, jakby nie chciał patrzeć na Martę.

– Boli mnie brzuch i mam wrażenie, że krwawię – odpowiedziała cicho. Miała nadzieję, że lekarz natychmiast ją zbada i pocieszy. I zrobi coś z tym, do cholery jasnej!

– Ech, to normalne, zwykłe zmiany hormonalne.
– Rogowski machnął ręką. Po chwili wciągnął lateksowe rękawiczki, przekręcił klucz w biurku i wyjął jakieś leki i strzykawkę. Potrząsnął jedną z fiolek i pokręcił głową. Powiedział do siebie: – Za mało, ale zaraz przygotuję zastrzyk i wszystko wróci do normy.

Następnie zbliżył się do kozetki i usiadł na białym, stojącym nieopodal drewnianym zydelku. Marta odetchnęła głębiej i poczuła zapach wody kolońskiej lekarza. Zrobiło jej się słabo. Z trudem podźwignęła tułów. Poznała. To był ten sam zapach.

– Już mi lepiej, to może wrócę do domu…

– O nie, nie! – Lekarz wstał gwałtownie, aż drewniany taboret upadł z hukiem i potoczył się w głąb gabinetu. Podszedł do stołka i ustawił go na dawnym miejscu. W sposobie, w jaki to robił, było coś bezwzględnego, przerażającego i bezlitosnego.

– Panie doktorze, to pewnie nerwy i te hormony, pójdę już… – próbowała wypaść jak najbardziej naturalnie.

Rogowski poczerwieniał na twarzy, nachylił się nad nią tak blisko, że dojrzała spływające mu z czoła kropelki potu. Zmrużył oczy, dyszał i szybko oblizywał usta, z kącików ust wyciekała mu ślina. Nie próbował ukryć drżenia brody.

– Nigdzie już nie pójdziesz! – krzyknął i z całej siły uderzył Martę pięścią w brzuch. Właściwie nie poczuła bólu, jedynie pociemniało jej przed oczami.

Nieznośne skrzypienie docierało z opóźnieniem. Z trudem uchyliła ciężkie powieki, dopiero po kilku chwilach, gdy wzrok przyzwyczaił się do półmroku, zaczęła rozpoznawać niektóre przedmioty. Z pewnością znała to miejsce, ale jeszcze niewiele mogła skojarzyć. Leżąc bez ruchu, wpatrywała się w ciemnozieloną kotarę, szczelnie zasłaniającą okna.

Próbowała podnieść rękę, ale natychmiast zorientowała się, że była przywiązana do łóżka. Leżała na ceracie albo na folii, z której kapała ciecz. Rytmiczne uderzenia kropel o drewnianą podłogę przecinały nieprzyjemną ciszę. Przymknęła oczy, miała ochotę zwymiotować, a potworna suchość w ustach stawała się nie do zniesienia.

Nagle, tuż nad sobą, zobaczyła uśmiechniętą twarz doktora Rogowskiego. Opadające powieki, zmęczone oczy i lniana maseczka niechlujnie zawieszona na szyi kompletnie nie pasowały do obrazu, który znała wcześniej. Ręce w białych lateksowych rękawiczkach trzymał w górze, jak chirurg właśnie przystępujący do operacji.

Na metalowym stoliku, tuż obok łóżka, kątem oka dostrzegła narzędzia chirurgiczne, strzykawkę i pełne fiolki. Wyostrzyła wzrok i na jednej z nich, takiej z brązowymi paskami, dojrzała nazwę leku: Pancuronium*. Kiedyś na pewno ją słyszała, ale teraz nie potrafiła racjonalnie myśleć i nie potrafiła przypomnieć sobie kontekstu.

Rogowski wyszedł, ale jej uszy znowu wyłowiły znane już skrzypienie. Obolała, rozejrzała się po pokoju. No jasne, że znała to miejsce, ale nie było to pocieszające. Lekarz umieścił ją w izolatce. To pewne, że nikt nie będzie jej tam szukać. Ale czy

---

* Pancuronium − lek blokujący przewodnictwo nerwowo-mięśniowe, znany pod nazwą Pavulon.

w ogóle ktoś jej będzie szukać? Zostanie wywleczona i porzucona na drodze, jak nauczycielka Magda, a policja stwierdzi, że zdarzył się wypadek, i zamknie sprawę z powodu niewykrycia sprawców. O kurwa, czy to znaczy, że Magda...

Marta próbowała się wyrwać, ale bandaże dość mocno ściskały jej nadgarstki i kostki u stóp, a kolejne pociągnięcia sprawiały więcej bólu. Przestała się szarpać. To, co sobie uświadomiła, dodało jej na chwilę energii, ale też bardzo ją wyczerpało.

Kolejne skrzypnięcie i Rogowski ponownie pojawił się w pokoju, nadal trzymając ręce w górze, a rozchełstane poły wykrochmalonego fartucha dawały nadzieję, że do początku zabiegu zostało jeszcze trochę czasu. Nie zacznie, jeśli wszystko nie będzie dopięte na ostatni guzik. Pasek w spodniach miał poluzowany, sprzączka dyndała na wysokości rozporka, wokół którego powstała ciemna plama.

Stanął nad łóżkiem i spojrzał na Martę. Zacisnął usta, poprawił okulary i pokręcił głową.

– Sporo tej krwi, droga pani Marto, muszę uważać. Nie jestem najlepiej przygotowany, zaskoczyła mnie pani.

– Mogę wrócić kiedy indziej. – Zaśmiała się. Wiedziała, że krzyki, szarpanie i awantury nic nie dadzą, jedynie ją osłabią.

– Zabawne, doprawdy. – Rogowski wydał z siebie gardłowy, zduszony śmiech, przypominający charczenie. – Zaraz, zaraz... – Doktor poprawił okulary. – Kluczyki są, koc jest... – Patrzył na stertę rzeczy na podłodze. – Coś mi się zdaje, że idzie wichura. No, wszystko układa

428

się doskonale. – Chciał klasnąć w ręce, ale zatrzymał dłonie tuż przed ich zetknięciem.

W tym momencie usłyszeli grzmoty, a następnie coraz szybciej dudniące o parapet krople deszczu. Pomruki burzy potęgowały u Marty poczucie totalnej klęski i beznadziejności sytuacji, w której się znalazła. Poczuła szczypanie na prawym przedramieniu, gdy je wygięła, dostrzegła zaczerwienienie i charakterystyczną kropkę. Dał jej jakiś zastrzyk.

– Co mi zrobisz? – spytała na tyle spokojnie, na ile umiała. Niełatwo jej było uwolnić szczęki z nerwowego uścisku, który był następstwem uświadomienia sobie, że ta ilość krwi, którą straciła, nie jest wynikiem zmian hormonalnych.

– Najważniejsze już zrobiłem. – Spojrzał na ściekającą z ceraty krew. – Ale pozostaje mi matka, niestety To zawsze idzie w parze. Dziecko i matka. Gdy tylko nie ma jednego elementu, drugi przestaje istnieć, zgodzi się pani?

Marta przełknęła ślinę i pohamowała napływające łzy.

– Tak, matką jest się tylko wtedy, gdy ma się dziecko. Jak rozumiem, jeszcze nią nie jestem.

– W rzeczy samej – przytaknął Rogowski. – Od początku wiedziałem, że jest pani inteligentna.

– No to mnie wypuść! – Witecka mimo ucisku uniosła się nieco na rękach. – Nie jestem matką i nie będzie dziecka, więc nie ma problemu. Żadnego, kurwa, tysiąc pierwszego mieszkańca! – Ostatnie zdanie wykrzyczała. Już przestała się bać, denerwować… Było jej wszystko jedno.

– Dużo szanowna pani rozumie, bowiem… – Rogowski spojrzał w sufit i dziwnie skrzypiącym głosem dokończył: – jam jest wykonawcą testamentu Kaśki, jam jest jej orędownikiem. To dzięki mnie nie dochodzi tu do wielkich tragedii.

– Wypuść mnie, już swoje zrobiłeś! – Szarpała rękami, aż do krwi. Nie czuła bólu. Za wszelką cenę chciała uciec z tego miejsca.

– Nieeee – powiedział przeciągle doktor i zaczął grozić jej palcem. – To się wtedy nie będzie liczyć. Musi mnie pani zrozumieć, ode mnie już nic nie zależy. – Wzruszył ramionami niczym niewinne dziecko. – Jest taka zasada: najpierw dziecko, a potem matka. Tak jak u mnie.

Piorun uderzył gdzieś w pobliżu, bo lekarz aż podskoczył i mimo zasłoniętych kotar do izolatki wpadł mocny błysk. Rogowski usiadł na krzesełku i rozdzierał folię z opakowania strzykawki.

– Zabiłeś Magdę, tak? Aldonkę, kogo jeszcze? – Marta mówiła coraz głośniej. Odkąd przestała się bać, miała więcej siły. Gdybym tylko wyrwała rękę – myślała – wbiłabym mu ten skalpel.

– No cóż, tylko tych, których mi tu Kaśka przysłała. – Rogowski wzruszył ramionami.

– Nikogo ci nie przysłała. Jesteś lekarzem, pacjentki same przyszły. Jak cię mogła wyznaczyć, co?

– A ja myślałem, że pani jest mądra. Proszę się uspokoić, bo będzie bolało, a po co? – Zapalił lampkę i wbił strzykawkę w fiolkę, napełniając ją lekiem.

– Jak cię wybrała? Skąd wiesz, że to ty? – W Marcie z każdą minutą narastał gniew. Może dzięki tej wymianie zdań mogła opóźnić otrzymanie zastrzyku?

– A komu umarło dziecko i zaraz potem żona? – Doktor wyraźnie się zdenerwował. – Kto oprócz mnie dostał taki znak? Jeszcze będą mi dziękować. Ratuję to miejsce przed naprawdę nieprzyjemnymi konsekwencjami.

– Nie ma komu się o te kobiety upomnieć, co? A co zrobiłeś Aldonce? Jak wmieszałeś w to Janka?

– „Zrobiłeś”. Pytanie powinno brzmieć: jak uratowałem to miasto? Ale widzi pani, jestem skromny i nie muszę być na świeczniku, jak ten, pożal się Boże, kowal.

– Co jej zrobiłeś?

– To co tobie. Dostała, jak ja to mówię, panakuronia, a jakiś samochód po prostu miał ją przejechać. Mięśnie zwiotczeją, a do czasu badania wszystko wyparuje. Pufff!
– Rogowski prychnął i spojrzał w sufit. – Ale już tak spektakularnie nie będzie, żeby pręty metalowe miednicę połamały.

– Czyli jak Janek ją przejechał, to już nie żyła? Tak? Wszystkie tak załatwiłeś, skurwysynu jeden? – Marta krzyczała, ale czuła, że słabnie.

– Oj nie, droga pani. – Rogowski w ogóle nie reagował na zaczepki, był spokojny i skupiony. – Bogaczowej na przykład nie mogę dosięgnąć, ale i na nią przyjdzie czas.

Marta próbowała przypomnieć sobie inne kobiece ofiary domniemanej klątwy. Wszystko zaczynało wreszcie do siebie pasować, jak puzzle rozrzucone na tysiąc elementów, z połową nieba w takim samym odcieniu.

431

– A Celina, ta, co się utopiła? Też była w ciąży?

– Oczywiście. – Rogowski swobodnie przytaknął. Wstał, zapiął fartuch, pasek i zaczął zawiązywać maseczkę.

– Dobra, skoro umrę, to chcę wiedzieć, jak załatwiłeś Magdę. – Witecka zmrużyła oczy. Miała nadzieję, że stanie się jakiś cud, i próbowała odroczyć egzekucję. Ale kto jej tu będzie szukał? Markusz z Maliną? Pewnie nieprędko się zorientują, że złapali nie tego człowieka. Badania wozu trochę trwają. Znając Pająka, nie będzie chciał zeznawać na miejscu, mówić o sobie i Aldonce. Zażyczy sobie adwokata, skończą nad ranem, a stary nie będzie chciał jej budzić.

Rozmyślała o swoim beznadziejnym położeniu. Obserwowała działającego jak w transie Rogowskiego. Był odprężony. Mimowolnie spojrzała na rozporek w jego eleganckich, materiałowych spodniach. Ten facet ewidentnie był podniecony.

– Właściwie to było dziecinnie proste. No, może nie tak jak z panią. – Lekarz rozłożył ręce. – Ale doprawdy niezbyt trudne. A co, dochodzonko prowadziliśmy? – spytał, zdrabniając słowa. Zwracał się do niej jak do dziecka.

– No to jak? – Nie chciała mu odpowiedzieć.

– Miała poważne problemy z tą ciążą. – Opuścił maseczkę i potarł brwi. – A taką moc ma Kaśka Piecowa… Trzeba się do niej pomodlić w tych murach. Pamiętajmy, że sama w bardzo trudnych warunkach urodziła dwoje dzieci.

– Domyśliłam się, dwie czaszki – wtrąciła Marta.

– Opowiedziałem nauczycielce o mocy Kaśki, a ponieważ jeszcze nikt o tej ciąży nie wiedział, zaproponowałem jej swoje towarzystwo. Oczywiście chciałem wesprzeć ją w prośbach o zdrowie, no bo jak medycyna nie daje ratunku, to szukamy go gdzie indziej, prawda? Każdy, najbardziej niewierzący, w trudnej sytuacji znajdzie odpowiednie słowa modlitwy.

– Umówiliście się tam o czwartej rano? – Marta nie miała ochoty dalej słuchać wykładów na temat wiary.

– Skąd pani wie? – Rogowski zmarszczył brwi.

– Jakie to wszystko proste – westchnęła Marta. – Ukryłeś tam samochód, a Janka poprosiłeś, żeby podwiózł cię do pacjentki. To ściema, że nie możesz prowadzić. Doskonale to przemyślałeś. Zmasakrowałeś ją, miażdżyłeś metodycznie i powoli!

– Ale po co takie słowa i krzyki? – Lekarz podszedł do okna i trochę je uchylił, by wpuścić odrobinę świeżego powietrza. Deszcz przestawał padać. Do pokoju wdzierał się przyjemny zapach mokrej trawy. – Ale dobrze, że mi szanowna pani przypomniała. Ubierzemy panią w tamten płaszcz i nowych śladów nie będzie! Pysznie! – Rogowski ucieszył się i znowu wyszedł na chwilę.

Marta przestała hamować łzy. Spływały strużką po szyi aż do piersi. Przysięgłaby, że sprawdzała opony tego jebanego czekoladowego garbusa i że wyżłobienia na nich zdecydowanie różniły się od tych zostawionych na miejscu zbrodni.

# ROZDZIAŁ 26

Markusz jako jedyny stał na deszczu, tylko głębiej naciągnął kapelusz. Zupełnie nie rozumiał, dlaczego nie cieszył go koniec tego śledztwa. Może dlatego, że nie było z nim Witeckiej? Spojrzał na zegarek, dochodziła północ. Miał nadzieję, że Rogowski jej pomógł. Z pewnością czuła się już lepiej i spała. Jutro po szkole zaprosi ją na kawę i zamkną temat. Wszystko wróci do normy.

Tak jak przypuszczał, Stanisław Pająk nie chciał odpowiadać na żadne pytania. Oczywiście miał prawo do milczenia i do zabrania głosu dopiero przy swoim adwokacie.

Malina dość szybko porzucił wstępne przesłuchanie, bardziej interesowała go praca techników. Biegał dookoła starego samochodu Pająka, robił zdjęcia, zagadywał mechanika, popisując się swoją wiedzą. Już dawno mogli pojechać z Pająkiem do komisariatu, tam go zamknąć i poczekać na nowy dzień, ale Malina za wszelką cenę musiał być w centrum wydarzeń. Co jakiś czas pokazywał Markuszowi wzniesiony kciuk. Akcja rozwijała się według oczekiwań.

Stary, mocno już przemoczony, schował się wreszcie pod dach i usiadł na kanale. W dawnych latach przyjaźnił

434

się z Pająkiem, zbliżyły ich mundury, ale niestety poróżnili synowie. Klaudiusz nie cierpiał pedałów, a Pająk nie pozwalał wyzywać swojego syna.

– Bolo – szepnął Pająk – ja tego nie zrobiłem. To jest jakieś kompletne nieporozumienie, wierzysz mi? – mówił bardzo cicho, głos mu się załamywał.

– Nie masz alibi, za to masz motyw. No i pozostawiony na miejscu protektor opon pasuje do twojego bieżnika. – Markusz wzruszył ramionami. – Dlaczego mam ci wierzyć?

– Bo jestem niewinny. Nie było mnie tam, nie zabiłbym Magdy tylko dlatego, że znała się z moją Aldonką, a poza tym przecież takich gum są tysiące, to żaden dowód! – Stanisław kopnął z całej siły w bok kanału.

– W Mille ma je tylko twój stary samochód, który akurat tamtego dnia sprzedałeś Danielowi. Wierz mi, ale sprawdziliśmy to doskonale! – Markusz odrobinę podniósł głos.

Z zaplecza dobiegło ich brzęczenie szkła; mechanik próbował donieść szklanki z herbatą, ale co chwila zatrzymywał się z tacą. W końcu postawił ją na cegłach.

– Z tymi oponami to na kiepski czas trafiliście. – Wskazał głową na wypełnioną nimi ścianę. – Podwójna robota. Ślisko jest, śnieg niedługo spadnie. Ludzie już teraz wymieniają na zimówki. Ktoś słodzi?

– Co powiedziałeś? – Markusz wstał tak energicznie, że aż wypadł mu z kieszeni telefon. Aparat uderzył w betonową posadzkę, wypadła bateria i karta SIM.

– Pytałem, komu cukru. – Daniel wyciągnął łyżeczki z kieszeni ogrodniczek.

– Notujesz gdzieś te wymiany? – spytał nerwowo Bolo.

– A co ty, ze skarbówki jesteś? – Chłopak zaczął się śmiać.

– Kto w ostatnim czasie wymieniał opony? – Markusz spytał takim tonem, że aż wszyscy na niego spojrzeli.

– No sporo od was. – Daniel podrapał się w głowę.

– Bogacz był, Lajn, Ceyn, Rogowski… Tu wiszą, przechowuję za drobną opłatą… – Mechanik był zdezorientowany, wskazał brodą regały. Nic nie rozumiał.

Stary podszedł do półek z oponami i przyglądał się ich bieżnikom, a także karteczkom z nazwiskami. Dotykał rękami wyżłobień.

– Komisarzu Malina! – wykrzyknął nagle. – Natychmiast do mnie! – Sięgnął do kieszeni, gdzie zwykle trzymał komórkę. Już zapomniał, że wypadła mu przed kilkoma minutami.

Malina podszedł niechętnie, ale Markusz już nic nie tłumaczył.

– Natychmiast do ośrodka zdrowia, natychmiast! Jak tylko piśniesz, że nie, to ci łeb rozwalę! – krzyczał jak w obłędzie.

Policjant zbladł.


Granatowy polonez odpalił za drugim razem. Zdenerwowany Bolo siedział na miejscu pasażera i próbował złożyć telefon, ale tak mu się trzęsły ręce, że po chwili rzucił te wszystkie elementy.

– Oby tylko nie było za późno… – mówił do siebie.

Deszcz przestawał padać i choć było ślisko, na głównej drodze Malina jeszcze przyspieszył. Gdy mijali krzyż Kaśki, Markusz się przeżegnał.

– Safanduła, tak moja Aneczka na mnie mówiła. – Rogowski wreszcie usiadł w pełnym rynsztunku. Fartuch zapięty na ostatni guzik, maska dokładnie założona na usta. Podniósł do góry strzykawkę, by dojrzeć igłę w świetle lampy, i wypuścił kilka kropel. Marta próbowała się wyrwać, mocno szarpała, by lekarz miał problemy z wkłuciem.

– Ale droga pani, jak będzie spokój, szybciej pójdzie. Po co pani tak walczy, co? – Uśmiechnął się. – Wszystko jest już przesądzone. Niezbadane są wyroki naszej Szalonej Kaśki. No, proszę wybaczyć, ale nic nie mogę zrobić!

Witecka zamknęła oczy, Rogowski zaśmiał się szyderczo, ale nagle usłyszeli przytłumione łomotanie do drzwi. Lekarz zatrzymał strzykawkę na wysokości lampy i pokręcił głową z nadzieją, że hałasy zaraz ucichną. O tej porze nikogo się nie spodziewał.

Przez uchylone okno dotarły do nich odgłosy kroków na mokrym żwirze, a po chwili ktoś zastukał w szybę izolatki.

– Wiem, że tam jesteś! – usłyszeli głos Markusza. – Dom jest okrążony, natychmiast otwieraj!

– Cii. – Rogowski położył palec na ustach, ale Marta jakby dostała nowej energii.

– Bolo, ratuj!

Zapamiętała brzęk tłuczonego szkła, podmuch świeżego powietrza i opadającą ciemnozieloną kotarę.

# ROZDZIAŁ 27

Szara plama z ciemnymi przebarwieniami na
białej ścianie przybrała twarz Matki Boskiej. Marta zamknęła oczy, ale gdy ponownie je otworzyła, obraz nie
znikał. Przekrzywiła głowę i zobaczyła jej dobrotliwy
uśmiech. Dokładnie taki sam jak wtedy, gdy pierwszy
raz przyszła do niej w objawieniach. Odetchnęła i usnęła
ponownie.

Zapach detergentów, leków, starości i moczu powoli
wprowadzał ją w świat rzeczywisty. Poczuła silne parcie
na pęcherz, ale nie miała siły wstać. W ogóle nie miała
siły. Podłączona do kroplówki, obserwowała bezbarwną
ciecz leniwie kapiącą do plastikowej butelki.

– Nareszcie! – rozległ się głos Janka. – Obudziłaś się!

W pokoju zapanowało ożywienie. Rozległ się dzwonek
i weszło kilka osób. Do łóżka zbliżył się ktoś w białym
fartuchu. Marta krzyknęła przerażona.

– Spokojnie, jest pani w szpitalu, już wszystko będzie
w porządku – odezwał się łagodnym głosem mężczyzna.

Janek zauważył, że lekarz zrzucił fartuch i zostawił
go na podłodze. Uśmiechnął się.

Przez następne dni, gdy dochodziła do siebie i nabierała sił, zaczęli odwiedzać ją mieszkańcy Mille. Najpierw oficjalna delegacja, z Ceynem, kwiatami i podziękowaniem, potem przedstawiciele rodziców, a nawet ksiądz Andrzej z propozycją spowiedzi. Sophia przynosiła codziennie pyszne jedzenie i wspólnie planowały pierwszy spacer z Alessą po Mille. Jak tylko Marta wyjdzie, to razem wyciągną małą z getta. Przecież już wszystko jasne, nie ma żadnej klątwy – Włoszka uśmiechała się, robiła znak krzyża i wznosiła oczy ku niebu.

Ostatniego dnia przyszedł także Stanisław Pająk. Stanął w drzwiach i delikatnie zastukał w futrynę.

– Dzień dobry, panie Stanisławie. – Marta podniosła się na łóżku. – Zapraszam.

– Moja Aldonka wiedziała, że ktoś taki jak pani się kiedyś pojawi. – Pająk pocałował Martę w rękę. Kiedyś znalazła w waszym domu pamiętniki. Przepisała je, przetłumaczyła na współczesną polszczyznę i ślicznie oprawiła. – Sięgnął do torby i wyjął cieniutką książkę w czerwonej, skórzanej okładce, ozdobionej złoceniami. – Chciałbym ją pani podarować. – Położył książkę na łóżku.

– Dziękuję – odparła.

Obydwoje byli wzruszeni. Nie odczuwali potrzeby, by cokolwiek mówić. Pająk nachylił się i na do widzenia ponownie pocałował Martę w rękę. Wyszedł cicho, w drzwiach stanął na baczność i stuknął obcasami. Gdyby miał czapkę, to pewnie by zasalutował, pomyślała.

Zapadał zmierzch, ale jeszcze nasłuchiwała, czy nie pojawią się powolne kroki za drzwiami, przerywane małą zadyszką i kaszlem. Miała nadzieję zobaczyć w drzwiach filcowe kalosze i czarny, sfatygowany kapelusz.

Dopiero po kolacji, gdy po korytarzu jeździły już wózki z naczyniami, a siostry wesoło się nawoływały, zrozumiała, że to koniec odwiedzin. Włączyła lampkę nad łóżkiem i delikatnie wzięła do ręki czerwoną książeczkę. Autorem był Andrzej Lajn.

# EPILOG

### 16 SIERPNIA 1807 R., RANO

Nazywam się Andrzej Lajn. Mam siedemnaście lat
i od dziś będę pisał dziennik.

### 16 SIERPNIA 1807 R., WIECZOREM

W schronisku nareszcie dostałem coś do jedzenia.
Od kilku dni tak bardzo głodowaliśmy, że było mi wszystko
jedno, gdzie skończę. Tak naprawdę to chciałem nawet
umrzeć w tym lesie, gdzie spędziliśmy ostatnią noc. Choć
widziałem, jak matka chowa dla mnie resztki skórek,
w tajemnicy przed dzieciarnią, to nie mogłem tego zjeść,
wiedząc, że one i tak poczują ode mnie zapach. Głodny
wyczuwa jedzenie z dużej odległości.

Rano, przed ostatnią drogą do tego przytułku, podzie-
liłem skórkę między Hanię i Tomaszka. Ewunia miała
mleko od matki. Szczęściara.

Sześć dni temu matka kazała nam wyjść z domu. Był
przyjemny poranek, pachniało śmietanką i sianem. Za-
braliśmy tylko jedzenie. Miało być ciepło i wesoło, bo
takie jest lato. Bałem się tej drogi, ale wiedziałem, że

decyzja matki jest nieodwracalna. Nie umiała powiedzieć, co będzie nam potrzebne ani gdzie będziemy spać.

– Zwierzęta żyją w lesie, więc i nam się nic nie stanie – tak dodawała dzieciarni otuchy.

Przytakiwałem, gdy pakując kosz, spoglądała na mnie znad głów przestraszonych bliźniaków.

– Pójdziemy do taty i wszystko się zmieni, całe nasze życie – wesoło zagadywała, pakując do kosza chleby, sery i mleko. Co rusz sprawdzała ciężar. Dopiero wtedy dostrzegłem, że uzbierała tego nadzwyczaj dużo. Nigdy w domu nie było tyle jedzenia naraz.

– Mamo, skąd wiesz, jak trafić do Antoniego? – spytałem, gdy robiła znak krzyża. Wszyscy, stojąc już na górce, patrzyliśmy na nasz dom. Zrobił się bardzo mały. Pewnie więcej go nie zobaczę.

– Serce mnie poprowadzi. A zapamiętajcie, że tylko miłość może pokazać ci drogę do szczęścia – odpowiedziała.

Była taka radosna. Uwierzyłem jej. Wesoło ruszyła w dół, poza granice naszego rodzinnego miasta.

Moja mama. Wołają na nią Kaśka, ale ja tego nie lubię. Wolałem „Kasieńka", ale i to ten Oster mi odebrał. „Moja Kasieńka" – krzyczał, gdy tylko wchodził na podwórze. Szczeniak jeden. Starszy ode mnie zaledwie o kilka lat, chuchro takie. Jasnowłosy pętak.

„Królewicz mój" – matka nie odchodziła od okna, gdy wracała z pastwiska. Siadała i czekała, aż znowu po nią przyjdzie. Cały dzień byli razem, wypasali owce, a jej ciągle było mało. Moja piękna matka. W dużym słońcu wyglądała jak święta. Ciemne, długie i grube włosy spinała w warkocz, który układała na wypełnionych mlekiem piersiach. Jej jasną twarz dość często oblewał rumieniec. Pewnie myślała o czymś miłym i dobrym, może czasem o mnie. W końcu jestem jej pierworodnym. Dbam o nich i marzę o szczęściu dla nas.

Wiem, że Antoni go nie da, tak jak nie dał mój ojciec i stary Adam, ojciec bliźniaków. Ale matka musiała się o tym przekonać. Chce Ostera przymusić do siebie Ewunią. Uznała, że jak tylko zobaczy swoje dziecko, zrozumie, że wszyscy musimy być razem. Ta myśl dodawała jej sił. Wczoraj w nocy, gdy szałas przepuszczał siąpiący deszcz, w kilka minut ułożyła nową warstwę liści. Moja dzielna i silna mama.

Późnym wieczorem dotarliśmy do Mille. Coś w środku kazało mi zawrócić, uciekać jak najdalej, ale byłem zmęczony i głodny. Śpiąca na moich plecach Hania zrobiła się ciężka, jakby była wypełniona ołowiem. Tomaszek przewracał się o własne nogi, dobrze, że nie puszczał mojej ręki. Wyboista droga utrudniała nam marsz. Ale mama szła jak generał, wyprostowana, z wysoko podniesioną głową. W blasku księżyca jej włosy przypominały węgiel.

Dojrzeliśmy jakieś ruiny na wzgórzu, ale postanowiliśmy jednak poszukać schronienia na dole, w miasteczku. I jedzenia, bo tak naprawdę okazało się, że mieliśmy go bardzo mało.

Głosy mieszkańców docierały do nas coraz wyraźniej. Tomaszek zaczął biec i gdy tylko dopadł do pierwszych drzwi, otworzyli mu. To był przytułek, prowadzony na tyłach kościoła. Nareszcie dostałem coś ciepłego do jedzenia.

# 17 SIERPNIA 1807 R.

Ujrzałem Świętą Panienkę. Moja mama w promieniach słońca karmiła Ewunię. Nuciła swoją piosenkę. Od kilku godzin był piękny dzień. Zostaliśmy sami w pokoju. Dopiero rano dotarł do mnie smród tych wszystkich ludzi. Miałem nadzieję, że ten szczeniak Antoni Oster ma swój dom. W nocy od starego żebraka dowiedzieliśmy się, że jesteśmy na miejscu. Oster pracuje w Mille, najął się u cieśli. Poszliśmy mu na spotkanie.

Byliśmy w łachmanach, brudni, śmierdzący, bosi i odstraszający. Większość napotkanych przechodniów omijała nas szerokim łukiem, ale matka szła z wysoko podniesioną głową. „To tylko gawiedź" – mówiła i przytulając Ewunię do piersi, odważnie przemierzała rynek, nie przejmując się szepczącym tłumem.

– Prowadź do cieśli! – zdecydowanym głosem rozkazała bawiącemu się dziecku o twarzy aniołka.

Chłopiec drgnął, ale matka uśmiechnęła się czule. Była ładną kobietą. Miała duże, błyszczące, ciemne oczy. Budziła zaufanie.

– Tam, proszę pani, pod lasem. – Wskazał zabudowania po przekątnej stronie rynku. – Zaprowadzę.

Szedłem za matką, nie wypuszczając z rąk rodzeństwa. Czasem może trochę za mocno ściskałem Hanię, ale dziewczynka bała się choćby pisnąć.

Obeszliśmy niemal cały rynek. Już kilka metrów przed warsztatem usłyszeliśmy odgłosy pracy: rąbanie, przycinanie piłą, stukot młotków. I męskie pokrzykiwania. Do tego zapach świeżego drewna.

– Słyszysz, Ewuniu, twój tata tu pracuje!

Chłopak pokazał wejście do zakładu. Matka podarowała małemu przewodnikowi trochę jagód. Ucieszył się i pobiegł w swoją stronę.

Słońce mocno grzało. Na podwórzu pracowało kilku mężczyzn. Byli opaleni, dobrze zbudowani, z odkrytymi torsami. „Piękni" – wyszeptała do nas mama. Jeden zaczął gwizdać, potem drugi. Rozbawieni, klepali się po udach, ale po chwili ucichli. W drzwiach stanął elegancko ubrany mężczyzna. My tymczasem otoczyliśmy mamę, przytuleni do siebie.

– Szukam Antoniego Ostera – powiedziała mama troszkę za głośno.

– Tego parobczaka? Smarkacza? – Elegancki mężczyzna wyszedł na podwórze.

– Antoniego Ostera, ludzie gadają, że tu pracuje. – Mama jakby nie słyszała pytań.

– Pracuje, pracuje, a niech go… – Mężczyzna splunął. – Leniwy jest i trochę głupkowaty. Ale za dużo to on nie chce. – Zaczął się śmiać.

Był bardzo niski, a spod koszuli wystawał mu ogromny brzuch. Miał brązowe zęby i cuchnął wódką. „Pewnie to jakiś majster" – syknęła do mnie mama.

– Antoni Oster to mój mąż, a to jego dziecko. Prawda, że podobne? – Matka podniosła małą Ewunię.

– Ten smarkacz? Rzeczywiście, bardzo podobne. Jak to możliwe? On nawet oleju w głowie nie ma. Ale ty mi wyglądasz na silnego chłopaka. – Cieśla uderzył mnie w pierś. – Potrzebuję takich. Głupi Antoś za warsztatem siedzi, hebluje deski. Możecie do niego iść. Do męża! – Właściciel zaczął się śmiać, aż mu się brzuch trząsł.

445

Matka ominęła majstra i zdecydowanym krokiem ruszyła przez podwórze. Jak tylko obeszła skład desek, dojrzała swojego Antoniego. Stał do niej tyłem, w krótkich spodenkach, bez koszulki. Patrzyła, jak mu pracują mięśnie. Od czasu do czasu zarzucał na bok grzywkę, która mu przeszkadzała.

Matka podeszła cicho. Stanęła za nim i przytuliła się do jego pleców. Ale Antoni odskoczył, wypuszczając hebel z rąk. Ewunia zaczęła płakać.

– Co tu robisz?! – krzyknął piskliwym głosem.

– Jak to? Jestem. Jesteśmy… – Mama podniosła dziecko. – To jest twoja Ewa. Jeszcze jej nie widziałeś.

– Idź stąd, babo jedna! – Antoś powoli się odsuwał.

Kilku pracowników wyszło na podwórze, podsłuchiwali.

– Antosiu, co ty mówisz? To ja, twoja Kasia. Prawie żona. – Mamie głos się załamywał.

– Nie jesteś moją żoną.

– Ale taką mnie brałeś. Jak wypasałam owce, nie pamiętasz? Jaki byłeś szczęśliwy, tam, na naszej polanie. Co tobie?

– Idź stąd, wstrętna babo! – Antoś krzyczał, odepchnął matkę, po czym zabrał koszulę i wybiegł.

Wziąłem mamę w ramiona. Długo płakała.

Wróciliśmy do przytułku.

## 25 SIERPNIA 1807 R.

Minął tydzień, od kiedy tu jesteśmy. Matka codziennie gdzieś wychodzi, a od kilku dni nie odezwała się do nas ani słowem. Nie mogę dłużej czekać, aż coś wymyśli, bo bliźniaki robactwo zje. Muszę znaleźć pracę.

Zaprzyjaźniłem się ze starą Borowiczową, zielarką. Dała nam jakieś mikstury na te krosty i rany. Tomaszek za bardzo się drapie. Za kilka dni oddadzą jej dom pod lasem, bo poprzedni spłonął. Jeden piorun i wszystko poszło do nieba.

## 26 SIERPNIA 1807 R.

To był smutny dzień. Chciałem nająć się u cieśli, sam mówił, że tacy jak ja mu się przydadzą. Wszedłem na podwórze wypełnione miękkimi wiórami. Pod płotem, z opuszczoną głową, siedziała moja matka.

Jak tylko usłyszała kroki, wyciągnęła szyję, by sprawdzić, kto nadchodzi. Schowałem się za stertą drzew. Po chwili dojrzałem tego szczeniaka. Antoni szedł w grupie kolegów. Śmiał się głośno, aż mu ślina ciekła po brodzie. Gdy mijali matkę, ta wstała i łapiąc Ostera za rękę, prosiła:

– No, co z tobą? Antosiu, weź mnie do siebie.

– Wynocha!

– Zobaczysz, zgnijesz za to. A z chałupy popiół zostanie. Jak z mojej miłości! – Matka mówiła nienaturalnym głosem, jakby charczała. Cała się trzęsła.

Koledzy Ostera uciekli, nie zdołał ich dogonić. Matka w konwulsjach tarzała się w trocinach. W końcu udało mi się ją uspokoić. Wyczerpaną przyniosłem do przytułku. Teraz leży bez ruchu i patrzy na nas takim pustym wzrokiem. Wycieram jej ślinę, bo nie umie jej zatrzymać. I nie ma już mleka dla Ewuni.

## 31 SIERPNIA 1807 R.

Obudziły nas krzyki, bieganina i mocne walenie do drzwi.

– Ludzie, pożar! Ludzie!

Matka leżała bez ruchu, z na wpół otwartymi oczami. Bliźniaki płakały, a słabiutka Ewa ssała kciuk. Razem z kulawym Bogaczem wybiegliśmy, zabierając wiadra. Pędziliśmy za tłumem. Po drugiej stronie rynku buchały kłęby czarnego dymu. Ogień poruszał się jak wąż. Pluł płomieniami, zawalając kolejne konstrukcje. Odgłos pękającego drewna rozsadzał mi uszy. Płonęła chata cieśli, gdzie mieszkali jego młodzi pracownicy.

Pożar rozprzestrzenił się na dwa sąsiednie domy. Stara Garbarka z mężem spłonęli żywcem. Do teraz słyszę ich krzyki.

Wieczorem zajrzałem do Borowiczowej, po uspokojenie. Ale opowiedziała, że to najgorszy czas w Mille. Większość ludzi choruje, po wojnie jest mnóstwo kalek i zaginionych, a do tego te pożary. Co kilka miesięcy wybuchają, zabierając kolejnych nieszczęśników. Poleciła mnie u snycerza, niejaki Krokos potrzebuje nająć kogoś do pracy. Pójdę do niego jutro.

## 10 WRZEŚNIA 1807 R.

Dziś mija tydzień, od kiedy uczę się fachu. Krokos potrafi cuda robić, cudeńka, a i mnie często chwali. Lubię tę robotę, a do tego majster daje nam oddzielny dom nad wodą. Taka dobudówka dla czeladników. Za kilka dni skończę szykować łóżko dla dzieci i mamy. Przeniesiemy się i codziennie proszę Boga, by wreszcie tam wróciła do nas tak naprawdę. Najbardziej szkoda mi dzieci. Matka tylko leży.

## 14 WRZEŚNIA 1807 R.

Właśnie zabrali mamę. Ewa tak bardzo płacze, że aż obce baby ciągle do nas zaglądają. Za kilka dni będziemy w domu przy rzece. I koniec z tym nachodzeniem. A było tak:

Padał deszcz i wiał silny wiatr. Obudziło mnie walenie do drzwi.

– Otwierać, natychmiast!

Stróż otworzył przytułek, usłyszałem ciężkie kroki zbliżające się do naszego pokoju. Trzech policjantów stanęło nad łóżkiem. Ten najgrubszy miał przemoczony płaszcz. Wycierał go o nasze posłanie.

– W imieniu komisarza policji aresztujemy cię pod zarzutem podpalenia domu cieśli przy rynku! – krzyknął do mamy ten średni.

Ona ani drgnęła.

– Zabrać ją – wydał polecenie najgrubszy.

Gdy próbowałem wstać, uderzył mnie w twarz.

– Ja jestem niewinna – wyszeptała mama, ale gruby nie słuchał. W kilka chwil ją wyprowadzili. Próbowała jeszcze przytrzymać się drzwi, ale wtedy uderzyli. Jęknęła tylko. Nic nie mogłem zrobić. Naprawdę.

## 1 PAŹDZIERNIKA 1807 R.

Nie pisałem długo, bo dużo się działo. Z rzeczy dobrych to jedynie tyle, że mieszkamy już nad rzeką. Do pomocy przy dzieciach przychodzi młoda Krokosowa. Miła dziewczyna. Pracowita i usłużna. Z rzeczy złych to właśnie zaczął się proces mojej matki Katarzyny. Brakowało dowodów na to, że to ona podłożyła ogień, ale kilku kolegów Ostera zaświadczyło pod przysięgą, że słyszeli, jak mu groziła spaleniem domu. On sam, ten szczeniak, uciekł i nie można go było przesłuchać.

### 3 PAŹDZIERNIKA 1807 R.

Mnie przesłuchiwał dziś stary Markuszewski. Ale już nie chodziło o pożar. Ludzie twierdzą, że matka współżyje z diabłem, kilku nawet to widziało na własne oczy. Przecież to nieprawda. Ja znam ją najlepiej i wiem, że to tylko pomówienia.

Przede mną przesłuchiwali starą Kapuścińską. Potwierdziła, że moja matka, Katarzyna Piecowa, to wiedźma, bo otruła jej syna, tego aniołka, co nam drogę pokazał pierwszego dnia. To niemożliwe, wtedy te jagody przynieśliśmy z lasu. Sam je przecież jadłem.

### 10 PAŹDZIERNIKA 1807 R.

Ludzie pod ratuszem ciągle wykrzykują: „To wiedźma!", „Na stos z nią!". Dziś sędzia wyznaczył test wody! Jutro nad rzeką, zaraz obok mojego domu sprawdzą, czy nasza matka wypłynie. Nie wiem, jak zapobiec tym torturom. Nie wiem już, co gorsze. Jeśli wypłynie, to będzie znaczyło, że jest czarownicą, i dalej będą ją męczyć. Boże, błagam, dopomóż nam.

### 11 PAŹDZIERNIKA 1807 R.

Dziś już było chłodniej. Nad rzeką zebrało się pół miasteczka, a grupa policjantów ochoczo przystąpiła do działań. Związali mamę mocnym sznurem, ale gdy ją kołysali, gotowi do wrzucenia, zaczęła krzyczeć: „Tak! Jestem czarownicą. Nie wrzucajcie mnie!".

Byli nieubłagani. Zaciskałem mocno dłonie. Nie wiedziałem, co gorsze. Tak czy siak czekała ją śmierć.

Donośny plusk wybił mnie z rozmyślań. Tłum gapiów niemal wtargnął do rzeki, z trudem próbowałem się przez nich przedrzeć. Gdy już traciłem nadzieję, ciało matki zaczęło wypływać. Z poluzowanych więzów wystawała spódnica. Komisarz Bonnar nakazał wyłowić ciało. Już na brzegu matka odkaszlnęła i po chwili odzyskała przytomność. Mieszkańcy zawyli. Szmer przeszedł w krzyk: „To czarownica! Na stos z nią!".

Zamknęli mamę w ciasnej komnacie w lewej baszcie spalonego zamku. Podkradłcm się po zmroku. To nora. Śmierdząca i zapleśniała. Mama spała na deskach. Dostała wiadro z wodą, stróż rzucił jej jakieś resztki jedzenia, na ziemię, jak psu. Przed mosiężnymi drzwiami bez przerwy dyżurują dozorcy.

## 10 LISTOPADA 1807 R.

Mama jest zamknięta od miesiąca. Dzicci już na nią nie czekają. Hania jest jakby obrażona. Młoda Krokosowa, to znaczy Kasia, jest jak mamka. Właściwie cały czas z nimi siedzi.

Rzadko piszę, bo dużo pracuję, a po nocach ciągle gasimy jakieś pożary. Palą się domy, gospodarstwa, wszystko. Ludzie się coraz bardziej boją, a stara zielarka mówi, że obwinią o to moją matkę, choć sami są sobie winni. Za życie w grzechu i nienawiść.

Znowu dostałem odmowę w sprawie odwiedzin. Chciałbym dać jej ciepłe ubrania, bo robi się chłodno, no i trochę jedzenia.

### 6 STYCZNIA 1808 R.

Zielarka Borowiczowa miała rację. W mieście panuje jakaś zaraza, została jedynie nieco ponad połowa mieszkańców. Albo chorzy, albo spaleni, albo bez nóg i rozumu. Jest źle.

Ludzie gadają, że to moja matka ich gnębi. Ma taką moc, że zza krat, będąc w zamknięciu, czary rzuca. I opowiadają o tej wodzie, jak wtedy wypłynęła. Jakby jej diabeł pomagał.

Wieczorem muszę ją odwiedzić. Zakradnę się, dam jej ciepłe ubranie, bo śniegu po pas napadało, i coś do jedzenia. Moja Kasia Krokosowa wszystko przygotuje. A i pieniądze odłożyłem, dla strażnika.

Patrzę na Mille. Jest spokojne, jakby układało się do snu, jak w puchu. Śnieg jest jeszcze delikatny, powoli opada, przykrywając ludzkie brudy. Jest biało i czysto. Poczekam do północy.

### 7 STYCZNIA 1808 R.

Nie wiem, co robić. Nienawidzę ich wszystkich! Zabiję Ceyna.

### 8 STYCZNIA 1808 R.

Przedwczoraj zakradłem się do zamku. Szedłem po śniegu, zostawiając ślady. W baszcie drzemał stróż. Czapka zasłaniała mu twarz, ale gdy usłyszał moje kroki, od razu się wyprostował i wytarł zaślinione usta. To ten łobuz Jaśtak.

– Mogę do niej wejść? – spytałem i pokazałem pieniądze.

Nie poznał mnie, jedynie chciwie łypnął na moją dłoń. Milczał, ale po chwili pokręcił głową.

– Oj, dziś już nie. – Podkręcił wąsy. – Dziś już nie da rady, czterech miała, a po Ceynie to ona się do niczego nie nadaje. Czasem jest zbyt porywczy, trochę ją poharatał. – Zaczął się śmiać.

Ostatkiem sił powstrzymałem się, by nie dać mu w mordę.

– Tylko popatrzę – odsunąłem go, rzucając monetę.

Jaśtak machnął ręką i z trudem schylił się po pieniądze. Wiedziałem, że jest tam spore zakratowane okno, zaraz przy ogniu.

Nigdy nie zapomnę tego widoku. Nigdy.

Matka była naga, brudna i wychudzona. Stała wyprostowana na wprost drzwi, jakby przygotowana na wizytę kogoś ważnego. Dojrzałem na jej udach strużki krwi zbierającej się u stóp w sporą kałużę. Próbowałem ją zawołać, ale tylko zacharczałem. Mama musiała to usłyszeć. Po chwili narzuciła jakiś kożuch i wolno podeszła do okna.

– I ty synku tutaj, ty też? – Spojrzała na mnie, a ja nie mogłem się ruszyć ani odezwać. Mama patrzyła na mnie szeroko otwartymi oczami, po czym zaczęła się śmiać tym swoim okropnym śmiechem. Wiedziałem, że już za chwilę stanie się to, co zawsze. Usiądzie, rozplecie włosy i zacznie się bujać w rytm jakiejś melodii. Nigdy nie potrafiłem jej powtórzyć. Nuciła i zamykała oczy.

453

Nie wiem jak, ale muszę zabić Ceyna. Borowiczowa mówiła, że to urzędnik miejski i że nic nie mogę zrobić, bo mnie złapią. Ale ja coś wymyślę.

### 8 MAJA 1808 R.

Nie pisałem, bo nie miałem o czym. Ten dziennik nie może być moją bronią.

Od kilku miesięcy co noc zakradam się pod zamek. Oprócz Ceyna przychodzi jeszcze burmistrz, doktor, cieśla i kilku zamożnych rzemieślników, z Macjonem na czele. I chyba sędzia Krzyżanowski. Za każdym razem Jaśtak zabiera odliczone pieniądze, normalnie jak srebrniki. Podkręca wąs i klepie się po brzuchu. Z kurwy syn. Wpuszcza coraz więcej. Chciałbym ich wszystkich zamordować.

### 7 CZERWCA 1808 R.

Dziś w miejskim sądzie zapadł wyrok: „Oskarżona Katarzyna Piecowa, lat trzydzieści osiem, zostaje skazana na śmierć przez spalenie na stosie. Po potwierdzeniu mocy wyroku przez Izbę Sprawiedliwości zostanie on wykonany zgodnie z orzeczeniem".

Sędzia nie patrzył matce w twarz. Ale ona już tylko kiwała się na ławie, nucąc swoje piosenki.

Moja Kasia podpowiedziała, żebym napisał do ministra sprawiedliwości. Przecież już nie wolno palić na stosie.

### 23 SIERPNIA 1808 R.

Ciągle mi nie odpisują z Izby Sprawiedliwości. Może jeszcze raz analizują sprawę mojej mamy. Mojej mamy czarownicy, która tylko kochała za bardzo.

Na spotkania z nią wykupuję godziny u Jaśtaka. Najgorszy jest ten moment, gdy ona klęka tyłem do mnie, odsłaniając się aż do pleców. Dopiero gdy ją zasłaniam, siada i z lękiem bierze jedzenie. Dziś rozczesywałem jej włosy. Były splątane, pewnie czasem próbowała je sobie wyrywać, bo widziałem spore place łysej skóry. I te guzy na głowie. Już się do mnie w ogóle nie odzywa.

### 16 MAJA 1809 R.

Dwie sprawy. Chorowałem i nie mogłem odwiedzać mamy. Dziś byłem w zamku po przerwie, ale mnie Jaśtak nie wpuścił. Zresztą nikogo, choć Ceyn odgrażał się na cały głos. Dopiero pod wieczór pojawił się lekarz i siedział tam dość długo. Gdy z tyłu baszty próbowałem podsłuchać, usłyszałem jedynie płacz dziecka. Pewnie mi się zdawało.

Znów napisałem do Izby Sprawiedliwości. Potwierdziłem, że byłem świadkiem podpaleń, że to żadna magia, a jedynie sąsiedzkie kłótnie. Mogę nawet wskazać, kto komu i za co podpalił dom albo pomieszczenia gospodarcze. Wszystko pomału można udowodnić. Tu są przecież same drewniane domy.

No i opisałem mamę i naszą sytuację. Że ona nie jest czarownicą, a jedynie chorą kobietą. Że ma dzieci, które jej potrzebują. Że tak nie wolno…

### 14 GRUDNIA 1809 R.

Dużo się dzieje. Piszę codziennie listy do różnych instytucji, szukam pomocy dla mamy i nie mam siły dłużej tego opowiadać.

Z dzieciakiem mi się nie zdawało. Ale nie będę o tym pisał.

Stara Borowiczowa nie chce zrobić mi trucizny dla Ceyna, a moja Kasia zabrania do niego iść. Ciągle powtarza, że mam ją i dzieci.

Dziś dostałem swój warsztat i pracowników. Mamy sporo roboty spoza miasta, a moje ozdoby na meblach bardzo się podobają.

### 23 LISTOPADA 1810 R.

Mam już dwadzieścia lat. W prezencie na swoje urodziny odwiedziłem mamę, bo nie mogę zbyt często do niej chodzić. Ona zachowuje się jak zwierzę w klatce, nawet nie pozwala się do siebie zbliżyć, ciągle krzyczy, wyrywa sobie włosy i pluje. Przede mną był sędzia. Słyszałem jeszcze, jak się żalił Jaśtakowi, że matka zmarniała, że to nie to samo. Stałem w oknie i patrzyłem na nią. Gdy tylko się uspokoiła i położyła, postanowiłem wejść. Miała ciepło, ogień płonął cały czas. Usiadłem na brzegu skrzyni. Ciągle była piękną kobietą.

W pewnym momencie usłyszałem, jak charczy. Odskoczyłem. Była opatulona w jakieś szmaty. Na ziemi uzbierała się kałuża krwi.

– Nie bój się, synku, nic bój – wyszeptała. – Jest tak samo zimno jak wtedy, gdy się urodziłeś.

– Dziś są moje urodziny, mamo.

– I twojego brata też. – Matka pokiwała głową i zaczęła płakać.

– Ale Tomaszek majowy jest… – próbowałem jej wytłumaczyć, ale już przestała mnie słuchać. Zaczęła nucić te swoje melodie. Gdy stanąłem w drzwiach, wyszeptała jeszcze:

– Zabierz mnie stąd.

Wybiegłem i pędziłem ile sił w nogach. Do sądu, do sędziego. To nie może tyle trwać. Gdy czekałem na spotkanie, kilka osób pokazywało mnie sobie palcami. Udawałem, że tego nie widzę.

– Słucham cię, chłopcze? – sędzia rozłożył jakieś dokumenty i książki, tak że właściwie nie widziałem jego twarzy. Mówił cienkim głosem.

– Mama mi zmarniała. Proszę ją wypuścić, przecież ona nie jest żadną czarownicą…

– No, a ja mam informacje – podniósł jakieś koperty i pomachał mi przed nosem – że jest wręcz przeciwnie.

– Ale jakie znowu informacje? – Wstałem, by wyglądać groźniej.

Sędzia wziął nożyk i otworzył dwie koperty. Poprawił okulary i zaczął czytać: „Zawiadomienie. Zawiadamia się, że Katarzyna Piecowa w haniebny sposób zamordowała dwoje dzieci. Ponieważ nie ma męża, a brama baszty pilnowana jest całą dobę, jej dzieci to wynik współżycia z diabłem".

– Coś mi się widzi – zapiszczał sędzia – że nie bez powodu wypłynęła na powierzchnię. Test wody prawdę mówi, już od pokoleń, do tego dzieciobójstwo… No, sam widzisz… – Sędzia rozłożył ręce. – Wyrok podtrzymuję, czarownica to czarownica i musi spłonąć na stosie. A poza tym znowu był pożar. Nie widzisz, jak tu się ciężko ludziom żyje. Tak bez powodu, a?

Uderzyłem go prosto w nos, aż upadł na te swoje księgi.

### 3 MARCA 1811 R.

Skazali mnie za pobicie sędziego. Moja żona Kasia obiecała odwiedzać matkę, a jej ojciec — szybko mnie wyciągnąć. Nie wiem, co będzie dalej.

### 4 STYCZNIA 1812 R.

Od dwóch miesięcy jestem w domu. Byłem u matki. Gada jak obłąkana, ale kto by nie zwariował przez prawie pięć lat. Nie poznaje mnie, znowu będzie mieć dziecko, więc jej nie biją i ma spokój. Już w nic nie wierzę. Dla niej najlepsza jest śmierć.

### 6 STYCZNIA 1812 R.

Nie wiem, co myśleć. Wczoraj przyszło podtrzymanie wyroku naszego sądu. Katarzyna Piecowa ma spłonąć na stosie. Moja mama. Ale ona przecież nie jest czarownicą! Może jeszcze przyjdzie coś z Izby Sprawiedliwości?

### 12 KWIETNIA 1812 R.

Jutro ją spalą, na naszym wzgórzu, zaraz obok starego zamku. Wszyscy muszą dobrze widzieć, jak władze rozprawiają się z czarownicami.

Byłem u niej. Myślę, że wie, co ją czeka… Ogolili ją do skóry. Borowiczowa mówi, że wtedy czarownica ma mniejszą moc.

Całe miasteczko tym żyje. Ciągle słyszę, jak ludzie umawiają się, wszyscy czekają na widowisko.

### 13 KWIETNIA 1812 R.

Spalili ją.

## 13 LIPCA 1812 R.

Wreszcie mogę opisać, co wydarzyło się trzy miesiące temu.

Wykonanie wyroku było planowane na godziny popołudniowe, ale ludzie zbierali się już od rana. Zbudowano wielki stos. Patrzyłem na ten narastający tłum obserwatorów. Ich syk przechodził w skowyt: „Spalić ją". Czasem zerkałem w niebo, nie wiem, czy szukałem tam pomocy, czy po prostu dłużej nie mogłem patrzeć.

Mimo że od skazania minęło już prawie pięć lat, na wzgórzu zebrali się WSZYSCY mieszkańcy. Niemowlaki trzymane przy piersiach, kobiety, mężczyźni, dzieci. Nawet niechodzący staruszek Bartold, którego syn z synową przywieźli na wózku do drewna. Wszyscy szukali zemsty za dotychczasowe pożary i choroby.

Kat przyjechał z pobliskich Wyk. Rozglądał się z zaciekawieniem. Jestem pewien, że nawet jego zaskoczyła ta liczba widzów.

– Jedzie! – usłyszeliśmy głos z oddali. – Zrobić miejsce! Odsunąć się!

Tłum się rozstępował. Na drewnianym wozie siedziała Katarzyna – moja matka. Miała na sobie luźną suknię, obejmowała swój nabrzmiały, ciężarny brzuch. Kiwała się trochę, nuciła coś, jak zwykle.

Wóz zatrzymał się przed katem. Mama była posiniaczona, z twarzy sterczały jej zaschnięte strupy, głowę miała ogoloną. Kilka kobiet zasłoniło dzieciom oczy, niektórzy robili znak krzyża. Kat podał komuś płonącą pochodnię.

Zdawało mi się, że widziałem Ostera, ale sam nie wiem. Już wszyscy zapomnieli o tym, że wszystko zaczęło się od niego.

– Nie róbcie tego! – zaczęła krzyczeć matka, całkiem przytomnie, ale nagle jej ciałem wstrząsnęły drgawki. Z ust pociekła ślina. – Zaprawdę powiadam wam, nie róbcie tego!

– Kończ już! Kacie, spal ją – rozlegały się głosy w tłumie.

– Przeklinam was! Jak tylko dosięgnie mnie ogień, spadnie na was jasność z nieba. Zniszczy was! Scześniecie. Wszyscy, co do jednego. Całe miasto scześnie. A ja będę się śmiać. Zagryziecie się jak szczury i nikt wam nie pomoże. Jesteście szczurami, co się nie rozmnożą, a zjedzą wzajemnie. Wrr! – Matka zaczęła warczeć. – ZAWSZE BĘDZIE WAS TYLE, CO TERAZ. Za karę! Przeklęci!

Kat podszedł bliżej. Byłem pewien, że nim przywiązał matkę do słupa, coś jej zrobił. Choć płomienie już na dobre się rozpaliły, zobaczyłem jeszcze, że głowa matki dynda bezwładnie.

Gdy ogień dotarł do jej sukni, rozpętała się wielka burza. Pioruny przecinały niebo, aż zrobiło się całkiem jasno. Lunął deszcz. Wszyscy w pośpiechu opuszczali wzgórze. Oprócz mnie. Zalewany strugami wody, zastanawiałem się nad słowami matki. Wiem, że nie były przypadkowe.

# PODZIĘKOWANIA

Ta książka powstała dzięki pomocy i wsparciu rodziny, najbliższych, przyjaciół, konsultantów i pierwszych czytelników.

Bardzo dziękuję mojemu bratu za godziny konstruktywnych rozmów.

Kłaniam się nisko moim pierwszym czytelnikom, dzięki którym nie straciłam wiary w sens tej historii: Ani Andryka, Kasi Górnej, Madzioszowi i Monice Gajdzie; nigdy nie zapomnę Waszych krzepiących słów po pierwszej lekturze i za wszystkie dziękuję.

Za serce i okazaną pomoc, za przegadane godziny i analizy tekstu, za mądre rady, których nigdy dość, dziękuję też najpiękniej, jak umiem, Izabeli Szolc i Małgorzacie Rogali.